Diverso 1

Curso de español para jóvenes

Diverso 1

Curso de español para jóvenes

Encina Alonso
Jaime Corpas
Carina Gambluch

Español Lengua Extranjera

SGEL

Primera edición, 2015
Séptima edición, 2021

Produce: SGEL Libros
Avda. Valdelaparra, 29
28108 Alcobendas (Madrid)

© Encina Alonso, Jaime Corpas, Carina Gambluch
© Sociedad General Española de Librería, S. A., 2015
Avda. Valdelaparra, 29, 28108 Alcobendas (Madrid)

Dirección editorial: Javier Lahuerta
Edición: Yolanda Prieto
Corrección: Jaime Garcimartín

Diseño de cubierta: Thomas Hoermann
Fotografías de cubierta: Shutterstock
Diseño de interior y maquetación: Leticia Delgado

Ilustraciones: Pablo Torrecilla: pág. 13 (Saludos / Despedidas), pág. 15 (Personas), pág. 16 (viñetas), pág. 20 (viñeta), pág. 21 (viñeta), pág. 31 (viñetas), pág. 34 (clase), pág. 40 (plano Salamanca), pág. 42 (mapa Antigua), pág. 45 (salón), pág. 50 (viñetas), pág. 54 (viñetas), pág. 74 (viñetas), pág. 82 (viñetas), pág. 84 (viñeta), pág. 94 (viñeta), pág. 100 (viñeta y paisaje), pág. 101 (viñeta y dibujos), pág. 102 (plano México D. F.), pág. 132 (viñetas), pág. 143 (salón), pág. 189 (plano México D. F.) y Shutterstock (resto de ilustraciones, cartografía y banderas)

Fotografías: CORDON PRESS: pág. 26 foto huemul; pág 27 fotos Michelle Bachelet, Machuca, Pablo Neruda y Víctor Jara; pág. 57: fotos Juan Diego López, Gastón Acurio y Mario Vargas Llosa; pág. 61: foto Claudia Poll; pág. 65 foto Karina Ramos; pág. 66 foto 4; pág. 126 foto Francisco José López Contardo; pág. 127 foto Isabel Allende Llona; pág. 151 foto Howard Gardner; pág. 159 foto selección español; pág. 189 fotos las posadas y el Año Nuevo. DREAMSTIME: pág. 94: fotos de Mar del Plata y Pinamar; pág. 188 foto 2. MISERICORDIA GARCÍA: pág. 189 foto Día de Muertos. GUILLERMO SALGADO: pág. 27 foto carnaval de Putre. INGIMAGE: pág. 131 foto Mario; pág. 174 foto 1. SHUTTERSTOCK: Resto de fotografías, de las cuales, solo para uso de contenido editorial: pág. 14 foto La Habana (Richard Cavalleri / Shutterstock.com); pág. 23 foto c (KKulikov / Shutterstock.com), foto d (thelefty / Shutterstock.com), foto e (Iakov Filimonov / Shutterstock.com) y foto Marcelo Ríos (Paul Cowan / Shutterstock.com); pág. 26 foto Alexis Sánchez (Natursports / Shutterstock.com); pág. 36 foto etnias en mensaje de Oswaldo (Ksenia Ragozina / Shutterstock.com); pág. 37 foto 6 (Ksenia Ragozina / Shutterstock.com); pág. 40 foto 8 (Radu Bercan / Shutterstock.com) y foto 9 (Popova Valeriya / Shutterstock.com); pág. 43 (Iakov Filimonov / Shutterstock.com); pág. 44 foto La Barceloneta (Mark52 / Shutterstock.com); pág. 48 foto 3 (Tupungato / Shutterstock.com) y foto 4 (1000 Words / Shutterstock.com); pág. 52 foto a (Pavel L Photo and Video / Shutterstock.coms) y foto c (Natursports / Shutterstock.com); pág. 56 foto Fiesta del Inti Raymi (Chris Howey / Shutterstock.com) y foto incas (Goran Bogicevic / Shutterstock.com); pág. 57 fotos de Mario Testino (Featureflash / Shutterstock.com), Susana Baca (Helga Esteb / Shutterstock.com), Claudio Pizarro (Maxisport / Shutterstock.com), Sofía Mulanovich (Pedro Monteiro / Shutterstock.com); pág. 59 foto 1 (Igor Shootov / Shutterstock.com) y foto 2 (Leonard Zhukovsky / Shutterstock.com); pág. 62 foto Daniel (ChameleonsEye / Shutterstock.com); pág. 67 foto surf (Marco Govel / Shutterstock.com); pág. 68 foto 2 (CHEN WS / Shutterstock.com); pág. 78 foto 1 (Maisna / Shutterstock.com), foto 2 (Ildi Papp / Shutterstock.com) y foto 3 (paul prescott / Shutterstock.com); pág. 79 foto exposición (Adriano Castelli / Shutterstock.com); pág. 80 foto La Habana (Kamira / Shutterstock.com); pág. 81 foto catedral de Santo Domingo (Victoria Lipov / Shutterstock.com), pág. 86 foto mujer (Anna Jedynak / Shutterstock.com), foto carnaval (Danny Alvarez / Shutterstock.com), foto capitolio (Anna Jedynak / Shutterstock.com), foto músicos (Kamira / Shutterstock.com), foto carabiné (bumihills / Shutterstock.com); pág. 88 foto 4 (IR Stone / Shutterstock.com); pág. 89 foto 4 (Lucian Milasan / Shutterstock.com); pág. 107 foto 4 (Takamex / Shutterstock.com), foto 9 (tipograffias / Shutterstock.com) y foto 10 (ChameleonsEye / Shutterstock.com); pág. 108 foto 3 (cesc_assawin / Shutterstock.com); pág. 177 foto República Dominicana (Leonard Zhukovsky / Shutterstock.com); pág. 189 foto las serenatas (Ron Kacmarcik / Shutterstock.com)

Para cumplir con la función educativa del libro se han empleado algunas imágenes procedentes de internet

Agradecemos a Guillermo Salgado que nos haya cedido la imagen del Carnaval de Putre (pág. 27)

Audio: Bendito Sonido. Locutores: Gregorio Tavío, Olga Hernangómez, Mamen Delgado, Carlos Domínguez, María Sánchez, Mario Núñez, Claudia Lahuerta, Bernardino León, Fabio Cobos, Daiana Bertucci, Pablo Sainz, Julián Caraca, Roberto González, Joaquín Mulén, Dilma Albán

ISBN: 978-84-9778-821-2

Depósito legal: M-12088-2015
Printed in Spain – Impreso en España
Impresión: Gómez Aparicio Grupo Gráfico

Índice

¿Cómo es *Diverso*?

DIVERSO es un curso para aprender español en un contexto global e intercultural. Ofrece un enfoque que atiende los valores y actitudes, la diversidad, la indagación, la acción y la reflexión sobre el mundo que nos rodea y sobre el propio aprendizaje. Cada unidad se plantea alrededor de un concepto (identidad, competición, hábitat, etc.).

Las unidades del **Libro del alumno** están divididas en cuatro partes:

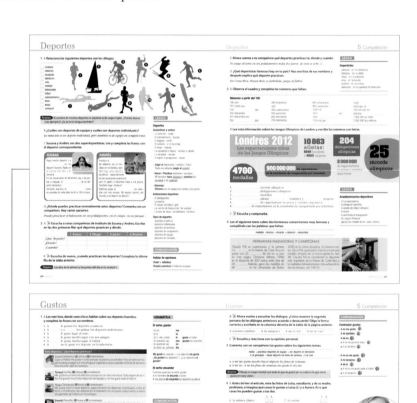

1

Una portadilla para:

- presentar los contenidos de la unidad
- activar el conocimiento previo
- introducir y contextualizar los temas
- motivar a los alumnos

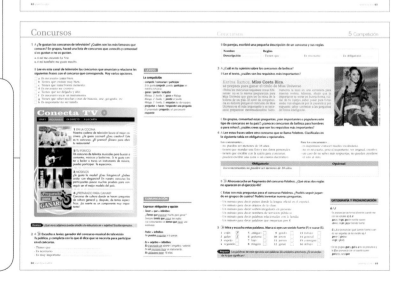

2

Tres secuencias didácticas que incluyen:

- distintos tipos de textos, tanto escritos como orales
- cuadros de léxico, gramática, comunicación, ortografía y pronunciación
- actividades variadas, motivadoras e interesantes en una secuencia que termina con la producción por parte del estudiante
- actividades y sugerencias que permiten repasar o profundizar los contenidos de la unidad

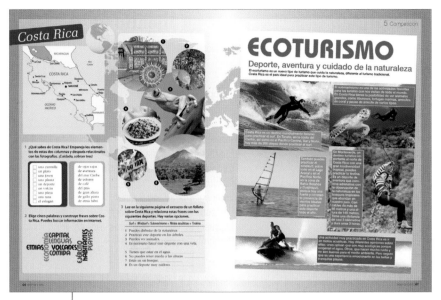

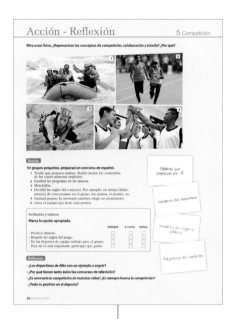

3

Una doble página sobre un país de habla hispana con:

- información general sobre el país
- actividades relacionadas con el concepto de la unidad

4

Una página final que contiene:

- una propuesta de trabajo oral a partir de fotografías
- una acción final que recoge los contenidos principales de la unidad
- un breve cuestionario sobre los valores y actitudes trabajados
- una reflexión final

Este volumen también contiene el **Cuaderno de ejercicios**, donde se practican los contenidos trabajados en la unidad y en el que se incluye una completa Autoevaluación.

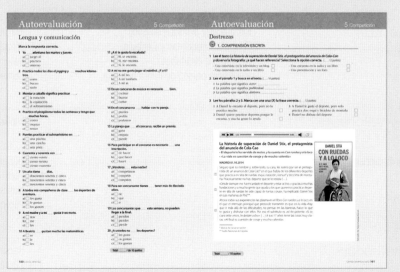

Además, el libro incluye:
- un anexo de gramática y léxico
- las transcripciones de las grabaciones

Contenidos

	0 ¡Hola!	1 Identidad
Conciencia crítica-reflexiva		Reflexionar sobre la identidad
Interculturalidad		Mi propia cultura
Competencias lingüísticas	**Gramatical:** - Los pronombres personales de sujeto **Léxica:** - Saludos - Los números del 0 al 20 - Países y ciudades hispanos **Fonológica / Ortográfica:** Letras y sonidos	**Gramatical:** - El artículo determinado - Género y número del sustantivo - *Tú* y *usted* - Verbos *llamarse, ser* y *tener* - Los posesivos (un poseedor) - El presente: verbos regulares *-ar, -er, -ir* - Pronombres interrogativos **Léxica:** - Objetos de la clase - Nacionalidades - Países - Los números del 20 al 100 - Los meses del año y las fechas - Direcciones electrónicas - Deportistas - Idiomas **Fonológica / Ortográfica:** *y / e* Entonación interrogativa
Competencia pragmática y sociolingüística	- Saber pronunciar y escribir cada letra de una palabra - Saludar y despedirse	- Conocer objetos de la clase - Escuchar y producir saludos - Dar y pedir información personal - Presentarse - Diferenciar entre *tú* y *usted* - Interpretar información extraída de internet
Procedimientos y estrategias	- Identificar y producir saludos - Formular preguntas en el aula - Reproducir el alfabeto - Identificar países de habla hispana	- Formular preguntas - Simular situaciones - Seleccionar información - Confeccionar textos breves
Actitudes y valores		Respetar el trabajo de mis compañeros
Tipologías textuales	Mapa	- Documento de identidad - Perfil en Facebook - Noticia - Página web
Acción - Reflexión		- Hacer un póster - ¿Quién soy? ¿Cuál es mi identidad?
País		**Chile**

2 Relaciones

Reflexionar sobre las relaciones sociales

Las relaciones sociales como base de una cultura

Gramatical:
- Los posesivos (varios poseedores)
- Los demostrativos
- Adjetivos y su concordancia con el sustantivo
- La negación: *no*
- Conectores: *y, también, o, pero*

Léxica:
- Relaciones familiares y relaciones sociales
- Estado civil
- Descripción física y de carácter

Fonológica / Ortográfica:
Sonidos que se pronuncian juntos

- Hablar sobre relaciones familiares
- Preguntar sobre la familia
- Describir el aspecto físico y el carácter de las personas

- Identificar relaciones familiares
- Clasificar relaciones de parentesco
- Relacionar dibujos y palabras
- Diseñar un árbol genealógico

Valorar nuestras relaciones con otras personas

- Árbol genealógico
- Blog
- Anuncio
- Mensaje en red social
- Folleto

- Diseñar un árbol genealógico de la familia
- ¿En qué se diferencian las familias? ¿Son importantes los amigos?

Ecuador

3 Hábitat

Reflexionar sobre la vida en diferentes lugares

El hábitat y la relación con la cultura

Gramatical:
- El artículo indeterminado
- *Hay*
- Cuantificadores: *muy, mucho, poco, uno, alguno, ninguno*
- *Porque / Para*
- Verbo *estar*
- Marcadores de lugar

Léxica:
- Servicios públicos
- Descripción de lugares
- Los puntos cardinales
- Partes de la casa
- Muebles y objetos de la casa

Fonológica / Ortográfica:
r / rr

- Describir ciudades, barrios y partes de la casa
- Preguntar por la existencia de servicios públicos
- Expresar causa y finalidad
- Expresar existencia y ubicación

- Leer mapas y planos
- Interpretar folletos
- Seleccionar información de un texto
- Relacionar información de ciudades y países

Cooperar en la formación de grupos

- Mapa
- Plano
- Artículo
- Foro
- Folleto informativo

- Diseñar un proyecto de un nuevo barrio
- ¿Cómo es tu hábitat ideal?

Guatemala

4 Hábitos

Reflexionar sobre los hábitos y las rutinas

Los hábitos en distintas culturas

Gramatical:
- Preposiciones para indicar la hora
- Verbos reflexivos: *levantarse*
- Verbos irregulares: *ir, hacer, jugar*
- *Más tarde / Más temprano*
- Marcadores temporales: *primero, luego, después, durante*
- Expresiones para indicar frecuencia
- Verbos irregulares con cambio en la vocal

Léxica:
- Vocabulario relacionado con las rutinas diarias (hora, hábitos, asignaturas, días de la semana, partes del día, actividades del día)
- Profesiones

Fonológica / Ortográfica:
Letras que no se pronuncian: *h* (*hoy, hora*) / *u* (en *gue, gui, que, qui*)

- Preguntar y decir la hora
- Hablar y preguntar por actividades diarias
- Expresar frecuencia
- Opinar sobre hábitos

- Formular preguntas relacionadas con las horas
- Confeccionar hábitos de aprendizaje
- Comparar hábitos y rutinas
- Describir profesiones

Respetar los hábitos de la clase

- Entrada de un blog
- Correo electrónico
- Horario
- Folleto
- Cuestionario

- Escribir una entrada de blog sobre la vida diaria
- ¿Qué son buenos y malos hábitos?

Perú

Contenidos

	5 Competición	**6 Nutrición**
Conciencia crítica-reflexiva	Reflexionar sobre la competición, la colaboración y el triunfo	Reflexionar sobre tipos de comida diferentes
Interculturalidad	La competición en las distintas culturas	La influencia de la cultura en la dieta
Competencias lingüísticas	**Gramatical:** - Verbos *gustar* y *encantar* - Marcadores de cantidad - *A mí también / A mí tampoco* - *Tener que* + infinitivo, *poder* + infinitivo, *es importante / necesario / obligatorio* + infinitivo **Léxica:** - Deportes, deportistas y actividades físicas - Instalaciones deportivas - Los números a partir del 100 - Vocabulario relacionado con la competición **Fonológica / Ortográfica:** *g / j*	**Gramatical:** - *Lo que más / menos me gusta, mi comida favorita / preferida* - Verbos *almorzar* y *merendar* - Marcadores de frecuencia - Impersonalidad con *se* - Pronombres de OD: *lo / la / los / las* - Verbo *querer* **Léxica:** - Vocabulario relacionado con la comida y bebida (alimentos, bebidas, las comidas del día, platos típicos del mundo hispano) - Medidas y cantidades - Formas de cocinar, de comer y de beber **Fonológica / Ortográfica:** Dígrafos: *ch / ll*
Competencia pragmática y sociolingüística	- Hablar sobre actividades deportivas - Expresar y contrastar gustos - Hablar de obligaciones y opciones	- Expresar preferencia - Expresar frecuencia - Expresar impersonalidad - Describir comidas y bebidas - Hablar sobre hábitos alimenticios - Pedir en un establecimiento de comida - Dar y pedir información sobre comidas y su elaboración
Procedimientos y estrategias	- Diferenciar obligación de opción - Asociar léxico - Comparar y contrastar gustos - Formular reglas	- Realizar un test - Identificar textos por elementos paralingüísticos - Interpretar y elaborar recetas - Simular conversaciones en un restaurante
Actitudes y valores	Promover el trabajo colaborativo	Respetar la diversidad en la alimentación
Tipologías textuales	- Infografía - Foro - Artículo de revista - Página web - Extracto de un concurso - Folleto turístico	- Infografía - Test - Programa de radio - Texto informativo - Receta - Menú - Fragmento de noticia
Acción - Reflexión	- Preparar un concurso de español - ¿Por qué tienen tanto éxito los concursos de televisión? ¿Es siempre buena la competición? ¿Todo es positivo en el deporte?	- Organizar un concurso de cocina - ¿Crees que hay una relación entre comida y cultura? ¿Tiene la comida la misma importancia en todas las culturas?
País	**Costa Rica**	**España**

7 Diversión

Reflexionar sobre qué es la diversión

La diversión en distintas culturas

Gramatical:
- Verbos valorativos: *gustar, encantar, interesar, apetecer, parecer, preferir…*
- *Ir + a + infinitivo*
- *Querer / Preferir / Tener ganas de +* infinitivo
- Marcadores temporales del futuro
- *Si + presente, presente*

Léxica:
- Vocabulario relacionado con las actividades de ocio, sugerencias, planes, cine, música, fiestas

Fonológica / Ortográfica:
c / z

- Hablar sobre planes e intenciones
- Hacer propuestas
- Expresar deseo o intención
- Expresar una condición
- Invitar a realizar una actividad: aceptar y rechazar, quedar
- Expresar opinión: mostrar acuerdo y desacuerdo

- Planificar salidas
- Indagar sobre nuevas estructuras
- Hacer juegos de rol
- Escribir una reseña

Valorar el uso de internet

- Correo electrónico
- Viñeta
- Mensaje de Facebook
- Reseña
- Artículo
- Canción

- Escribir un correo electrónico
- ¿Qué es la diversión? ¿Qué necesitas para divertirte?

Cuba y la República Dominicana

---

8 Clima

Reflexionar sobre el clima y su influencia en la vida diaria

El clima y su efecto en la cultura

Gramatical:
- Verbos impersonales: *llueve, nieva, está nublado, hace frío, hay viento…*
- Conectores: *además, aunque*
- Comparativos
- El voseo

Léxica:
- Vocabulario relacionado con el tiempo (estaciones, fenómenos naturales, estados de ánimo, tipos de clima)
- Colores

Fonológica / Ortográfica:
ll / y

- Hablar del tiempo
- Intercambiar ideas sobre preferencias
- Hablar de lugares favoritos
- Analizar el clima y la personalidad
- Hacer comparaciones
- Indicar igualdad

- Establecer hipótesis
- Comparar dos lugares
- Expresar preferencia
- Contrastar aspectos del español

Adaptarse y aceptar distintos puntos de vista

- Parte meteorológico
- Mapa
- Artículo
- Folleto
- Entrevista

- Redactar un artículo informativo
- ¿Qué influencia tiene el clima del lugar donde vives en tu vida diaria? ¿Cómo influye el clima?

Argentina

---

9 Viajes

Reflexionar sobre el significado de viajar

El respeto a otras culturas

Gramatical:
- *Saber* y *conocer*
- *No… ni…*
- Verbos irregulares en primera persona
- *Por / Porque* y *para*
- Marcadores de lugar: *a la derecha, al lado de…*
- Pretérito perfecto
- Marcadores temporales: *hoy, este año, esta mañana…*

Léxica:
- Tipos de vacaciones
- Geografía y accidentes geográficos
- Medios de transporte
- Formas y razones de viajar
- Adjetivos de carácter
- Alojamientos

Fonológica / Ortográfica:
Abreviaturas relacionadas con las direcciones

- Expresar habilidad y conocimiento
- Expresar causa, finalidad y opinión
- Preguntar y dar direcciones
- Hablar de experiencias en un tiempo pasado conectado con el presente y a lo largo de la vida
- Definir la personalidad de los viajeros

- Comparar opciones
- Analizar hábitos culturales
- Caracterizar personalidades y formas de viajar
- Extraer el significado general de un texto

Valorar la organización en las actividades

- Viñeta
- Artículo informativo
- Plano
- Tarjeta de visita
- Blog de viajes
- Mensaje de Facebook
- Foro
- Reportaje

- Organizar un viaje con la clase
- ¿Qué significa viajar para ti? ¿Qué buscas cuando vas de vacaciones?

México

Mapas

AMÉRICA LATINA

Estados Unidos

WASHINGTON

Océano Atlántico

Mar Caribe

México

CIUDAD DE MÉXICO

NASSAU

Bahamas

LA HABANA

Cuba

Haití

KINGSTON

Jamaica

República Dominicana

SANTO DOMINGO

SAN JUAN

PUERTO PRÍNCIPE

Puerto Rico

Barbados

Granada

Trinidad y Tobago

CARACAS

GEORGETOWN

PARAMARIBO

CAYENA

Venezuela

BOGOTÁ

Guyana

Surinam

Guayana Francesa

Colombia

Ecuador

QUITO

Perú

LIMA

Brasil

BRASILIA

Bolivia

SUCRE

Paraguay

ASUNCIÓN

Océano Pacífico

Chile

Argentina

Uruguay

MONTEVIDEO

SANTIAGO DE CHILE

BUENOS AIRES

México

Belice

BELMOPÁN

Mar Caribe

Guatemala

GUATEMALA

SAN SALVADOR

Honduras

TEGUCIGALPA

El Salvador

Nicaragua

MANAGUA

Costa Rica

SAN JOSÉ

Océano Pacífico

PANAMÁ

Panamá

Colombia

ESPAÑA

A Coruña

Santiago de Compostela

Lugo

GALICIA

Pontevedra

Ourense

ASTURIAS

Oviedo

León

Palencia

Zamora

Valladolid

CASTILLA Y LEÓN

Segovia

Ávila

Salamanca

MADRID

MADRID

Cáceres

Toledo

EXTREMADURA

Mérida

Badajoz

Ciudad Real

PORTUGAL

Córdoba

Jaén

Huelva

Sevilla

ANDALUCÍA

Granada

Cádiz

Málaga

Almería

Ciudad Autónoma Ceuta

Ciudad Autónoma Melilla

MARRUECOS

CANTABRIA

Santander

Bilbao

PAÍS VASCO

S. Sebastián

Vitoria

NAVARRA

Pamplona

Logroño

LA RIOJA

Burgos

Soria

Zaragoza

Guadalajara

ARAGÓN

Cuenca

Teruel

CASTILLA - LA MANCHA

Albacete

VALENCIA

Valencia

Castellón

Alicante

Murcia

MURCIA

FRANCIA

ANDORRA

Huesca

Girona

CATALUÑA

Lleida

Barcelona

Tarragona

Palma de Mallorca

ISLAS BALEARES

ARGELIA

ISLAS CANARIAS

Santa Cruz de Tenerife

Las Palmas

⊙ CAPITAL DEL PAÍS

● Capital autonómica

○ Capital de provincia

0 ¡Hola!

Saludos y despedidas

1 A ① **Mira las fotografías. Lee y escucha.**

En clase. Día 1.

Hola, buenos días. Me llamo Marta. Soy la profesora de español.

● Hola, me llamo Daniel, ¿qué tal?
■ Bien, ¿y tú?

● ¡Adiós, hasta mañana!
■ ¡Adiós!

B Practica con tu compañero.

COMUNICACIÓN

Saludos

● Hola, { ¿cómo estás?
           ¿qué tal? }

■ Muy bien,
  Bien,
  Regular,   } gracias, ¿y tú?
  Más o menos,

Despedidas

¡Hasta luego!
¡Hasta mañana!
¡Hasta pronto!
¡Adiós!
¡Chau / Chao!

¡Buenos días!

07:30

16:00

¡Buenas tardes!

21:00

¡Buenas noches!

2 ② **Escucha y reacciona.**

1 _____   3 _____
2 _____   4 _____

El alfabeto

1 ③ **Escucha y repite las letras del alfabeto español.**

El alfabeto

A	a	a	Antigua (Guatemala)
B	b	be	Bogotá (Colombia)
C	c	ce	Caracas (Venezuela)
D	d	de	Durazno (Uruguay)
E	e	e	El Escorial (España)
F	f	efe	Formentera (España)
G	g	ge	Guadalajara (México)
H	h	hache	Heredia (Costa Rica)
I	i	i	Iquitos (Perú)
J	j	jota	Jarabacoa (República Dominicana)
K	k	ka	Kino (México)
L	l	ele	La Habana (Cuba)
M	m	eme	Managua (Nicaragua)
N	n	ene	Neuquén (Argentina)
Ñ	ñ	eñe	Ñemby (Paraguay)
O	o	o	Oviedo (España)
P	p	pe	Panamá (Panamá)
Q	q	cu	Quito (Ecuador)
R	r	erre	Rocha (Uruguay)
S	s	ese	San Salvador (El Salvador)
T	t	te	Tegucigalpa (Honduras)
U	u	u	Uyuni (Bolivia)
V	v	uve	Valparaíso (Chile)
W	w	uve doble (doble ve)	Wanda (Argentina)
X	x	equis	Xico (México)
Y	y	i griega (ye)	Yauco (Puerto Rico)
Z	z	zeta	Zaragoza (España)

Las vocales

a – e – i – o – u   Solo las vocales pueden llevar acento:
á (a con acento) – a (a sin acento)

Las consonantes

b – c – d – f – g – h – j – k – l – m – n – ñ –   Se dice:
p – q – r – s – t – v – w – x – y – z   D (de mayúscula) – d (de minúscula)

La Habana (Cuba)

Jarabacoa
(República Dominicana)

Valparaíso (Chile)

Formentera (España)

2 **En parejas, lee los nombres de los lugares y los países anteriores.**

● *Antigua, Guatemala.*
■ *Bogotá, Colombia.*

3 A ④ **Escucha y escribe.**

1 *t-a-x-i*   3 _____   5 _____   7 _____
2 _____   4 _____   6 _____   8 _____

B **¿Cómo se escribe tu nombre? Después, pregunta a un compañero.**

Mi nombre se escribe: eme, a, de, e, ele, e, i, ene, e. ¿Cómo se escribe tu nombre?

Números

1 (5) **Escucha y lee.**

Números del 0 al 20

0 cero	3 tres	6 seis	9 nueve	12 doce	15 quince	18 dieciocho
1 uno	4 cuatro	7 siete	10 diez	13 trece	16 dieciséis	19 diecinueve
2 dos	5 cinco	8 ocho	11 once	14 catorce	17 diecisiete	20 veinte

---

2 Completa las series.

1 seis, siete, ocho, nueve, _____
2 cinco, siete, nueve, once, _____
3 veinte, diecinueve, dieciocho, _____
4 cuatro, ocho, doce, dieciséis, _____
5 cuatro, tres, dos, uno, _____
6 once, doce, trece, catorce, _____

3 Juego del Miau. En grupos, uno comienza por el *0* y el siguiente dice *miau*; el siguiente dice *2* y el siguiente, *miau*.

- ● *Cero*   ▲ *Dos*
- ■ *Miau*   ◆ *Miau*

4 Pregunta el número de teléfono a tres compañeros y escríbelos.

- ● *¿Cuál es tu número de teléfono?*
- ■ *859 87 72 98.*

Personas

1 Lee los pronombres personales en español.
¿Cuál es la traducción de cada pronombre en tu idioma?

Tú en inglés es you.

* Para indicar respeto o cortesía.

El aula

1 **Mira las instrucciones de estas fotografías. ¿Cómo se dicen en tu idioma?**

1 Escribe

2 Habla

3 Pregunta a tu profesor

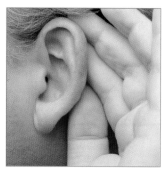

4 Escucha

5 Mira

6 Comenta con tus compañeros

7 Lee

2 **Relaciona los dibujos con las preguntas.**

A A (a) U (u) L (ele) A (a)

B Profesor o profesora. Yo soy una profesora.

C Esto es un bolígrafo.

D Profesora / Sí: pro-fe-so-ra.

1 ¿Puede(s) repetir, por favor?

2 ¿Qué significa *bolígrafo*?

3 ¿Cómo se escribe *aula* en español?

4 ¿Cómo se dice *teacher* en español?

El español internacional

1 **A** **¿Cómo se dice en español? Mira las fotografías y escribe las palabras debajo.**

turista ● sombrero ● poncho ● amigos ● flamenco ● tapas ● fiesta ● siesta ● tomates ● playa ● tacos ● fútbol

1 _____

2 _____

3 _____

4 _____

5 _____

6 _____

7 _____

8 _____

B **6** **Ahora, escucha y comprueba.**

C **¿Conoces más palabras en español?**
Escribe una lista con tu compañero.

9 _____

10 _____

11 _____

12 _____

Países hispanos

1 ¿Sabes cuál es la capital de estos países? Practica con tu compañero.

● *Argentina*
■ *Buenos Aires*

1 San José
2 Santiago
3 Caracas
4 México D. F.
5 Bogotá
6 Lima

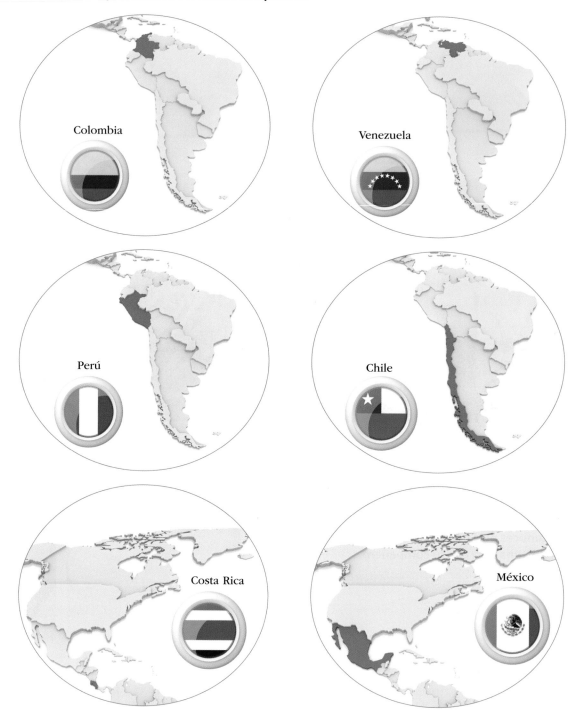

2 Marca los países donde el español es el idioma oficial.

☐ Cuba
☐ Paraguay
☐ Nicaragua
☐ Uruguay
☐ Panamá

☐ Estados Unidos
☐ Brasil
☐ República Dominicana
☐ El Salvador
☐ Ecuador

☐ Marruecos
☐ Argentina
☐ Guinea Ecuatorial
☐ Haití
☐ Honduras

☐ Portugal
☐ Guatemala
☐ Puerto Rico
☐ Bolivia
☐ España

1 Identidad

- Conocer objetos de la clase
- Dar y pedir información personal
- Presentarse
- Hacer un póster

- Reflexionar sobre la identidad
- País: Chile
- Interculturalidad: **Mi propia cultura**
- Actitudes y valores: **Respetar el trabajo de mis compañeros**

1 ¿Qué define tu identidad: tu nombre, tu colegio, tu nacionalidad, tu ropa?

2 Mira las fotografías. ¿De qué nacionalidad crees que son los chicos y chicas?

3 ¿Qué define una nacionalidad: el idioma, la cultura, el clima, la comida...?

4 ¿Con qué fotografía te identificas más?

La clase

1 A (7) **Mira los objetos. Escucha y escribe los artículos** *(el, la, los, las).*

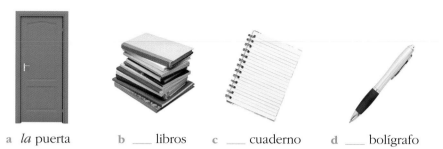

a *la* puerta b ___ libros c ___ cuaderno d ___ bolígrafo

e ___ goma f ___ lápices de colores g ___ mochilas h ___ mapa i ___ pizarra

j ___ ordenador k ___ silla l ___ rotuladores m ___ reloj n ___ mesa ñ ___ sacapuntas

Repasa El alfabeto en la unidad 0.

B Mira otra vez los objetos durante 10 segundos y cierra el libro. ¿Cuáles recuerdas? Escribe en tu cuaderno una lista con los nombres y los artículos y compárala con la de tu compañero.

C En parejas, coloca objetos de tu mochila en la mesa. Después, tu compañero dice el nombre del objeto con el artículo.

2 A (8) **Escucha a Erika (E) y a Alejandro (A) en su primer día de clase. Completa la conversación con las siguientes palabras.**

te llamas • y tú • cómo estás • soy

A: Hola, ¿_____?
E: Muy bien, ¿y tú?
A: Bien, gracias.
E: ¿Cómo _____?
A: Alejandro, ¿_____?
E: _____ Erika.
A: Erika, bienvenida a la clase de español.
E: ¡Gracias!

B Lee la conversación con un compañero. Luego, practícala con distintos compañeros utilizando tus datos personales.

GRAMÁTICA

El artículo determinado

	singular	plural
masculino	el cuaderno	los libros
femenino	la goma	las mochilas

GRAMÁTICA

El sustantivo

- Tiene género: **masculino** o **femenino**.
  Muchos terminan en *-o* y en *-a*.

masculino	femenino
el libro	la puerta
el bolígrafo	la pizarra

- Puede terminar en otra vocal o en consonante:
  el estudiante / la estudiante
  el sacapuntas
  el lápiz

- Tiene número: **singular** o **plural**.

singular		plural
la puerta el bolígrafo	+s	las puertas los bolígrafos
el rotulador el reloj	+es	los rotuladores los relojes
el lápiz	-z = +ces	los lápices
el sacapuntas*	=	los sacapuntas

*Es igual en singular y plural.

C (9) **Escucha a la señora Martínez y al señor López en su primer día de trabajo. Lee la conversación y señala lo que dicen.**

- ● Buenos días, ¿es **usted / tú** Antonio López?
- ■ Sí, soy yo. ¿Y **tú / usted** es la señora Sandra Martínez?
- ● Sí, ¿cómo **está / estás**, señor López?
- ■ Bien, gracias, ¿y **tú / usted**?
- ● Muy bien. Bienvenido al instituto.

D ¿Existen las dos formas, *tú* y *usted,* en tu lengua o en otras lenguas que conoces?

3 A Mira las fotografías. Todos son alumnos de una clase de español. Escribe la información que falta debajo de cada fotografía.

1 Se llama Luca.
  Es italiano.

2 Se llama Francesca.
  Es _____.

3 Son _____.

4 Se llama Charlie.
  Es _____.

5 Se llama Juliette.
  Es francesa.

6 Son _____.

7 Se llama Tom.
  Es _____.

8 Se llama Ellen.
  Es _____.

9 Son estadounidenses.

B Completa.

1 Colombia: *colombiano* - colombiana
2 España: español - _____
3 Polonia: _____ - polaca
4 _____ : ruso - _____
5 Canadá: _____ - canadiense
6 _____ : _____ - marroquí
7 _____ : brasileño - _____
8 _____ : _____ - griega
9 Japón: _____ - _____
10 Holanda: _____ - _____

Avanza Escribe la nacionalidad de personas famosas. Por ejemplo: *Shakira es colombiana.*

COMUNICACIÓN

Saludos con *tú* y *usted*

Tú	Usted
● Hola, ¿cómo estás?	● Hola, ¿cómo está?
■ Bien, ¿y tú?	■ Bien, ¿y usted?
¿Cómo te llamas?	¿Cómo se llama?
¿Tú eres Ana?	¿Usted es Ana Sanz?

GRAMÁTICA

Llamarse

(yo)	me llamo
(tú)	te llamas
(él, ella, usted*)	se llama
(nosotros/-as)	nos llamamos
(vosotros/-as)	os llamáis
(ellos, ellas, ustedes*)	se llaman

* *Usted / Ustedes* son pronombres de segunda persona y siempre se conjugan con los verbos en la tercera persona.

Ser

(yo)	soy
(tú)	eres
(él, ella, usted)	es
(nosotros/-as)	somos
(vosotros/-as)	sois
(ellos, ellas, ustedes)	son

LÉXICO

Nacionalidades

singular		plural
masculino	femenino	masc. / fem.
-o	-a	+s
chileno	chilena	chilenos/-as
-a / -e	no cambia	+s
belga	belga	belgas
-í / -ú	no cambia	+s (+es)
hindú	hindú	hindús (hindúes)
consonante	+a	+es / +as
alemán	alemana	alemanes/-as

COMUNICACIÓN

Preguntar por la nacionalidad

- ● *¿De dónde eres?*
- ■ *Soy alemán, ¿y tú?*
- ● *Yo soy italiano.*

Datos personales

1 A ¿Tienes documento de identidad en tu país? Mira la cédula de identidad (así se llama el documento de identidad en Chile) de Marcela y contesta a las preguntas.

1 ¿Cuál es su primer apellido?
_____

2 ¿Cuál es su segundo apellido?
_____

3 ¿Cuál es su segundo nombre?
_____

4 ¿De dónde es Marcela?
_____

5 ¿Cuántos años tiene?
_____

6 ¿Cuándo es su cumpleaños?
_____

CÉDULA DE IDENTIDAD

REPÚBLICA DE CHILE
SERVICIO DE REGISTRO CIVIL E IDENTIFICACIÓN

APELLIDOS
FREDEZ
VIDAL

NOMBRES
MARCELA CAROLINA

NACIONALIDAD SEXO
CHILENA F

FECHA DE NACIMIENTO NÚMERO DOCUMENTO
21 FEB 1982 100000001

FECHA DE EMISIÓN FECHA DE VENCIMIENTO
1 SEP 2013 10 AGO 2023

FIRMA DEL TITULAR

RUN 12.749.625-K

Extraído de http://www.chileatiende.cl

B Inventa una identidad y completa los siguientes datos.

Nombre: _____
Primer apellido: _____
Segundo apellido: _____
Nacionalidad: _____
Edad: _____
Cumpleaños: _____

C Pregunta a tu compañero sobre su nueva identidad y toma nota. Luego, tu compañero te pregunta a ti.

● *¿Cómo te llamas?*
■ *Me llamo Enrique José.*
● *¿Cuál es tu primer apellido?*
■ *Díaz.*

Nombre: _____
Apellidos: _____
Nacionalidad: _____
Edad: _____
Cumpleaños: _____

D Crea un perfil de Facebook para tu compañero con los datos personales de su nueva identidad y cuéntaselo a la clase.

Su nombre es Enrique José. Sus apellidos son…

Avanza Confecciona un calendario con los cumpleaños de tus compañeros de clase.

---

2 A ⑩ **Escucha los números y repite.**

B ⑩ **Escucha otra vez y completa.**

Números del 20 al 100

20 veinte	25 veinticinco	30 treinta	35 _____	40 cuarenta	90 _____
21 veintiuno	26 veintiséis	31 treinta y uno	36 treinta y seis	50 _____	99 noventa y nueve
22 veintidós	27 _____	32 treinta y dos	37 treinta y siete	60 sesenta	100 cien
23 veintitrés	28 veintiocho	33 _____	38 _____	70 _____	
24 _____	29 _____	34 treinta y cuatro	39 treinta y nueve	80 ochenta	

C ⑪ **Escucha las noticias y escribe los números.**

a *32*   b _____   c _____   d _____ / _____   e _____

D Escribe los prefijos de teléfono de estos países.

1 Chile: 56 - *cincuenta y seis*   4 Hungría: 36 - _____
2 Austria: 43 - _____   5 Filipinas: 63 - _____
3 Australia: 61 - _____   6 Japón: 81 - _____

3 A Lee esta noticia y completa la ficha.

¡¡¡Felicidades, MARCELO!!!

Hoy es el cumpleaños de Marcelo Ríos, el mejor deportista en la historia de Chile. Su nombre completo es Marcelo Andrés, y sus apellidos, Ríos Mayorga. Es conocido por su apodo, *el Chino* o *el Chino Ríos*. Es de Vitacura, Chile, y hoy, 26 de diciembre, es su cumpleaños. Es el mejor tenista de Chile y tiene 18 títulos. Sigue a Marcelo Ríos en Twitter: @MarceloRM. ¡Feliz cumpleaños, Marcelo!

Nombre: Marcelo _____ **Apellidos:** _____ Mayorga **Apodo:** _____
País: _____ **Fecha de nacimiento:** ___/12/1975
Profesión: _____ **Títulos en su carrera:** _____ **Twitter:** @Marcelo_____

B Piensa en tu deportista favorito. Tu compañero hace preguntas para adivinarlo. Tú solo puedes responder *sí* o *no*.

● *¿Es inglés?*   ● *¿Es español?*   ● *¿Es tenista?*   ● *¿Se llama Rafa?*
■ *No.*   ■ *Sí.*   ■ *Sí.*   ■ *…*

Avanza ▶ Escribe sobre el deportista favorito de tu compañero.

COMUNICACIÓN

Dar y pedir direcciones electrónicas
● *¿Cuál es tu Twitter?*
■ *@MariaR_G*

● *¿Cuál es tu dirección de correo electrónico?*
■ *chue_99@ubo.cl*

@ se dice "arroba"
_ se dice "guion bajo"

LÉXICO

Deportistas
- el / la jugador(a) de baloncesto
- el / la tenista
- el / la futbolista
- el / la nadador(a)
- el / la ciclista
- el / la atleta

Presentaciones

1 A ¿Qué ayuda a comprender un texto? Marca los elementos importantes.

- Los títulos ☐
- Los subtítulos ☐
- Las fotografías ☐
- Los colores ☐

- Palabras similares en mi idioma ☐
- Palabras similares en otros idiomas que hablo ☐
- El tipo de texto ☐

B Lee la página web de Club de Intercambio de Idiomas, ¿qué es lo que nos proponen?

- Organizar una fiesta ☐
- Practicar un idioma extranjero ☐
- Enseñar idiomas ☐
- Conocer gente ☐

Club de Intercambio de Idiomas

Una nueva forma de practicar tu español

- **Qué:** un intercambio de idiomas
- **Quién:** dos personas
- **Cómo:** una persona habla 45 minutos en español y tú hablas 45 minutos en tu idioma
- **Cuándo:** fines de semana
- **Dónde:** en Madrid (ver a la derecha las cafeterías de intercambio)

Cafeterías de intercambio

LA ESTACIÓN,
Calle Cuesta Alta, 30;
657 77 34 21;
laestacion@mail.com

EL HISPANO,
Calle Mayor, 3;
677 77 38 81;
elhispano@mail.com

LIBROS y MÁS,
Calle Espíritu Santo, 25;
681 23 34 51;
espiritusanto@mail.com

LA ESQUINA,
Calle Pelayo, 30;
697 57 34 55;
esquina@mail.com

Mensajes

Paula ● hace 2 días
¡Hola! Me llamo Paula. Tengo 19 años. Soy de Barcelona y vivo en Madrid. Soy estudiante universitaria. Hablo español y catalán. Estudio árabe y francés.

Tom ● hace 3 días
Me llamo Tom. Tengo 18 años y soy mitad inglés y mitad español. Soy de Madrid. Soy estudiante universitario. Hablo español e inglés y estudio italiano.

Ana ● hace 6 días
¡Hola, chicos! Soy Ana. Tengo 21 años y soy argentina, de Buenos Aires. Ahora vivo en Madrid. Soy estudiante de Medicina. Hablo español y estudio alemán.

Naím ● hace 12 días
Me llamo Naím. Tengo 20 años y soy mitad marroquí y mitad español. Soy de Valencia y vivo en Madrid. Soy estudiante de Ciencias Políticas. Hablo español y árabe. Estudio inglés y chino. Comprendo el portugués.

Agustín ● hace 13 días
Me llamo Agustín. Tengo 18 años y soy chileno, de Santiago. Ahora vivo en Madrid. Soy estudiante de Bachillerato. Hablo español, estudio alemán y comprendo el francés.

Daniela ● hace 19 días
¡Hola a todos! Me llamo Daniela. Tengo 22 años. Soy colombiana y estudio un máster en Madrid. Hablo español e inglés. Estudio alemán e italiano.

GRAMÁTICA

El presente: verbos regulares

Verbos terminados en -ar:

hablar*	
(yo)	hablo
(tú)	hablas
(él, ella, usted)	habla
(nosotros/-as)	hablamos
(vosotros/-as)	habláis
(ellos, ellas, ustedes)	hablan

*El verbo *estudiar* se conjuga igual: *estudio, estudias, estudia, estudiamos, estudiáis, estudian.*

Verbos terminados en -er:

comprender	
(yo)	comprendo
(tú)	comprendes
(él, ella, usted)	comprende
(nosotros/-as)	comprendemos
(vosotros/-as)	comprendéis
(ellos, ellas, ustedes)	comprenden

Verbos terminados en -ir:

vivir	
(yo)	vivo
(tú)	vives
(él, ella, usted)	vive
(nosotros/-as)	vivimos
(vosotros/-as)	vivís
(ellos, ellas, ustedes)	viven

ORTOGRAFÍA Y PRONUNCIACIÓN

Y / E

La **y** cambia a **e** cuando la palabra empieza por **hi-** o **i-**:
*Hablo español **y** árabe.*
*Estudio alemán **e** italiano.*

C Lee otra vez el texto y elige un intercambio para practicar español.
Ten en cuenta:

- la edad que tiene
- el español que habla (de Argentina, de Chile, de Colombia, de España…)
- los idiomas que estudia o comprende

Mi intercambio es Agustín, tiene 18 años, habla español de Chile y estudia alemán.

D Escribe un texto con tus datos.

Avanza Escribe un texto con los datos de tu compañero. Utiliza la tercera persona.

2 A Escribe las preguntas adecuadas para obtener la siguiente información.

1 _____
Me llamo Fabián.

2 _____
Tengo 18 años.

3 _____
Vivo en Valparaíso.

4 _____
Soy chileno.

5 _____
Hablo inglés y alemán.

6 _____
Mi cumpleaños es el 1 de septiembre.

B (12) **Escucha y comprueba.**

C (13) **Ahora escucha estas preguntas y presta atención a la entonación.**

- ¿Eres inglés (↗)?
- ¿Hablas español (↗)?
- ¿Vives en Chile (↗)?

D (14) **Escucha y repite estas preguntas.**

1 ¿Qué (↗) idiomas hablas (↘)?
2 ¿Eres alemán (↗)?
3 ¿Cuándo (↗) es tu cumpleaños (↘)?
4 ¿Hablas chino (↗)?
5 ¿Dónde (↗) vives (↘)?
6 ¿Estudias Bachillerato (↗)?

Avanza Busca más información en internet sobre la entonación en español.
El *Atlas interactivo de la entonación del español* es un sitio interesante.

3 En parejas, elige una fotografía, inventa los datos y escribe un pequeño texto sobre él o ella.

Se llama James, es colombiano y tiene 30 años...

GRAMÁTICA

Pronombres interrogativos

- *¿Qué?* → *¿Qué idiomas hablas?*
- *¿Cuántos / Cuántas?* → *¿Cuántos años tienes?*
- *¿Cuál / Cuáles?* → *¿Cuál es tu número de teléfono? / ¿Cuáles son tus apellidos?*
- *¿Dónde?* → *¿Dónde vives? ¿De dónde eres?*
- *¿Cómo?* → *¿Cómo te llamas?*
- *¿Cuándo?* → *¿Cuándo es tu cumpleaños?*
- *¿Quién / Quiénes?* → *¿Quién habla chino en la clase? / ¿Quiénes son los amigos de Ana?*

ORTOGRAFÍA Y PRONUNCIACIÓN

Entonación interrogativa

Los pronombres interrogativos se escriben con tilde:
- *¿Qué idiomas hablas?*
- *¿Cuántos años tienes?*
- *¿Cuál es tu número de teléfono?*
- *¿Dónde vives?*
- *¿Cómo te llamas?*
- *¿Cuándo es tu cumpleaños?*
- *¿Quién eres?*

En estas preguntas:
- La entonación sube (↗) y luego baja (↘):
  ¿Qué (↗) idiomas hablas (↘)?
- En las preguntas donde la respuesta es "sí" o "no" la voz generalmente sube:
  ¿Eres español (↗)?
  ¿Vives en Europa (↗)?

Los signos de interrogación y exclamación se escriben al principio y al final de la frase o de la pregunta.
¿ ? se llaman «signos de interrogación»
¡ ! se llaman «signos de admiración / exclamación»

Chile

BOLIVIA
PARAGUAY
ARGENTINA
BRASIL
URUGUAY
CHILE
OCÉANO ATLÁNTICO
OCÉANO PACÍFICO

Iquique
Antofagasta
Copiapó
La Serena
Viña del Mar
Valparaíso
SANTIAGO
Concepción
Temuco
Osorno
Puerto Montt
Coyhaique
Punta Arenas

1 Completa la ficha de Chile. Busca información en internet.

CHILE

- **Situación geográfica**: *suroeste de América del Sur*
- **Capital**: _____
- **Idioma oficial**: _____
- **Nacionalidad**: _____
- **Forma de gobierno**: _____
- **Moneda**: _____
- **Prefijo telefónico**: _____
- **Población**: _____

1 ATACAMA

4 HUEMUL

5 PASTEL DE CHOCLO

6 ALEXIS SÁNCHEZ

7 VALPARAÍSO

2 Michelle Bachelet es un personaje muy famoso en Chile. Lee y completa sus datos personales con las siguientes palabras.

chilena ● segundo ● apellido ● primer
cumpleaños ● septiembre ● política

- Se llama Verónica Michelle.
- Michelle es su (1) _____ nombre.
- Su (2) _____ apellido es Bachelet.
- Su segundo (3) _____ es Jeria.
- Es (4) _____.
- Su (5) _____ es el 29 de (6) _____.
- Es médica y (7) _____.

3 **A** Estas nueve fotografías tienen que ver con la identidad de Chile. ¿A qué o a quién se refieren? Escríbelo al lado de cada número.

poeta ● animal en peligro de extinción ● lugar turístico ● película
celebración ● futbolista ● desierto ● comida típica ● cantante

1 *desierto*
2 _____
3 _____
4 _____
5 _____
6 _____
7 _____
8 _____
9 _____

B Ahora, compara con tu compañero.

2 MACHUCA

3 PABLO NERUDA

8 VÍCTOR JARA

9 CARNAVAL DE PUTRE

Acción - Reflexión

Elige una de estas fotografías, inventa una identidad y después preséntate a la clase.

Inventa:
- tu nombre
- tu apellido
- tu apodo
- tu nacionalidad
- el lugar donde vives

- tu cumpleaños
- los idiomas que hablas
- tu correo electrónico
- tu Twitter
- etc.

Acción

Haz un póster que represente tu identidad y preséntalo a tus compañeros.

Puedes incluir información como:
- el nombre
- la edad
- la nacionalidad
- el lugar donde vives

- el idioma
- tu lugar favorito
- tu cantante favorito
- etc.

Actitudes y valores

Responde *sí* o *no* sobre las presentaciones de tus compañeros.

	Sí	No
- Estás en silencio durante las presentaciones.	☐	☐
- Respetas las propuestas de tus compañeros.	☐	☐
- Te interesas por las propuestas de tus compañeros.	☐	☐

Reflexión

¿Quién soy? ¿Cuál es mi identidad? Reflexiona acerca de estas preguntas sobre ti y coméntalo con tus compañeros. Puedes hacerlo en tu idioma.

2 Relaciones

- Hablar sobre la familia y los amigos
- Describir el aspecto físico de las personas
- Analizar el carácter de las personas
- Diseñar un árbol genealógico

- Reflexionar sobre las relaciones sociales
- País: Ecuador
- Interculturalidad: Las relaciones sociales como base de una cultura
- Actitudes y valores: Valorar nuestras relaciones con otras personas

1 Mira las fotografías. ¿Crees que son familia, amigos, compañeros de trabajo o compañeros de clase?

2 ¿Tienes una familia grande?

3 ¿Cuántos amigos tienes?

4 ¿Cómo se llama tu mejor amigo?

Mi familia y mis amigos

1 A Esta es la familia de Elena. Mira su árbol genealógico y completa las frases.

ABUELO (Alberto)
ABUELA (Amanda)
MADRE (Carmela)
PADRE (Juan)
TÍO (Jorge)
TÍA (Marta)
HERMANO (Tobías)
YO (Elena)
PRIMA (Martina)
PRIMO (Álex)

1 Amanda es la _____ de Jorge.
2 Marta es la _____ de Tobías.
3 Jorge es el _____ de Elena.
4 Tobías es el _____ de Elena.
5 Alberto es el _____ de Juan.
6 Martina es la _____ de Elena.

B (15) Elena habla de algunos de los miembros de su familia. Escucha y escribe el nombre de los familiares de Elena.

1 *Álex y Martina*   2 _____   3 _____   4 _____

2 A Paula es una amiga ecuatoriana de Elena. Mira estas fotografías de la familia y los amigos de Paula en Facebook. Elige una frase para cada fotografía.

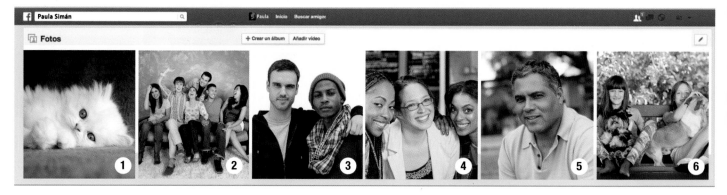

a Estas son mis hermanas con sus mascotas.
b Esta es nuestra gata Poppy.
c Esta es mi mamá con sus amigas Tita y Noemí.
d Este es mi papá.
e Este es mi hermanastro con su amigo Walter.
f Esta soy yo con mis amigos de Ecuador.

B Presenta tu familia a un compañero utilizando fotografías.

Estos son mis abuelos. Mi abuela se llama Anna y…

Avanza Amplía tu vocabulario sobre las relaciones familiares con ayuda de un diccionario.

LÉXICO

Las relaciones familiares
- abuelo/-a – nieto/-a: *Alberto es el* **abuelo** *de Elena. / Elena es la* **nieta** *de Alberto.*
- padre / madre – hijo/-a: *Juan es el* **padre** *de Elena. / Elena es la* **hija** *de Alberto.*
- padrastro / madrastra: *Su* **padrastro** *se llama Iván.*
- hijo/-a único/-a: *Es* **hijo único**, *no tiene hermanos.*
- (hijo/-a) adoptado/-a: *Su hermana es* **adoptada**.
- hermano/-a: *Elena es la* **hermana** *de Tobías.*
- hermanastro/-a: *¿Lucía es tu* **hermanastra**?
- tío/-a – sobrino/-a: *Marta es la* **tía** *de Elena. / Elena es la* **sobrina** *de Marta.*
- primo/-a: *Elena es la* **prima** *de Álex.*
- mujer / marido: *Carmela es la* **mujer** *de Juan.*
- esposo/-a: *Juan es el* **esposo** *de Carmela.*

En plural:
- abuelo + abuela = abuelos
- madre* + padre* = padres*
- hermano + hermana = hermanos
- hijo + hija = hijos

* En algunos países de Hispanoamérica se dice *mamá* y *papá*, y *papás* para el plural. También se dice con más frecuencia *esposo* o *esposa* en lugar de *marido* y *mujer*.

GRAMÁTICA

Los posesivos (varios poseedores)

singular
nuestro gato / **nuestra** gata
vuestro perro / **vuestra** perra
su mascota

plural
nuestros gatos / **nuestras** gatas
vuestros perros / **vuestras** perras
sus mascotas

3 (16) **Escucha a Lara y a Daniela y completa los diálogos con los siguientes pronombres.**

Esas ● Este ● Aquella

GRAMÁTICA

Los demostrativos

	singular	plural
masculino	este	estos
femenino	esta	estas
masculino	ese	esos
femenino	esa	esas
masculino	aquel	aquellos
femenino	aquella	aquellas

Esta es mi familia. *Estos* son mis padres.

4 A Mira las fotografías y responde a las preguntas. Hay varias opciones.

1 ¿Quiénes tienen una relación de amistad?
2 ¿Quiénes tienen una relación amorosa?
3 ¿Quiénes tienen una relación familiar?

A

B

C

B Carlos Alberto presenta a su familia y a sus amigos en su blog. Relaciona estas descripciones con las fotografías anteriores.

Blog de Carlos Alberto

Inicio Acerca de
18 de diciembre

Las personas importantes en mi vida

? **1** Me llamo Carlos Alberto, tengo 17 años y soy de Ecuador. Esta es parte de mi familia ecuatoriana. Mi abuela se llama María José, vive en Quito. Mis tíos Julio y María Fernanda tienen dos hijos, Mariana y Julio César. Mi prima Mariana tiene 7 años, y mi primo Julio César, 9. Mariana es adoptada. Viven en Cuenca. Mi tío José Luis tiene 55 años, vive en Guayaquil. Está divorciado. Su ex es amiga de la familia.

? **2** Estos son mis compañeros de clase en un día de playa en Guayaquil. Todos son de Ecuador, y viven en Quito. Todos tienen 17 años. ¡Somos muy buenos amigos!

? **3** Estos son mis mejores amigos, Maximiliano y Florencia. Son argentinos, pero viven en Quito. Son novios, no están casados. Florencia es mitad argentina y mitad española. Es hija única, no tiene hermanos.

ETIQUETAS
VACACIONES
CINE
RESTAURANTES
EDUCACIÓN
TIENDAS
AMIGOS

ARCHIVOS DEL BLOG
▶ diciembre (2)
▶ noviembre (4)
▶ octubre (6)
▶ septiembre (3)
▶ agosto (1)
▶ julio (2)

LÉXICO

Relaciones
- Es mi compañero/-a de trabajo.
- Es mi pareja, somos novios.
- Es mi ex.
- Es mi amigo/-a.

Estado civil
- Está casado/-a.

- Está soltero/-a.

- Tiene novio/-a.

- Está divorciado/-a.

5 ¿Quiénes son las personas más importantes para ti? Escribe un blog, utiliza como modelo el del ejercicio anterior. Puedes incluir fotografías.

Avanza Presenta las personas importantes de tu vida a la clase de forma oral.

Aspecto físico

1 Dibuja una persona. Después, di a tu compañero cómo es (utiliza la información del cuadro). Tu compañero la dibuja. Comparad los dibujos, ¿son iguales?

Es un chico. Tiene el pelo castaño y liso, los ojos azules y es bajo y delgado. Es atractivo y lleva gafas de sol…

Repasa Las conjugaciones de los verbos *ser* y *tener* en la unidad 1.

DESCRIPCIÓN FÍSICA

Tiene el pelo…
Color:
Características:

rubio
liso

castaño
rizado

negro
corto

rojo (es pelirrojo)
largo

Tiene los ojos…
Color:

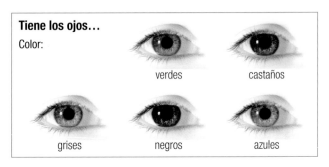

verdes

castaños

grises

negros

azules

Es…
Altura:

alto/-a

de estatura mediana

bajo/-a

Es…
Tamaño:

gordo/-a

delgado/-a

fuerte

Lleva…
Apariencia:

bigote y gafas de sol

barba y un tatuaje

perilla y un pendiente

Es…
Apariencia:

guapo/-a

feo/-a

atractivo/-a

calvo/-a

2 A Relaciona las fotografías con estas descripciones.

a   Antonio tiene 17 años. Es pelirrojo y lleva barba. Es delgado. Lleva un tatuaje.

b   Lucía tiene 20 años. Tiene los ojos azules. Lleva un *piercing*. Tiene el pelo corto, liso y rojo.

c   Sandra es estudiante, tiene 23 años. Tiene los ojos castaños. Tiene el pelo castaño y rizado. Lleva gafas.

d   Luis es actor. Tiene 30 años. Tiene los ojos negros y el pelo corto y rizado. Lleva gafas y perilla. Es guapo.

e   Sara es estudiante y tiene 18 años. Tiene los ojos claros y el pelo rubio, liso y largo. Lleva un tatuaje.

f   Carlos es deportista y modelo, tiene 27 años. Es fuerte, lleva el pelo corto y barba. Es un chico muy guapo.

g   Mario tiene 36 años. Tiene los ojos negros. Lleva gafas y es calvo.

1 ☐

2 ☐

3 ☐   4 ☐   5 ☐   6 ☐   7 ☐

B Lee el anuncio. Todas las personas del ejercicio anterior se presentan al *casting* para ser la imagen de un perfume nuevo en el mercado. ¿Quién tiene más posibilidades? Coméntalo con tu compañero.

Buscamos la imagen del nuevo perfume de

ELIZABETH CASTILLO

Contactar en el teléfono: 02 347 8760 o en el email: *castingEC@empresa.ec*
Días: 20 al 22 de junio
Hora: 9:00 a 17:00

Buscamos hombres y mujeres entre 18 y 35 años. Buena presencia. Con experiencia en sesiones de fotos.

3 Adivina quién es. Trabaja en parejas. Escribe una breve descripción de una persona conocida; tu compañero debe adivinar quién es.

■ *Es un hombre muy bajo y delgado, tiene el pelo corto y castaño. Lleva gafas.*
● *¡Es el profesor de Química!*

4 (17) Lee y escucha estas frases. ¿Cómo se pronuncian las letras marcadas? Busca más frases similares en las descripciones del ejercicio 2A.

1   Es una señora alta.
2   Tiene los ojos azules.
3   Es atractiva.
4   Mario es alto.

GRAMÁTICA

La concordancia: sustantivos-adjetivos

Los adjetivos concuerdan en género y número con el sustantivo:

ojos negros

sustantivo	adjetivo
masculino	masculino
plural	plural

chica alta

sustantivo	adjetivo
femenino	femenino
singular	singular

ORTOGRAFÍA Y PRONUNCIACIÓN

Sonidos que se pronuncian juntos

En la lengua oral es común unir el último sonido de una palabra a la primera vocal de la siguiente:

Tiene el pelo largo. → tie-**neel**-pe-lo-lar-go

Carlos es deportista. → car-**loses**-de-por-tis-ta

Carácter

1 **A** Mira el dibujo. Estos adjetivos describen características de la personalidad. ¿Cómo te defines tú?

divertida

desordenado

romántica

ordenado

inteligente

aburrido

trabajadora

$$\frac{n!}{p!\,(n-p)!}\,2^n$$

sociable

vago

antipático

simpática

tímido

Soy divertido y sociable…

B ¿Cómo son estos adjetivos? Completa la siguiente tabla utilizando el cuadro de léxico.

Adjetivos positivos ➕	Adjetivos negativos ➖
simpático/-a	

Avanza En pequeños grupos, jugad a adivinar adjetivos de carácter a través de mímica.

C Elige a una de estas personas y describe su carácter a tu compañero.

- Tu mejor amigo/-a
- Tu profesor(a) de español
- Tu padre / madre
- Tu primo/-a
- Tu novio/-a
- Tu abuelo/-a

Mi novia es una chica muy simpática, sociable y bastante romántica…

2 A Claudia y María escriben sobre sus nuevos amigos: Sergio y Javier.
Lee la conversación y después contesta a las preguntas.

1 ¿Cómo es Sergio físicamente?
2 ¿Cómo es Sergio en el instituto?
3 ¿Cómo es el carácter de Sergio?
4 ¿Es feo Javier?
5 ¿Cómo es el carácter de Javier?

GRAMÁTICA

La negación

- **No** va siempre delante del verbo:
  *Javier **no** es guapo y **no** habla mucho.*

- Cuando respondemos a una pregunta, podemos usar dos veces **no**:
  ● *¿Es muy tímido?*
  ■ **No, no** *es tímido, es muy sociable.*

María
últ. vez, hoy a las 2:58 a. m.

25 de agosto

¡Hola, María! ¿Qué tal con Sergio? 1:30 am

¡Muy bien! Es un chico divertido y también es ¡muy guapo! 1:31 am ✓✓

¿Cómo es?... 1:32 am

Bastante alto, moreno, tiene los ojos verdes… 1:35 am ✓✓

¡Qué guapo! Ja, ja, ja, ja, ja. 1:35 am

Sí. Y tiene el pelo corto y lleva un tatuaje en el brazo izquierdo, ¡es muy romántico! 1:37 am ✓✓

¡Qué guay! 1:39 am

Sí, ¡muy guay!, pero es un poco tímido…, y también bastante vago en el instituto… 1:39 am ✓✓

Lo importante es que es un chico simpático ¡y guapo! 1:40 am

Jajaja, ¡pues sí! ¿Y Javier? ¿Cómo es? 1:40 am ✓✓

Bueno, no es guapo, pero también es alto como Sergio… Es rubio y tiene los ojos azules, pero es bastante aburrido… 1:41 am

¿Es tímido? 1:42 am ✓✓

No sé, no habla mucho. 1:44 am

¡Paciencia! O es muy tímido o ¡no es muy sociable! Ja, ja, ja, ja, ja. 1:45 am ✓✓

B Completa las frases con *y, también, o* y *pero*.

1 Claudia _____ María son amigas.
2 Sergio es muy guapo, _____ Javier no.
3 Sergio es moreno _____ alto.
4 Sergio es romántico, _____ es tímido.
5 Sergio es alto y Javier _____.
6 ¿Javier es tímido _____ no es muy sociable?
7 ¿Sergio es trabajador _____ vago?
8 Sergio es divertido _____ un poco vago.

COMUNICACIÓN

Conectores

- **Y** y **también** para añadir información:
  *Tiene el pelo corto **y** lleva un tatuaje.*
  *Es un chico divertido y **también** es ¡muy guapo!*

- **O** para indicar diferencia, alternativa:
  O *es muy tímido **o** ¡no es muy sociable!*

- **Pero** para indicar algo diferente (normalmente, un contraste positivo-negativo o negativo-positivo):
  *Sí, ¡muy guay!, **pero** es un poco tímido.*

C ¿Cómo es tu chico o chica ideal, «tu tipo»? Primero escribe sobre su aspecto físico y después sobre su carácter.

Mi chico ideal es alto, tiene el pelo…

D ¿Qué es más importante para ti: el aspecto físico, el carácter o las dos cosas? Comentad en grupos.

Ecuador

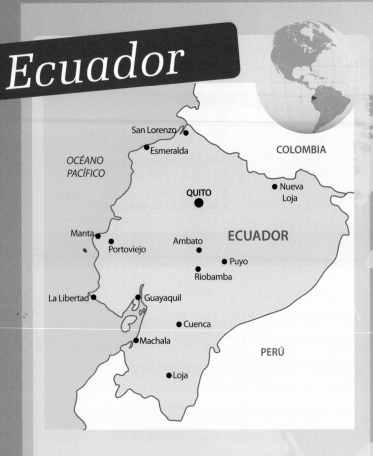

OCÉANO
PACÍFICO

San Lorenzo
● Esmeralda

COLOMBIA

● QUITO

● Nueva
Loja

Manta ●
● Portoviejo

Ambato ●

ECUADOR

● Puyo
Riobamba

La Libertad ●
● Guayaquil

● Cuenca

● Machala

PERÚ

● Loja

1 Relaciona la información de las dos columnas.

1 ubicación geográfica	a) ecuatoriano/-a
2 capital	b) 283 561 km²
3 idioma	c) Santiago de Guayaquil
4 nacionalidad	d) San Francisco de Quito
5 ciudad más poblada	e) español
6 superficie	f) 17 millones
7 población	g) noroeste de América del Sur

2 (18) Lee este breve artículo sobre la gente de Ecuador y complétalo con las siguientes palabras. Después, escucha y comprueba.

tiene ● diverso ● pero ● habitantes ● costa ● sociable ● ecuador

¿Cómo es la gente de Ecuador?

Ecuador es un país muy (1) _____. Tiene distintos climas, ecosistemas y paisajes. También su gente (2) _____ diferentes costumbres, tradiciones y características. En la (3) _____, la gente es más (4) _____, simpática y generosa. En la sierra, muy amable, (5) _____ más tímida. En el oriente, la gente tiene características muy variadas. La ubicación geográfica del país, en el (6) _____ de la Tierra, tiene influencia en el carácter de sus (7) _____, pero todos son muy solidarios y cordiales.

3 Mira el folleto de la siguiente página sobre lugares increíbles para visitar en Ecuador. Pon uno de estos nombres a cada fotografía.

- Islas Galápagos
- Catedral de Quito
- Playa Salinas
- Pueblo de Lloa
- Centro histórico de Quito
- Obelisco de la Mitad del Mundo
- Volcán Tungurahua
- Parque Nacional Machalilla

4 Lee los comentarios en Twitter de tres ecuatorianos hablando de la diversidad de su país. Completa el mapa mental. ¿Cómo es en tu país?

LA DIVERSIDAD
DE ECUADOR

Tweets y respuestas

 MiPaisECUADOR @MiEcuador . 5 de sept.
Ecuador es un país muy diverso. ¿En qué?

 MiPaisECUADOR ha retwitteado
Oswaldo @oswaldocanga · 38 min
Ecuador es un país multiétnico: somos indígenas, mestizos, blancos y afroecuatorianos. Tenemos 14 nacionalidades indígenas, todas con tradiciones diversas.
Abrir   ↩Responder   ⇄ Retwittear   ★ Favorito   ⋯ Más

 MiPaisECUADOR ha retwitteado
Iván @ivángallardo · 6 de sept.
Tenemos cuatro regiones muy diferentes (Galápagos, la Costa, la Amazonía y los Andes) y 46 ecosistemas diferentes en el país…
Abrir   ↩Responder   ⇄ Retwittear   ★ Favorito   ⋯ Más

 MiPaisECUADOR ha retwitteado
Elsie @elsiecorral · 9 de sept.
Tenemos la mayor diversidad de fauna y flora por kilómetro cuadrado del mundo. Ecuador tiene el 10 % de las plantas de todo el mundo, el 8 % de los animales y el 18 % de las aves de todo el planeta.
Abrir   ↩Responder   ⇄ Retwittear   ★ Favorito   ⋯ Más

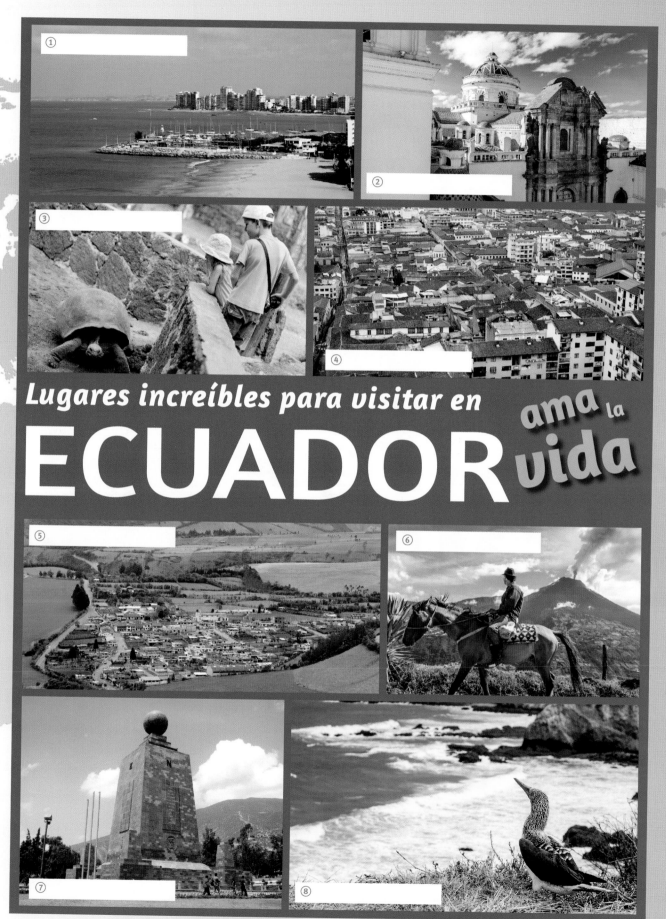

①

②

③

④

Lugares increíbles para visitar en

ECUADOR ama la vida

⑤

⑥

⑦

⑧

Acción - Reflexión

Mira estas fotografías. Todas representan relaciones familiares y sociales diferentes. Elige una y preséntala a tu compañero. Tienes que inventar sus nombres, su relación con los otros miembros, nacionalidad, edad, aspecto físico, carácter, etc.

Acción

Diseña tu árbol genealógico y preséntalo a tus compañeros.

1 Diseña el árbol genealógico.
2 Escribe el texto de la descripción: presentación de cada miembro de tu familia, relación, aspecto físico y carácter.
3 Incluye fotografías (puedes utilizar el ordenador).
4 Preséntalo a la clase.

Actitudes y valores

¿Cómo reaccionas ante las presentaciones de tus compañeros? Marca con una cruz (X).

- Con interés ☐   - Con solidaridad ☐   - Con respeto ☐

Reflexión

- **¿Conoces alguna familia diferente a las que has visto en la unidad? ¿En qué se diferencia?**

- **¿Son importantes los amigos en tu vida? ¿Qué características son importantes en un amigo?**

3 Hábitat

- Interpretar mapas
- Describir ciudades y barrios
- Hablar sobre las partes de la casa
- Diseñar un proyecto de un nuevo barrio
- Reflexionar sobre la vida en diferentes lugares
- País: Guatemala
- Interculturalidad: El hábitat y la relación con la cultura
- Actitudes y valores: Cooperar en la formación de grupos

un pueblo

una ciudad

un piso

una casa

1 ¿Dónde prefieres vivir: en una ciudad o en un pueblo, en el centro o en las afueras, en una casa o en un piso?

2 ¿Cuál es tu lugar preferido en tu ciudad?

3 De todas las ciudades que conoces, ¿cuál es tu favorita?

4 Mira las fotografías. ¿En qué país crees que está el pueblo? ¿Y la ciudad? ¿Y el piso? ¿Y la casa?

Una ciudad

1 Escribe los nombres de los siguientes lugares debajo de cada fotografía.

una estación de autobuses
un centro comercial
una oficina de turismo
una parada de metro
un hospital
un cine
un museo
una discoteca
un parque
una biblioteca

1 _____ 2 _____ 3 _____ 4 _____ 5 _____

6 _____ 7 _____ 8 _____ 9 _____ 10 _____

2 Escribe en tu cuaderno una lista de palabras que sabes en español con el artículo determinado. Después, lee las palabras en voz alta y tu compañero las repite con el artículo indeterminado.

- *Las ciudades.*
- *Unas ciudades.*

- *La casa.*
- *Una casa.*

> **Repasa** Los artículos determinados en la unidad 1.

GRAMÁTICA

El artículo indeterminado

	singular	plural
masculino	**un** museo	**unos** museos
femenino	**una** biblioteca	**unas** bibliotecas

*El Prado es **un** museo muy famoso.*
*Andalucía tiene **unos** museos muy interesantes.*

3 Mira el plano de Salamanca, una famosa ciudad universitaria española, y marca si son verdaderas (V) o falsas (F) las informaciones.

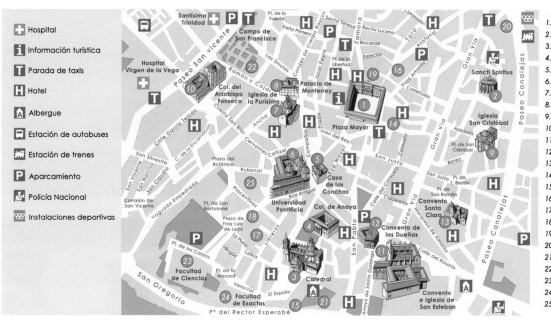

Hospital
Información turística
Parada de taxis
Hotel
Albergue
Estación de autobuses
Estación de trenes
Aparcamiento
Policía Nacional
Instalaciones deportivas

1. Plaza Mayor
2. Iglesia de Sancti Spiritus
3. Catedral
4. Colegio de Anaya
5. Casa de las Conchas
6. Universidad Pontificia
7. Iglesia de la Purísima
8. Palacio de Monterrey
9. Iglesia de San Cristóbal
10. Colegio del Arzobispo Fonseca
11. Convento e Iglesia de San Esteban
12. Convento de las Dueñas
13. Convento de Santa Clara
14. Mercado Central
15. Casa Lis
16. Teatro Liceo
17. Museo de la Universidad
18. Museo de Salamanca
19. Museo Taurino
20. Parque de la Alameda
21. Huerto de Calisto y Melibea
22. Campo de San Francisco
23. Facultad de Ciencias
24. Facultad de Ciencias Exactas
25. Facultad de Geografía e Historia

1 En Salamanca **hay** una oficina de turismo. ☐
2 En Salamanca **hay** metro. ☐
3 En Salamanca **hay** una estación de trenes. ☐
4 En Salamanca **hay** dos hospitales. ☐
5 En Salamanca no **hay** museos. ☐
6 En Salamanca **hay** un teatro. ☐

> **Avanza** Mira el plano otra vez: ¿qué otras cosas hay en Salamanca?

COMUNICACIÓN

Expresar existencia

Hay

*En mi región **hay** un pueblo muy bonito.*
*En mi ciudad **hay** dos oficinas de turismo.*
*En mi barrio no **hay** restaurantes.*

4 A Lee la siguiente información turística de Salamanca y subraya los adjetivos.

¡VEN A SALAMANCA!

Salamanca es una ciudad muy bonita, situada en la comunidad de Castilla y León. Es una ciudad pequeña, tiene 150 000 habitantes. En su centro histórico hay muchos monumentos antiguos, como la Casa de las Conchas, la Plaza Mayor, la Casa Lis, la catedral o el convento de San Esteban. Más de medio millón de turistas visitan Salamanca cada año atraídos por su oferta cultural y gastronómica.

Es una ciudad limpia y tranquila, pero también divertida, donde viven y estudian jóvenes de todo el mundo.

B Lee otra vez la descripción de Salamanca y mira las fotografías. ¿Cuál crees que es Salamanca?

C ¿Sabes a qué ciudades corresponden las otras dos fotografías?

D Ahora escribe un texto sobre tu ciudad, similar al de Salamanca.

5 A (19) Escucha a tres personas que están en Salamanca y escribe su opinión sobre la ciudad.

Salamanca es interesante / ideal / la mejor ciudad...	
1	para… porque…
2	para… porque…
3	para… porque…

B Y a ti, ¿te parece Salamanca una ciudad interesante para vivir, para estudiar o para pasar unas vacaciones? Coméntalo con tu compañero.

A mí me parece interesante para estudiar porque…

Describir una ciudad o un pueblo

- grande ≠ pequeño/-a
- antiguo/-a ≠ moderno/-a
- bonito/-a ≠ feo/-a
- tranquilo/-a ≠ ruidoso/-a
- limpio/-a ≠ sucio/-a
- turístico/-a
- industrial

● *París es una ciudad muy **bonita**. ¿Y tu ciudad?*
■ *Mi ciudad es muy **fea**...*

● *¿Cómo es tu pueblo?*
■ *Es muy **pequeño** y **tranquilo**. Tiene 90 habitantes.*

● *¿Cómo es tu ciudad?*
■ *Es muy **industrial**.*

● *¿Y es una ciudad **limpia**?*
■ *No, es una ciudad **sucia**. Hay muchos coches y mucha industria.*

Cuantificadores (I)

- *Muy* + adjetivo
  *Salamanca es una ciudad **muy bonita**.*

- *Muy* + adverbio
  *Mi hermano habla **muy bien** inglés.*

- *Mucho/-a/-os/-as* + sustantivo
  *En Salamanca hay **muchos estudiantes**.*
  *En mi ciudad hay **mucha industria**.*

- Verbo + *mucho*
  *Mi padre **habla mucho**.*

Expresar causa

Porque

*Mi ciudad es interesante **porque** hay muchos teatros.*

Expresar finalidad

Para

*Estudio español **para** viajar por Sudamérica.*

Un barrio

1 **A** Mira el mapa y completa las frases.

¿Dónde **está** el barrio de la Concepción?	
1	El barrio de la Concepción **está en** *Antigua*.
2	Antigua **está en** _____.
3	Guatemala **está al oeste de** _____, _____ y de _____.
4	Guatemala no **está en** Sudamérica, **está en** _____.
5	Guatemala **está lejos de** España y **cerca de** _____.

B Ahora sitúa tu barrio como en el ejercicio anterior.

1 Mi barrio se llama _____.
2 Mi barrio **está en** _____ (tu ciudad).
3 _____ (tu ciudad) **está en** _____ (tu país).
4 _____ (tu país) **está al norte de** _____.
5 _____ (tu país) **está al sur de** _____.
6 _____ (tu país) **está en** _____ (tu continente).
7 _____ (tu país) **está lejos de** _____ y **cerca de** _____.

2 **A** ¿Sabes en qué país están estas ciudades?

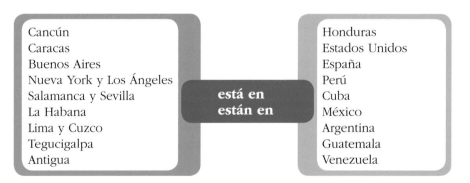

Cancún		Honduras
Caracas		Estados Unidos
Buenos Aires		España
Nueva York y Los Ángeles		Perú
Salamanca y Sevilla	**está en**	Cuba
La Habana	**están en**	México
Lima y Cuzco		Argentina
Tegucigalpa		Guatemala
Antigua		Venezuela

B ¿Y sabes dónde están los países anteriores?

Norteamérica ● Centroamérica ● Sudamérica ● Europa

Honduras está en Centroamérica.

COMUNICACIÓN

Expresar ubicación
Estar

(yo)	estoy
(tú)	estás
(él, ella, usted)	está
(nosotros/-as)	estamos
(vosotros/-as)	estáis
(ellos/-as, ustedes)	están

● *¿Dónde **está** Antigua?*
■ *Antigua **está** en Guatemala.*

*Guatemala y México **están** lejos de Europa.*
*Ciudad de Guatemala **está** cerca del* océano Pacífico.*

*Guatemala **está** al** sur de México.*
*Guatemala **está** al norte de El Salvador.*

* de + el = del
** a + el = al

LÉXICO

Los puntos cardinales

- Norte	- Este	- Noreste	- Sureste
- Sur	- Oeste	- Noroeste	- Suroeste

3 A Lee el siguiente texto que describe qué es un barrio en la cultura hispana, y responde a estas preguntas.

1 ¿Vives en un barrio similar a un barrio español?
2 ¿Qué actividades hacen los españoles en su barrio?
3 ¿Qué es un barrio en Estados Unidos?

4 ¿En qué parte de la ciudad están los barrios en Buenos Aires?
5 ¿Por qué crees que existen zonas pobres en las ciudades?

El **barrio** en la cultura hispana

En ESPAÑA las ciudades y los pueblos tienen barrios. Un barrio es una división con identidad propia de una población; tiene su personalidad, es como un pequeño pueblo. Para muchos españoles, el barrio es el lugar donde nacen, crecen, donde están los amigos y también la familia. Es su lugar de origen, su pequeño país. Los españoles pasan una gran parte de su tiempo libre en su barrio: van al mercado, al parque, al bar a desayunar, al médico, a la biblioteca, al colegio, a la piscina o a otros muchos lugares públicos.

En MÉXICO D. F. a los barrios de las ciudades los llaman *colonias*: colonia del Valle, colonia Polanco, etc. En algunos estados de México, como Yucatán, también los llaman *repartos*, por influencia de Cuba, donde también se los conoce con ese nombre.

En VENEZUELA, PANAMÁ y la **REPÚBLICA DOMINICANA** llaman *barrio* a las zonas pobres de las ciudades, lugares donde normalmente no hay ningún servicio básico.

En ARGENTINA, en las letras de los tangos, el barrio es lo contrario al centro de la ciudad. La Ciudad Autónoma de Buenos Aires tiene 48 barrios.

En ESTADOS UNIDOS utilizan la palabra española cuando hablan de los barrios de las ciudades estadounidenses habitados normalmente por inmigrantes hispanos. En particular, El Barrio de Nueva York (también llamado Spanish Harlem) es un barrio con más de 100 000 habitantes en el noreste de la isla de Manhattan.

B ¿Cuál de estas definiciones describe tu concepto de barrio?

- Una parte de una ciudad.   ☐
- Un pequeño pueblo.   ☐
- Donde están mis amigos y mi familia.   ☐
- Mi pequeño país.   ☐

- Donde paso mi tiempo libre.   ☐
- La zona pobre de una ciudad.   ☐
- Una parte antigua de una ciudad.   ☐
- Donde viven los inmigrantes.   ☐

C ¿Cuál es tu barrio favorito?

4 A Haz una lista con los servicios que hay en tu barrio.

Avanza Pasea por tu barrio y haz fotos de los servicios que hay. Después, coméntalas con tus compañeros.

B Pregunta a tu compañero sobre lo que hay en su barrio (si vives en el mismo barrio, puedes preguntar sobre otro barrio de vuestra ciudad). ¿En qué barrio hay más servicios?

● *¿Hay algún teatro en tu barrio?*
■ *No, no hay ningún teatro. / No, no hay ninguno. / Sí, hay muchos.*

5 En parejas, piensa en una ciudad grande; tu compañero te hace preguntas para descubrir qué ciudad es.

● *¿Está en América?*
■ *Sí...*
● *¿Es una ciudad antigua?*
■ *Sí...*
● *¿Tiene muchos museos?*
■ *Sí...*

GRAMÁTICA

Cuantificadores (II)

- Mucho, poco...
  *En mi barrio hay **mucho / poco** tráfico.*
  *En mi calle hay **mucha / poca** gente.*
  *En mi ciudad hay **muchos / pocos** museos.*
  *En mi país hay **muchas / pocas** bibliotecas.*

- Uno, alguno, ninguno...
  ● *¿Hay **algún** parque en tu barrio?*
  ■ *No, no hay **ningún** parque. (No, no hay **ninguno**.)*

  ● *¿Hay **alguna** parada de autobús aquí cerca?*
  ■ *No, no hay **ninguna**.*

  ● *En mi barrio hay un cine, ¿en tu barrio hay **alguno**?*
  ■ *Sí, hay **uno**.*

Una casa

1 A Lidia busca piso en Barcelona en un foro de estudiantes. Lee los comentarios
y señala qué información corresponde a cada barrio.

Pisos   Casas   Locales   Garajes

LIDIA (Madrid) 💬 2 temas y 59 comentarios

¡Hola! El próximo curso voy a Barcelona, ¿sabéis cuál es el mejor barrio para vivir? No conozco mucho Barcelona y no tengo ningún amigo en la ciudad. No tengo mucho dinero, pero busco un piso en un barrio seguro y céntrico. ¿Alguna persona puede ayudarme?

LOBO (Barcelona) 💬 12 temas y 123 comentarios

¡Hola, Lidia! Yo vivo en la Barceloneta. Es un barrio fantástico. Está en la playa de Barcelona, cerca del puerto. Hay muchos restaurantes y bares y siempre hay mucha gente por sus calles. Es un barrio con mucho carácter. Los pisos son antiguos y pequeños, pero son bonitos. La gente del barrio es muy abierta y muy simpática. Hay un mercado, un hospital, una biblioteca... No hay ningún parque, pero la playa es muy muy grande. ¡Ah!, está cerca del centro de la ciudad y hay muy buen transporte público.

PATI (Barcelona) 💬 6 temas y 237 comentarios

Sants es un barrio popular y los pisos no son caros. No está en el centro, pero en metro o autobús estás en el centro en 15 minutos. Está muy cerca de la plaza de España, perfecto si viajas en tren o si necesitas ir al aeropuerto. En el barrio hay muchas tiendas. Es muy tranquilo, como un pueblo. Si necesitas una habitación, en nuestro piso tenemos una libre. Es un piso muy grande... ¡Y muy bonito! Somos dos estudiantes de Mallorca.

MARIAJO (Barcelona) 💬 3 temas y 17 comentarios

¡Hola! El Raval está en el centro de Barcelona. Está cerca de la Rambla y del Barrio Gótico. También está cerca del puerto. Es un barrio muy bohemio donde viven muchos artistas y gente joven. También hay muchos inmigrantes. Es un barrio multiétnico y muy interesante. Es un poco sucio y ruidoso, pero es muy divertido. Los pisos son antiguos, pero son baratos. Si necesitas más información, escribe a mi correo personal.

	La Barceloneta	Sants	El Raval
1 Está en el centro.			
2 Los pisos son antiguos.			
3 Los pisos no son caros.			
4 Las calles son ruidosas.			
5 Está cerca del aeropuerto.			
6 Es un barrio tranquilo.			
7 Está en la playa.			
8 Los pisos son pequeños.			

Avanza Escribe en el foro alguna pregunta sobre los barrios que se mencionan.

B Imagina que buscas piso en Barcelona, ¿qué barrio prefieres tú: la Barceloneta, Sants o El Raval?

C Describe cómo es tu barrio a tus compañeros. Escribe el texto antes.

Mi barrio es muy...
Está en...
No hay ningún..., pero hay muchos...

2 Lidia está ahora en Barcelona. Este es el plano de su piso. Dibuja un plano de tu casa o de tu piso y coméntalo con tu compañero.

Mi casa tiene tres habitaciones y no tiene terraza, pero tiene un pequeño jardín.

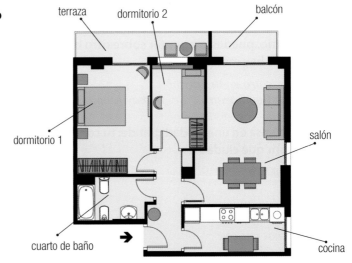

terraza   dormitorio 2   balcón
dormitorio 1
salón
cuarto de baño
cocina

3 A Mira el salón del piso de Lidia. ¿Cómo es? ¿Cómo crees que es Lidia?

Repasa Los adjetivos de carácter de la unidad 2.

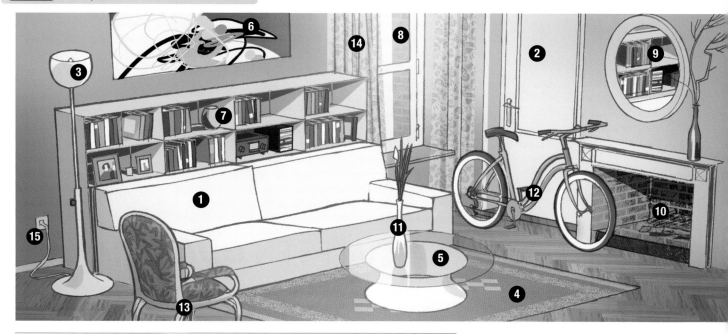

1 El sofá	4 La alfombra	7 La estantería	10 La chimenea	13 La silla
2 La puerta	5 La mesa	8 La ventana	11 El jarrón	14 La cortina
3 La lámpara	6 El cuadro	9 El espejo	12 La bicicleta	15 El enchufe

B (20) Lidia habla con Juanjo sobre su salón. Escucha la conversación y marca en el dibujo de qué cosas hablan. Después, vuelve a escuchar y toma nota de los adjetivos que utiliza para describir esas cosas.

C ¿Dónde están los muebles y los objetos? Lee las frases y mira el dibujo.

La estantería está **detrás del** sofá.
La chimenea está **debajo del** espejo.
Encima de la mesa hay un jarrón.
Delante del sofá hay una mesa.

Hay una bici **entre** el sofá y la chimenea.
En el centro del salón hay una mesa.
A la derecha del sofá hay una bicicleta.
A la izquierda del sofá hay una lámpara.

D Ahora, completa las frases con las palabras que faltan.

1 El sofá está _____ de la estantería.
2 El espejo está _____ de la chimenea.
3 La puerta está _____ de la bicicleta.
4 La alfombra está _____ de la mesa.

Avanza Describe tu habitación. Tu compañero la dibuja.

4 A Completa los nombres de los siguientes países y ciudades con *r* o *rr*.

1 U_uguay	5 Monte_ey	9 Sa_ajevo	13 _usia
2 To_onto	6 _osa_io	10 Ando_a	14 I_án
3 Ca_acas	7 Ecuado_	11 No_uega	15 Ma_uecos
4 Guadalaja_a	8 _oma	12 Pa_ís	16 Nige_ia

B (21) Escucha, comprueba y repite. ¿Sabes en qué país o continente están?

GRAMÁTICA

Marcadores de lugar
detrás de ≠ delante de
debajo de ≠ encima de
a la izquierda de ≠ a la derecha de
en el centro de
entre

ORTOGRAFÍA Y PRONUNCIACIÓN

R / RR

Hay dos formas de pronunciar la letra *r*, una suave y una fuerte:
- Fuerte:
  a) cuando la palabra empieza por *r* (*ruido, república*).
  b) cuando en una palabra entre dos vocales hay una *rr* (*barrio, terraza*).
  c) cuando hay *r* una después de las consonantes *l, n, s* (*alrededor, Enrique, Israel*).
- Suave: cuando en el interior o final de una palabra hay una *r* (*parada, turismo, pronunciar por, sur*).

Guatemala

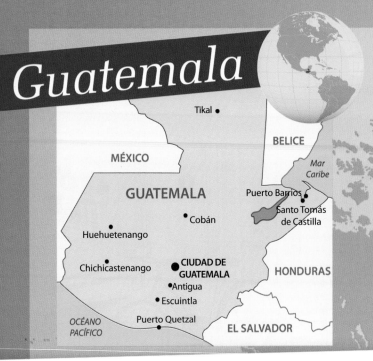

1 Completa la información de Guatemala con las siguientes palabras.

México ● Centroamérica ● dieciséis ● Pacífico ● español ● Caribe
mayas ● Ciudad de Guatemala ● Quetzaltenango ● El Salvador

Guatemala está en (1) _____, al sur de (2) _____ y al norte de (3) _____. En el oeste está el océano (4) _____ y en el este, el mar (5) _____. Tiene unos (6) _____ millones de habitantes y su capital es (7) _____. Otras ciudades importantes son Antigua, que está cerca de la capital, y (8) _____. El idioma oficial es el (9) _____ y tiene 23 idiomas (10) _____.

OCHO LUGARES ESPECIALES EN *GUATEMALA*

A PARQUE ARQUEOLÓGICO TIKAL
Centro de la cultura maya. Un lugar perfecto para visitar los famosos templos y las antiguas pirámides de los mayas.

B LAGO DE ATITLÁN
El lago Atitlán está rodeado de tres volcanes. Muchos viajeros dicen que es el lugar más bello del mundo.

C ANTIGUA
También llamada la Antigua Guatemala, es la antigua capital del país. La ciudad más bonita de Centroamérica.

D VOLCÁN DE AGUA
Cerca de la Antigua Guatemala y a 3722 metros sobre el nivel del mar, para ver la ciudad y la costa.

E CASTILLO DE SAN FELIPE DE LARA
En Río Dulce, departamento de Izabal, una estructura militar antigua e histórica.

F PLAYA BLANCA EN IZABAL
Un paraíso. Una playa tranquila con arena blanca que está en el departamento de Izabal.

2 Imagina que puedes visitar Guatemala. Lee el folleto «Ocho lugares especiales en Guatemala» y responde a las siguientes preguntas.

¿Qué lugar eliges para…
1 ver un volcán? _____
2 comprar artesanía? _____
3 ir a la playa? _____
4 visitar un monumento militar e histórico?
_____
5 nadar en una poza de agua? _____
6 ver templos y pirámides mayas? _____
7 visitar una ciudad colonial? _____
8 nadar en un lago? _____

3 ¿Sabes quiénes son los mayas? Lee el siguiente texto sobre la cultura maya y señala si estas informaciones son verdaderas (V) o falsas (F).

1 La civilización maya tiene 10 000 años. ☐
2 Los mayas viven principalmente en Nicaragua, El Salvador y Guatemala. ☐
3 En Guatemala, todos los mayas hablan el mismo idioma. ☐

G SEMUC CHAMPEY
Un santuario natural lleno de pozas con agua de color turquesa, un lugar de paz declarado Monumento Natural en 1999.

H CHICHICASTENANGO
A esta ciudad también la llaman Chichi. Es muy conocida por su mercado de artesanía y por sus tejidos.

Historia de los mayas

El origen del pueblo maya es desconocido, pero probablemente proviene de una familia de pueblos indios de Centroamérica. Estas son las hipótesis más importantes:

⊙ Provienen de una importante migración de grupos del sureste asiático hacia Centroamérica.

⊙ Son sucesores de los olmecas, una cultura desarrollada en las costas del Golfo de México.

La civilización maya surge en el año 1000 a. C. en la península de Yucatán. Su antiguo territorio se reparte hoy entre México, Guatemala y Honduras.

Los mayas, hoy

En Guatemala viven distintas etnias descendientes de los mayas. Estos grupos no hablan el mismo idioma y tienen distintas costumbres. Los cuatro grupos étnicos más importantes son:
1 Los quichés
2 Los mames
3 Los cakchiqueles
4 Los kekchíes

Elige una de estas fotografías. ¿Cómo crees que es ese barrio? ¿Y la gente que vive en él?

Acción

A En grupos pequeños, diseñad un proyecto de un barrio y presentadlo a la clase.

1 Elegid una ciudad (puede ser una ciudad real o inventada).
2 Decidid cómo es y dónde está la ciudad.
3 Decidid cómo es el barrio y qué servicios hay.
4 Pensad cómo son las casas y qué tienen.
5 Dibujad un pequeño plano del barrio.
6 Presentad el barrio a la clase. La presentación puede ser con un póster, con PowerPoint u otro programa.
7 Cada miembro del grupo presenta una parte.

B ¿Cuál es el mejor barrio? Votad entre todos para decidir cuál es el mejor proyecto. Justificad vuestra decisión.

Actitudes y valores

¿Qué consideras más importante para trabajar en grupos? Elige dos.

- respetar   - escuchar con atención   - tener buena comunicación
- ser flexible   - participar activamente   - colaborar

Reflexión

- ¿Puedes decir una cosa positiva y una cosa negativa del lugar en el que vives?

- ¿Cómo es tu hábitat ideal? ¿Por qué es ideal?

4 Hábitos

- Hablar de actividades y horas
- Describir rutinas diarias
- Interpretar y comparar horarios
- Escribir en un blog sobre la vida diaria

- Reflexionar sobre los hábitos y las rutinas
- País: Perú
- Interculturalidad: Los hábitos en distintas culturas
- Actitudes y valores: Respetar los hábitos de la clase

Correr por las mañanas

Escuchar música en un transporte público

Leer por la noche en la cama

1 ¿Qué es un hábito para ti?

2 ¿Crees que los hábitos son buenos o malos?

3 ¿Qué rutinas tienes en tu vida diaria?

4 ¿Tienes algunos de los hábitos que muestran las fotos?

Actividades y horas

1 ¿Qué hora es en cada uno de los relojes? Mira el cuadro del léxico para responder.

LÉXICO

Las horas

¿Qué hora es?:
- (Es) La una (en punto): 01:00 / 13:00
- (Son) Las nueve (en punto): 09:00 / 21:00
- (Son) Las dos **y** cuarto: 02:15 / 14:15
- (Son) Las doce **y** veinticinco: 00:25 / 12:25
- (Son) Las cinco **y** media: 05:30 / 17:30
- (Son) Las ocho **menos** veinte: 07:40 / 19:40
- (Son) Las once **menos** cuarto: 10:45 / 22:45

2 A Mira los dibujos y lee las frases. Con un compañero, ordena las actividades habituales de David. Hay varias posibilidades.

☐ a Se levanta a las siete.

☐ b Se viste.

☐ c Se lava los dientes.

☐ d Come en la cafetería del instituto con sus compañeros.

☐ h Tiene clases de ocho y media a una y de dos a cuatro.

☐ l Cena con su familia sobre las nueve.

☐ e Se acuesta aproximadamente a las once.

☐ f Va al instituto en bicicleta a las ocho.

☐ g Hace los deberes en su habitación.

COMUNICACIÓN

Hablar de cuándo realizamos nuestras rutinas

● *¿A qué hora* comes?
▪ *A las* dos.
▪ *Sobre* las dos. / *Aproximadamente,* a las dos.

De siete a ocho y media juego al fútbol.

Estudio de día y trabajo de noche.

Hago los deberes por la mañana / por la tarde / por la noche / de madrugada / al mediodía.*

* Pero si añadimos la hora: *Hago los deberes a las siete de la tarde.*

☐ i Juega al baloncesto de cinco a siete.

☐ j Desayuna sobre las siete y media.

☐ k Se ducha.

David se levanta a las siete, se ducha...

B (22) **Ahora, escuchad a David y comprobad vuestras respuestas.**

> **Avanza** ▶ Después de ordenar las frases, intenta añadir algún dato más. Por ejemplo:
> *A las diez y media escucha música.*

3 A Algunos de los verbos anteriores llevan pronombre *(me, te, se, nos, os)*, **¿sabes por qué?**

*Me **levanto** a las siete menos diez.*   *Te **lavas** los dientes.*   *Anabel **se ducha** por la mañana.*

> **Repasa** Las terminaciones de los verbos en presente en la unidad 1.

B **¿Existen los verbos reflexivos en tu lengua o en otra lengua que conoces? ¿En qué se parecen; en qué se diferencian?**

4 A Busca en las actividades de David los verbos conjugados en tercera persona y escríbelos. Aquí tienes los infinitivos.

1 ducharse	_____	7 vestirse	_____
2 desayunar	_____	8 hacer (los deberes)	_____
3 levantarse	_____	9 cenar	_____
4 ir (al instituto)	_____	10 acostarse	_____
5 jugar (al baloncesto)	_____	11 tener (clase)	_____
6 comer	_____	12 lavarse	_____

B **Ahora, clasifica todos los verbos en esta tabla. Después, señala los verbos reflexivos con ✔.**

regulares		irregulares	
☐ _____	☐ _____	☐ _____	☐ _____
☐ _____	☐ _____	☐ _____	☐ _____
☐ _____	☐ _____	☐ _____	☐ _____

C **Habla con tu compañero de vuestros hábitos: ¿a qué hora realizáis estas actividades?**

levantarse ● desayunar ● ir al instituto ● comer ● hacer los deberes ● cenar

- *¿A qué hora te levantas?*
- *Yo a las siete y media, ¿y tú?*
- *Yo me levanto a las siete.*

GRAMÁTICA

Los verbos reflexivos

- Se conjugan con pronombres.
- Se usan para expresar que una acción la produce y la recibe el mismo sujeto.

levantarse	
(yo)	me **levanto**
(tú)	te **levantas**
(él, ella, usted)	se **levanta**
(nosotros/-as)	nos **levantamos**
(vosotros/-as)	os **levantáis**
(ellos, ellas, ustedes)	se **levantan**

Otros verbos reflexivos: ***ducharse, lavarse** (los* dientes)*, ***acostarse, vestirse.***

* *los* dientes, no *mis* dientes

GRAMÁTICA

El presente: verbos irregulares

ir	
(yo)	**voy**
(tú)	**vas**
(él, ella, usted)	**va**
(nosotros/-as)	**vamos**
(vosotros/-as)	**vais**
(ellos, ellas, ustedes)	**van**

hacer	
(yo)	**hago**
(tú)	**haces**
(él, ella, usted)	**hace**
(nosotros/-as)	**hacemos**
(vosotros/-as)	**hacéis**
(ellos, ellas, ustedes)	**hacen**

jugar	
(yo)	**juego**
(tú)	**juegas**
(él, ella, usted)	**juega**
(nosotros/-as)	**jugamos**
(vosotros/-as)	**jugáis**
(ellos, ellas, ustedes)	**juegan**

Rutina diaria

1 A 🔊(23) **Escucha a estos dos estudiantes que comparan sus rutinas diarias y completa la tabla con las horas a las que realizan las actividades.**

	Marisol	Antonio
levantarse		06:30
ir al instituto	08:00	
comer	14:00	
terminar las clases		
volver a casa		16:00
hacer los deberes		
acostarse	23:30	

B En grupos de cuatro, pregunta a tus compañeros y busca a…

1 la persona que se levanta más temprano.
2 la persona que se acuesta más tarde.
3 la persona que desayuna más tarde.
4 la persona que cena más tarde.
5 etc.

	Comp. 1	Comp. 2	Comp. 3
1 ¿A qué hora te levantas?			
2 ¿A qué hora…?			
3 ¿_____?			
4 ¿_____?			

2 A Las distintas profesiones tienen distintos hábitos ¿Quiénes crees que dicen estas frases? Hay más de una opción.

1 Trabajo a veces de noche y a veces de día.
2 Viajo mucho.
3 Trabajo normalmente por la noche.
4 Llevo siempre uniforme.
5 En casa trabajo mucho también.
6 Hablo generalmente con muchas personas.
7 No trabajo los fines de semana.
8 Trabajo en un teatro.

B profesor(a)

A actor / actriz

C policía

B Ahora lee esta entrada de un blog. ¿Qué profesión crees que tiene?

taxista ● enfermera ● profesora ● cantante ● abogada ● dependienta

Marta Blanco

Inicio | Acerca del Blog

Un día normal en mi vida

Durante la semana me levanto pronto porque el instituto está muy lejos. Voy en autobús y, a veces, en bicicleta. Las clases empiezan a las ocho y media y terminan a las cuatro y media. En el recreo voy a la cafetería con mis compañeros. Después del instituto voy al gimnasio a hacer deporte. Sobre las seis y media vuelvo a casa, descanso y preparo las clases o corrijo exámenes y proyectos. Ceno a las ocho y media. Por la noche, leo o veo una película y me acuesto sobre las doce.

▸ enero
▸ febrero
▸ marzo
▸ abril
▸ mayo
▸ junio
▸ julio
▸ agosto
▸ septiembre
▸ octubre
▸ noviembre

COMUNICACIÓN

Más tarde / Más temprano

Mónica se levanta a las siete.
Julia se levanta a las seis y media.

*Mónica se levanta **más tarde**.*
*Julia se levanta **más temprano**.*

COMUNICACIÓN

Conectores temporales

- *Primero… / Luego… / Después…:*
__Primero__ me ducho, __luego__ desayuno y __después__ me lavo los dientes.

- *Durante:*
__Durante__ la semana me levanto pronto.

C En pequeños grupos, piensa en una profesión y tus compañeros te hacen preguntas para adivinarla. Solo puedes contestar con *sí*, *no* o con un adverbio o expresión de frecuencia.

- *¿Trabajas solo por el día?*
- *Sí.*

- *¿Llevas uniforme?*
- *No siempre.*

Avanza Haz un póster con tu profesión preferida y las actividades que realizas.

3 A Edgar es un chico peruano que ahora vive en España. Lee el correo electrónico que escribe a sus abuelos y escribe las cosas que haces tú también.

Mensaje nuevo   — ↗ ✕

Destinatarios   Abuelos

Asunto   Hola

Queridos abuelos:

¿Cómo están? Yo estoy muy bien, pero mi vida es muy diferente desde que vivo en España. Me levanto a las siete y media, me ducho, me visto y desayuno en quince minutos, porque a las ocho y cuarto tomo el micro del colegio (aquí lo llaman autobús). Las clases empiezan a las nueve y terminan a la una y media, mucho más temprano que en mi colegio en Perú… Tenemos un recreo de media hora, de once a once y media. Después, no vuelvo a casa a comer, como en Arequipa; aquí como en el comedor con mis amigos (ya tengo muchos) y tenemos dos clases más por la tarde, de tres a cinco. Los lunes y los miércoles tengo baloncesto (sí, prefiero el baloncesto al fútbol en este colegio; el entrenador es muy simpático) y los jueves tengo clase de guitarra (gracias otra vez por el regalo). Mamá me recoge con el carro* y volvemos a casa a las siete menos cuarto; descanso un poco y hago los deberes. Sobre las nueve cenamos toda la familia y entonces voy a mi habitación y leo, chateo con mis amigos de Perú, escucho música o veo alguna película. A las once y media me acuesto.

Bueno, me despido.

Muchos besos y hasta pronto,

Edgar

Enviar   *A*   🔗   +   ▼

---

* carro = coche

Yo también me levanto a las siete y media.
Yo no tomo el autobús, voy en bicicleta.

B En el correo de Edgar hay verbos irregulares similares a los del cuadro de gramática. ¿Puedes encontrarlos?

Repasa Escribe una lista con todos los verbos irregulares que conoces.

C Imagina que escribes un correo electrónico a un familiar y describes cómo es un día normal para ti. Recuerda utilizar los conectores temporales para expresar la secuenciación de ideas.

Durante la semana yo me levanto…

Avanza Puedes describir el día de una persona importante para ti.

Expresar frecuencia

+   siempre
casi siempre
normalmente, generalmente
una vez, dos veces, tres veces, a veces
casi nunca
-   nunca

*Yo **siempre** me levanto a las siete y media. **A veces** voy al instituto en bicicleta.*

LÉXICO

Los días de la semana

- lunes
- martes
- miércoles
- jueves
- viernes
- sábado } fin de semana
- domingo }

Singular
El martes como con mis abuelos.

Plural
Los lunes y los miércoles juego al tenis.

COMUNICACIÓN

Escribir un correo electrónico informal
Saludo
- ¡Hola!
- Querido/-a/-os/-as…:
Despedida
- Bueno, me despido
- Muchos besos / Un abrazo / Hasta pronto

GRAMÁTICA

Verbos irregulares con cambio en la vocal

empezar (e > ie)	volver (o > ue)	vestirse (e > i)
empiezo	vuelvo	me visto
empiezas	vuelves	te vistes
empieza	vuelve	se viste
empezamos	volvemos	nos vestimos
empezáis	volvéis	os vestís
empiezan	vuelven	se visten
Otros verbos: *entender, cerrar, pensar, preferir*	Otros verbos: *acostarse, dormir, mover*	Otros verbos: *repetir, reírse, corregir*

Horarios

1 A Este es el horario de Diego, un estudiante de Bachillerato. Compáralo con el tuyo.

Diego tiene diez asignaturas y yo… Tiene Geografía por la mañana y yo…
Los lunes, los miércoles y los viernes…

	LUNES	MARTES	MIÉRCOLES	JUEVES	VIERNES
9:00-10:00	Ciencias	Lengua y Literatura	Lengua y Literatura	Ciencias	Educación Física
10:00-11:00	Matemáticas	Inglés	Matemáticas	Filosofía	Matemáticas
11:00-11:30	RECREO				
11:30-12:30	Filosofía	Geografía	Inglés	Geografía	Tecnología
12:30-14:30	COMIDA				
14:30-15:30	Tecnología	Arte	Geografía	Inglés	Arte
15:30-16:30	Educación Física	Ciencias	Educación Cívica	Tutoría	Lengua y Literatura
	Actividades extraescolares				
17:00-19:00	Baloncesto		Baloncesto	Guitarra	

B De las asignaturas y actividades extraescolares anteriores, ¿cuáles tienes? ¿Tienes las mismas que Diego o diferentes?

Tengo rugby, no tengo baloncesto.

C (24) Escucha y repite algunas palabras de esta unidad. Presta atención a la pronunciación. ¿En cuáles no pronunciamos alguna letra?

Tecnología	Química	Arequipa	guitarra	Lengua	colegio	Diego
Geografía	Historia	Inglés	Arte	horario	hacer	quince

2 Mira el siguiente cuadro de léxico y observa qué significan los verbos. Después, lee estas informaciones sobre Perú y escribe cómo es en tu país.

1 Los bancos en Perú abren a las ocho de la mañana.
2 En Perú las tiendas cierran a las ocho de la noche.
3 En Lima la primera sesión de cine normalmente empieza sobre las tres y media de la tarde.
4 En la Secundaria las clases terminan generalmente sobre las tres de la tarde.
5 En Perú mucha gente llega al trabajo a las ocho y media de la mañana y sale a las cinco y media de la tarde.
6 El descanso para la comida es a la una del mediodía y dura una hora, como máximo.

LÉXICO

Asignaturas

- Matemáticas
- Química
- Física
- Biología
- Lengua y Literatura
- Inglés
- Educación Física
- Geografía

- Historia
- Filosofía
- Teatro
- Arte
- Tecnología
- Música
- Ciencias
- Educación Cívica

ORTOGRAFÍA Y PRONUNCIACIÓN

Letras que no se pronuncian

- La *h* no se pronuncia nunca: *hoy, hora, horario.*
- La *u* no se pronuncia en los grupos *que, qui, gue, gui*: *qué, química, guerra, guitarra.*

LÉXICO

Verbos de movimiento, tiempo y duración

abrir   cerrar

Empezar la caminata.

Llegar a la cima.

Terminar la caminata.
¡¡¡Dura 12 horas!!!

salir   entrar

- **Abrir:** *Toni abre la puerta.*
- **Cerrar:** *Toni cierra la puerta.*
- **Salir (de)*:** *Toni sale de casa.*
- **Entrar (en):** *Toni entra en el instituto.*

* *Salir es irregular en la primera persona: Yo salgo*

- **Empezar:** *Toni empieza la caminata.*
- **Llegar (a):** *Toni llega a la cima.*
- **Terminar:** *Toni termina la caminata.*
- **Durar:** *La caminata dura 12 horas.*

3 A ¿Sabes dónde está Machu Picchu? ¿Por qué es famoso? Lee el folleto y di si estas frases son verdaderas (V) o falsas (F).

1 Machu Picchu es un parque moderno. ☐
2 Machu Picchu está en Perú. ☐
3 El número de visitantes al parque está controlado. ☐
4 Los turistas practican deportes en Machu Picchu. ☐
5 Las caminatas a Machu Picchu son solo por la mañana. ☐
6 En Aguas Calientes hay una estación de trenes. ☐

Los horarios de Machu Picchu

- Los horarios de visita al Parque Arqueológico Nacional no son siempre iguales porque en el parque solo pueden entrar 2500 visitantes al día.
- **Horario de entrada: 06:00–16:00** (pero se puede estar dentro del parque hasta las 17:00).
- Hay distintas rutas y también grupos de visitas guiadas con diferentes horarios (hay lugares que solo los grupos pequeños pueden visitar).

Parapente sobre el Machu Picchu

Tours de Parapente en Cusco (900 m Tandem) - Machu Picchu
Tiempo de vuelo: 20 minutos
Zona de vuelo: Cerro Sacro, Chincheros, Cusco
Horario: todos los días a las 08:45

Caminata a Machu Picchu

Día 1: Cusco – Wiñaywayna – Machu Picchu.
- 05:45: salida del hotel a la estación de tren de Cusco (en el km 104 empieza la caminata).
- Visita arqueológica de Chachabamba (a 2250 m).
- 07:45: caminata hacia Wiñaywayna.
- Después del almuerzo, continuación de la caminata hacia Machu Picchu.
- Viaje en autobús hacia Aguas Calientes.

Día 2: Machu Picchu – Cusco.
- Después del desayuno, a las 06:00, salida en autobús hacia Machu Picchu.
- *Tour* guiado de aproximadamente 3 horas.
- Tiempo libre para almorzar.
- Por la tarde, autobús al pueblo de Aguas Calientes, donde está el tren para volver a Cusco.
- Traslado al hotel: llegada a las 19:00.

B Vuelve a leer el folleto sobre Machu Picchu y completa este texto con la información que falta. Escribe los números con letras.

El Parque Arqueológico de Machu Picchu abre a las (1) _____ y cierra a las (2) _____, pero los grupos terminan la visita a las (3) _____. Los vuelos en parapente sobre el Machu Picchu duran (4) _____ minutos y empiezan a las (5) _____. En la caminata a Machu Picchu salimos a las (6) _____ de la mañana del hotel y vamos a la estación de tren de Cusco. El segundo día salimos a las (7) _____ y el *tour* dura (8) _____ horas. Llegamos al hotel, a las (9) _____.

Avanza Busca más información sobre Machu Picchu, ¿qué otras actividades podéis hacer allí?

4 A ㉕ Escucha estos cinco diálogos de chicos que hablan de sus hábitos y escribe si hacen…

	… las cosas igual	… las cosas igual a veces	… cosas muy diferentes
1			
2			
3			
4			
5			

B Compara con un compañero las actividades del fin de semana o de las vacaciones con los hábitos diarios. ¿Puedes añadir más actividades?

salir con los amigos ● chatear ● leer ● estudiar ● descansar ● correr ● escuchar música

● *Yo, los sábados, salgo siempre con mis amigos, pero durante la semana no.*
■ *Pues yo también salgo a veces con los amigos.*

Perú

Fiesta del Inti Raymi (Sacsayhuamán)

Nevado Huascarán (Andes)

1 **Marca la respuesta correcta. Puedes buscar información en internet.**

1 Perú está en…
   a ☐ Norteamérica.
   b ☐ Centroamérica.
   c ☐ Sudamérica.

2 Perú es el país de…
   a ☐ los mayas.
   b ☐ los incas.
   c ☐ los aztecas.

3 Además de español se habla…
   a ☐ inglés.
   b ☐ guaraní.
   c ☐ quechua.

4 Perú no limita con…
   a ☐ Argentina.
   b ☐ Chile.
   c ☐ Colombia.

5 La cordillera de … atraviesa Perú.
   a ☐ los Alpes
   b ☐ los Andes
   c ☐ las Montañas Rocosas

2 **¿Cuál de estas rutinas crees que pueden tener estos personajes famosos peruanos?**
Hay muchas posibilidades.

Escucha música   Escribe todos los días   Nada en el mar   Está mucho tiempo en la cocina

Va al supermercado   Cena con modelos   Da conciertos   Lee   Hace gimnasia   Toca el piano

Corre por las mañanas en el parque   Visita a gente famosa   Come en restaurantes

Personajes
famosos de Perú

❶ Mario Testino

Fotógrafo de moda peruano. Fotografía a modelos y personas famosas de todo el mundo.

❷ Claudio Pizarro

Conocido como el Bombardero de los Andes, es un futbolista y un gran goleador.

❸ Sofía Mulanovich

Primera chica peruana y sudamericana que tiene el título de Campeona Mundial de Surf.

❹ Susana Baca

Representante de la música afroperuana en el escenario mundial y ganadora de un Grammy Latino en el 2002.

❺ Juan Diego Flórez

El llamado Cuarto Tenor, cantante de ópera de fama mundial.

❻ Gastón Acurio

Chef muy famoso en todo el mundo. Escribe en revistas y hace programas de televisión.

❼ Mario Vargas Llosa

Escritor y premio Nobel de Literatura (2010), premio Cervantes (1994) y premio Príncipe de Asturias de las Letras (1986), entre otros.

Acción - Reflexión

Mira estas fotos e imagina cómo es la vida diaria de estas personas.

Acción

Escribe una entrada de blog sobre tu vida diaria.

1. Puedes hacerlo en papel o en formato electrónico.
2. Incluye fotos.
3. Si prefieres, puedes hacer un pequeño vídeo con voz en *off* o subtítulos.
   También puedes grabarlo y crear un *podcast*.

Actitudes y valores

Marca la opción adecuada.

	Sí	No	A veces
- ¿Planificas tus proyectos?	☐	☐	☐
- ¿Llegas puntual a clase?	☐	☐	☐
- ¿Haces los deberes?	☐	☐	☐
- ¿Estudias regularmente?	☐	☐	☐
- ¿Ayudas a ordenar la clase?	☐	☐	☐
- ¿Colaboras con el profesor?	☐	☐	☐

Reflexión

¿Tienes alguno de estos hábitos? ¿Te parecen buenos o malos?

- Ducharte antes del desayuno
- Estudiar con música
- Beber un vaso de agua con la comida
- Estudiar conectado a Facebook
- Leer en la cama
- Hacer listas de las tareas que tienes que hacer
- Hacer deporte dos días a la semana o más
- Estudiar de madrugada
- Ver la televisión
- Navegar por internet más de tres horas diarias
- Escribir un diario

5 Competición

- Hablar sobre deportes
- Expresar gustos
- Comprender las reglas de un concurso
- Preparar un concurso en español

- Reflexionar sobre la competición, la colaboración y el triunfo
- País: Costa Rica
- Interculturalidad: La competición en las distintas culturas
- Actitudes y valores: Promover el trabajo colaborativo

1 ¿Con qué fotografías relacionas estas palabras: *competición, cooperación, triunfo*?

2 ¿Qué deportes son? ¿Practicas estos deportes?

3 ¿Qué otros deportes practicas? ¿Con qué frecuencia? ¿Son individuales o de equipo?

4 ¿Eres una persona deportista?

Deportes

1 A Relaciona los siguientes deportes con los dibujos.

- ☐ ciclismo
- ☐ natación
- ☐ escalada
- ☐ atletismo
- ☐ vela
- ☐ voleibol
- ☐ baloncesto
- ☐ fútbol
- ☐ submarinismo
- ☐ tenis
- ☐ esquí
- ☐ *windsurf*

Avanza ▶ El nombre de muchos deportes en español es de origen inglés. ¿Puedes buscar ejemplos? ¿Es así en tu lengua también?

B ¿Cuáles son deportes de equipo y cuáles son deportes individuales?

La natación es un deporte individual, pero también es de equipo en competiciones.

C Susana y Andrés son dos superdeportistas. Lee y completa las frases con el deporte correspondiente.

SUSANA

Hago mucho deporte. La _____ es mi deporte favorito. Nado en la piscina tres días a la semana.
En las vacaciones de diciembre voy a las pistas a esquiar, el _____ es un deporte fantástico.
También practico el _____. Corro en pruebas de velocidad de 60 y 100 m lisos.

ANDRÉS

Practico el _____, los sábados voy en bicicleta con mi familia y también hago varios deportes acuáticos, especialmente en las vacaciones practico el _____ con mi padre y hacemos fotos a los peces. También hago *windsurf*.
Además juego al _____ los sábados con mis amigos. Mi equipo favorito del mundo es el Bayern de Múnich.

D ¿Dónde puedes practicar normalmente estos deportes? Comenta con un compañero. Hay varias opciones.

Puedes practicar el baloncesto en un polideportivo, en el colegio, en un parque...

2 A (26) Escucha a estos compañeros de instituto de Susana y Andrés. Escribe en las dos primeras filas qué deportes practican y dónde.

	1 Amaya	2 Diego	3 Javier	4 Beatriz
¿Qué deporte?				
¿Dónde?				
¿Cuándo?				

B (26) Escucha de nuevo, ¿cuándo practican los deportes? Completa la última fila de la tabla anterior.

Repasa Los días de la semana y las partes del día en la unidad 4.

C Ahora cuenta a tu compañero qué deportes practicas tú, dónde y cuándo.

Yo juego al tenis en un polideportivo todos los jueves, de siete a ocho, y…

D ¿Qué deportistas famosos hay en tu país? Haz una lista de sus nombres y después explica qué deporte practican.

En Costa Rica, Bryan Ruiz es futbolista, juega al fútbol.

3 A Observa el cuadro y completa los números que faltan.

Números a partir del 100

100 cien	300 trescientos	800 ochocientos	1200 _____
101 ciento uno	320 _____	900 novecientos	2000 dos mil
102 _____ dos	400 cuatrocientos	1000 mil	100 000 cien mil
200 doscientos	500 quinientos	1001 _____ uno	200 000 _____
201 doscientos uno	600 seiscientos	1002 _____	1 000 000 un millón
202 _____ dos	700 setecientos	1100 mil cien	2 000 000 dos millones

B Lee esta información sobre los Juegos Olímpicos de Londres y escribe los números con letras.

Londres 2012
Las espectaculares cifras de los Juegos Olímpicos

10 863 atletas: **6040** hombres y **4823** mujeres

204 delegaciones olímpicas

25 récords olímpicos

2 000 000 de espectadores en pistas y estadios deportivos

4700 medallas

900 000 000 de espectadores en la ceremonia de inauguración por televisión

1 _____ récords olímpicos
2 _____ delegaciones olímpicas
3 _____ medallas
4 _____ atletas: _____ hombres y _____ mujeres
5 _____ de espectadores en pistas y estadios deportivos
6 _____ de espectadores en la ceremonia de inauguración por televisión

C (27) Escucha y comprueba.

4 Lee el siguiente texto sobre dos hermanas costarricenses muy famosas y complétalo con las palabras que faltan.

medalla • bronce • récords • natación • deportista

HERMANAS NADADORAS Y CAMPEONAS

Claudia Poll es costarricense y la primera (1) _____ en la historia de Costa Rica en ganar una (2) _____ de oro en su país en unos Juegos Olímpicos (Atlanta 1996) en la disciplina de 200 metros estilo libre de (3) _____. Además, gana dos medallas de (4) _____ en las Olimpiadas de Sídney 2000 en la misma disciplina. Su hermana mayor, Sylvia Poll, gana para Costa Rica la primera medalla olímpica de su historia (plata) en Seúl 88. Claudia Poll es considerada la deportista más importante de la historia de Costa Rica y la nadadora latinoamericana más exitosa de todos los tiempos, con 144 (5) _____.

Gustos

1 A Lee este foro, donde unos chicos hablan sobre sus deportes favoritos, y completa las frases con sus nombres.

1 A _____ le gustan los deportes acuáticos.
2 A _____ y a _____ les gustan los deportes individuales.
3 A _____ le gusta jugar al tenis.
4 A _____ le gusta mucho jugar con sus amigos.
5 A _____ le gusta mucho jugar al fútbol.
6 A _____ no le gusta ver deporte en la televisión.

Foro deportes / ¿Qué deporte practicas?

Lucía (Salamanca), **18** temas y **55** comentarios
Jugar al fútbol me gusta mucho porque se practica al aire libre. Pero la razón principal es porque juego con mis amigos y viajamos a otras ciudades los fines de semana. Nos encanta viajar en autobús.

Teresa (Sevilla), **11** temas y **47** comentarios
Me gusta muchísimo el atletismo porque es un reto individual. Todo depende de ti. No me gustan mucho los deportes de equipo y no me gusta nada el fútbol.

Hugo (Tarragona), **22** temas y **77** comentarios
Me gusta mucho hacer deporte, especialmente los deportes individuales, como el tenis o el atletismo. Ver deporte en la televisión no me gusta nada; bueno, a veces veo partidos de fútbol con mis amigos.

Daniel (Tenerife), **12** temas y **56** comentarios
A mí me gusta nadar. Durante el curso voy a la piscina y cuando empieza el buen tiempo me encanta ir a la playa. También me gustan otros deportes acuáticos: el submarinismo, el *windsurf*…

Avanza ¿Conoces alguna otra lengua con una estructura similar a la del verbo *gustar*?

B Marca la opción correcta en estas frases.

1 A mí me **gusta / gustan** escuchar música cuando corro.
2 A mis padres **le / les** gusta ver el tenis en la televisión.
3 Los deportes de equipo **nos / les** gustan a todos mis amigos.
4 A mi hermano no **le / les** gustan los deportes de equipo.
5 El fútbol y el baloncesto me **gusta / gustan** mucho.
6 A Sara **te / le** gusta practicar yoga.

C Ahora escribe tú sobre dos deportes que te gustan y dos que no.

2 A (28) Escucha estos diálogos y señala primero si a la segunda persona le gustan (SÍ) o no (NO) las actividades de las que habla la primera persona.

Primera persona		Segunda persona	
	SÍ	NO	👍 Acuerdo / 👎 Desacuerdo
1 A mí no me gusta mucho **nadar en la piscina.**	x		*A mí sí.*
2 A mis amigos y a mí nos encanta **jugar al fútbol** los fines de semana.			
3 **El yoga** es muy aburrido. No me gusta, la verdad.			
4 A mí me gustan mucho **los deportes de equipo**, especialmente el baloncesto.			
5 A mi papá le encanta **el golf**. A mí no me gusta nada.			
6 Muchos fines de semana voy a la montaña con el club. Me encanta **la escalada**.			

B 28 **Ahora vuelve a escuchar los diálogos. ¿Cómo muestra la segunda persona de los diálogos anteriores acuerdo o desacuerdo? Elige la forma correcta y escríbela en la columna derecha de la tabla de la página anterior.**

A nosotros también   A mí tampoco   A mí sí (x2)   A mí no (x2)

C 29 **Escucha y reacciona con tu opinión personal.**

3 Comenta con un compañero tus gustos sobre los siguientes temas.

nadar ● practicar deportes de equipo ● ver deporte en televisión
ir al gimnasio ● hacer deporte los fines de semana ● ir al cine

● *A mí me gusta mucho hacer deporte los fines de semana.*
■ *A mí no. A mí los fines de semana me gusta ir al cine.*

Avanza Dibuja un mapa mental con todo lo que te gusta (en un color) y lo que no te gusta (en otro color).

4 A Antes de leer el artículo, mira las fotos de Luisa, estudiante, y de su madre, profesora, e imagina qué cosas le gustan a Luisa (L) y a Aurora (A) o qué cosas les pueden gustar a las dos.

	L	A			L	A
1	la música clásica	☐ ☐		7	la cocina	☐ ☐
2	la música latina	☐ ☐		8	las motos	☐ ☐
3	el cine romántico	☐ ☐		9	visitar a la familia	☐ ☐
4	el cine de terror	☐ ☐		10	tocar el piano	☐ ☐
5	el fútbol	☐ ☐		11	ir de compras	☐ ☐
6	el tenis	☐ ☐		12	hablar	☐ ☐

B Ahora lee el siguiente artículo de una revista para estudiantes sobre sus gustos y comprueba tus respuestas.

COMUNICACIÓN

Contrastar gustos

- A mí me gusta.
  A mí también.
  A mí no. 👎
  ● *A mí me gusta el esquí.* 👍
  ■ *A mí también.* 👍

- A mí no me gusta. 👎
  A mí tampoco. 👎
  A mí sí. 👍
  ● *A mí no me gusta nada el fútbol.* 👎
  ■ *A mí tampoco.* 👎

Mi **madre** y **yo**

Me llamo Luisa y tengo 17 años. Mi madre se llama Aurora y tiene 42. En algunas cosas somos iguales, pero en otras somos diferentes. Por ejemplo, yo soy alta, rubia, llevo gafas y tengo los ojos azules; mi madre es alta y lleva gafas, pero es morena y tiene los ojos marrones. En cuanto a los gustos, yo voy a clases de piano y me encanta la música clásica, y mi madre va a clases de salsa porque le encanta la música latina. A veces, cuando vamos en el coche, tenemos problemas: ella siempre escucha música cubana y a mí no me gusta mucho. En los deportes también somos diferentes: a mi madre le gusta el tenis y yo juego al fútbol con el equipo de mi barrio. Otra diferencia importante: me gusta mucho cocinar y a mi madre no mucho. Mi padre y yo hacemos la comida los fines de semana. A mi madre le gustan las motos y la mecánica, pero no le gusta nada la cocina. También tenemos muchas cosas en común: nos encanta ir al cine y nos gustan mucho las películas románticas y de terror. Me encanta ir en moto con mi madre por la ciudad para ir de compras o visitar a la familia... Mi madre y yo hacemos muchas cosas juntas y hablamos mucho.
Para mí es más importante lo que tenemos en común que lo que nos diferencia. ¡Me encanta mi madre!

Luisa, 17 años

Aurora, 42 años

Repasa La descripción física en la unidad 2.

C Compara tus gustos con una persona de tu familia y escribe un texto parecido al anterior.

Concursos

1 A ¿Te gustan los concursos de televisión? ¿Cuáles son los más famosos que conoces? En grupos, haced una lista de concursos que conocéis y comentad si os gustan o no os gustan.

- *A mí me encanta* La Voz.
- *A mí también me gusta mucho.*

B Lee en este canal de televisión los concursos que se anuncian y relaciona las siguientes frases con el concurso correspondiente. Hay varias opciones.

- [ ] a Es necesario cantar bien.
- [ ] b Tienes que cocinar muy bien.
- [ ] c Tienes que tener buena memoria.
- [ ] d Es necesario ser creativo.
- [ ] e Tienes que ser delgado y alto.
- [ ] f Es necesario tocar un instrumento.
- [ ] g Tienes que saber muchas cosas de historia, arte, geografía, etc.
- [ ] h Es importante no ser tímido.

Conecta TV

SERIES | PROGRAMAS | EN DIRECTO | A LA CARTA

1 EN LA COCINA
Nuestra cadena de televisión busca al mejor cocinero. ¿Te gusta cocinar? ¿Eres creativo? Este es tu concurso. ¿El premio? ¡Dinero para abrir tu restaurante!

2 TU PÚBLICO
Un concurso de talentos musicales para buscar a cantantes, músicos y bailarines. Si te gusta cantar o bailar o tocas un instrumento de música, puedes participar. Te esperamos.

3 MODELOS
¿Te gusta la moda? ¿Eres fotogénico? ¿Sabes andar con elegancia? En nuestro concurso los participantes pasan muchas pruebas para conseguir ser el mejor modelo del país.

4 ¿PREPARADO PARA GANAR?
Concurso de cultura donde se hacen preguntas de cultura general y, después, de temas específicos. ¡La suerte es un componente muy importante!

Avanza ¿Qué otros adjetivos puedes añadir a la estructura *ser* + adjetivo? Escribe ejemplos.

2 A (30) **Escucha a Javier, ganador del concurso musical de televisión *Tu público*, y completa con lo que él dice que se necesita para participar en el concurso.**

- Tienes que _____
- Es necesario _____
- Es muy importante _____

LÉXICO

La competición

- competir / concursar / participar
  *Si te gusta **competir**, puedes **participar** en nuestro concurso.*
- ganar / perder / empatar
  *Málaga, 2; Sevilla, 1; **gana** el Málaga.*
  *Málaga, 2; Sevilla, 1; **pierde** el Sevilla.*
  *Málaga, 2; Sevilla, 2; **empatan** los dos equipos.*
- preguntar = hacer / responder una pregunta
  *El presentador **pregunta** y el concursante **responde**.*

COMUNICACIÓN

Expresar obligación y opción

- *Tener + que + infinitivo:*
  *¿**Tienes que** practicar mucho para ganar?*
  *Siempre **tenéis que** seguir las reglas.*
  *Los concursantes no **tienen que** hacer una entrevista.*

- *Es + adjetivo + infinitivo:*
  ***Es** importante ser abierto / simpático / valiente.*
  *No **es** necesario tocar un instrumento.*
  ***Es** obligatorio tener 18 años.*

B En parejas, escribid una pequeña descripción de un concurso y sus reglas.

Nombre _____	Reglas
Descripción _____ _____	- Tienes que _____ - Es necesario _____ - Es obligatorio _____

3 A ¿Cuál es tu opinión sobre los concursos de belleza?

B Lee el texto, ¿cuáles son los requisitos más importantes?

Karina Ramos, **Miss Costa Rica**,
se prepara para ganar el título de Miss Universo

«Todos los concursos requieren cosas diferentes: no es la misma preparación para Miss Universo que para ser la reina de la belleza de un país. El nivel de competencia es distinto porque el concurso de Miss Universo es el más importante y es necesario prepararse extremadamente bien», comenta la miss en una entrevista para nuestra revista. Además, añade que lo importante es «estar en buena forma, cuidar de tu cuerpo, saber posar para fotos, andar con elegancia por la pasarela y, por supuesto, saber contestar a las preguntas de forma inteligente».

Extraído de http://www.eldiariony.com

C En grupos, comentad estas preguntas: ¿son importantes o populares este tipo de concursos en tu país?; ¿conoces concursos de belleza para hombres o para niños?; ¿cuáles crees que son los requisitos más importantes?

4 A Lee estas frases sobre otro concurso que se llama *Palabras*. Clasifícalas en la siguiente tabla en obligatorias u opcionales.

Los concursantes…
- no pueden ser menores de 18 años.
- tienen que mandar una foto y sus datos personales.
- tienen que escribir con la razón para concursar.
- pueden escribir una carta o un correo electrónico.

Para los concursantes…
- es importante conocer mucho vocabulario.
- no es necesario, pero sí importante, ser original, creativo.
- en caso de no saber más respuestas, no pueden ayudarse el uno al otro.

Obligatorio	Opcional
Los concursantes no pueden ser menores de 18 años.	

B (31) Ahora escucha un fragmento del concurso *Palabras*. ¿Qué otras dos reglas no aparecen en el ejercicio 4A?

C Estas son más preguntas para el concurso *Palabras*. ¿Podéis seguir jugando en grupos de cuatro? Podéis inventar nuevas preguntas.

- Un minuto para decir países donde la lengua oficial es el español.
- Un minuto para decir objetos de la clase.
- Un minuto para decir verbos irregulares en presente.
- Un minuto para decir nombres de servicios públicos.
- Un minuto para decir palabras relacionadas con la familia.
- Un minuto para decir palabras que empiezan por *R*.

5 (32) Mira y escucha estas palabras. Marca si oyes un sonido fuerte (F) o suave (S).

1	cojín	F	5	antiguo ☐	9	gordo ☐	13	trabajo ☐
2	gafas	S	6	guitarra ☐	10	joven ☐	14	general ☐
3	espejo ☐		7	hijo ☐	11	jueves ☐	15	conseguir ☐
4	segundo ☐		8	ningún ☐	12	ganar ☐	16	debajo ☐

Repasa Las palabras de este ejercicio son palabras de unidades anteriores. ¿Te acuerdas de lo que significan?

ORTOGRAFÍA Y PRONUNCIACIÓN

G / J

- Se pronuncian de forma diferente cuando van con las vocales *a, o, u*:
  *ga*nar, ha*go*, *gu*star (sonido suave)
  *Ja*vier, me*jor*, *ju*gar (sonido fuerte)

- *G* se pronuncia igual qu *J* (sonido fuerte) cuando va seguida de las vocales *e, i*:
  *ge*nte / a*je*drez
  ele*gir* / *ji*rafa

- En los grupos *gue* y *gui* la *u* no se pronuncia y la *G* se pronuncia con un sonido suave:
  *gui*tarra, consi*gue*

Costa Rica

1 **¿Qué sabes de Costa Rica? Empareja los elementos de estas dos columnas y después relaciónalos con las fotografías. ¡Cuidado, sobran tres!**

☐ una carretilla	de ojos rojos
☐ un plato	de aventura
☐ una joven	del mar Caribe
☐ una planta	de colores
☐ un deporte	de café
☐ un volcán	del país
☐ una playa	de gran altura
☐ una rana	de gallo pinto
☐ el eslogan	de etnia bibri

2 **Elige cinco palabras y construye frases sobre Costa Rica. Puedes buscar información en internet.**

ETNIAS ECONOMÍA CAPITAL LENGUAS VOLCANES COMIDA EJÉRCITO HABITANTES PLAYAS

3 **Lee en la siguiente página el extracto de un folleto sobre Costa Rica y relaciona estas frases con los siguientes deportes. Hay varias opciones.**

Surf ● *Windsurf* ● Submarinismo ● Motos acuáticas ● Tirolina

1 Puedes disfrutar de la naturaleza. _____
2 Practicas este deporte en los árboles. _____
3 Puedes ver animales. _____
4 Es necesario hacer este deporte con una vela. _____
5 Tienes que estar en el agua. _____
6 No puedes tener miedo a las alturas. _____
7 Estás en un bosque. _____
8 Es un deporte muy ruidoso. _____

ECOTURISMO
Deporte, aventura y cuidado de la naturaleza

El ecoturismo es un nuevo tipo de turismo que cuida la naturaleza, diferente al turismo tradicional. Costa Rica es el país ideal para practicar este tipo de turismo.

El submarinismo es una de las actividades favoritas para los turistas que nos visitan de todo el mundo. En Costa Rica tienes la posibilidad de ver animales grandes, como tiburones, tortugas marinas, arrecifes de coral y peces de arrecife de varios tipos.

Costa Rica es un destino mundialmente famoso para practicar el surf. En Tanato, en la costa del Caribe, así como en el Pacífico Central, Sur y Norte, hay más de 200 playas donde practicar el surf.

También puedes practicar el *windsurf*, sobre todo en el Lago Arenal y en el Pacífico Norte, en la zona de Bahía Bolaños y Cuajiniquil, porque hay una fuerte y constante presencia de vientos ideales para practicar este deporte todo el año.

En Monteverde, un destino turístico importante al norte de Costa Rica con una gran biodiversidad tropical, puedes practicar la tirolina. Es un deporte de aventura que combina adrenalina con la observación de la naturaleza en los bosques tropicales que abundan en nuestro país. Con cables de más de 80 metros y una altura de 140 metros. Tiene una distancia de casi 3 kilómetros y dura unas 3 horas.

Una actividad muy practicada en Costa Rica es ir en motos acuáticas. Hay diferentes opiniones sobre ellas: unos opinan que son muy ecológicas porque oxigenan el agua. Otros, que hacen mucho ruido y no son buenas para el medio ambiente. Pero seguro que es una experiencia emocionante en las bellas y tranquilas playas.

Acción - Reflexión

Mira estas fotos. ¿Representan los conceptos de competición, colaboración y triunfo? ¿Por qué?

Acción

En grupos pequeños, preparad un concurso de español.

1 Tenéis que preparar tarjetas. Podéis incluir los contenidos de las cuatro primeras unidades.
2 Escribid las preguntas en las tarjetas.
3 Mezcladlas.
4 Decidid las reglas del concurso. Por ejemplo: un tiempo límite, número de concursantes en el grupo, los puntos, el premio, etc.
5 Formad equipos. Es necesario también elegir un presentador.
6 Gana el equipo que tiene más puntos.

Actitudes y valores

Marca la opción apropiada.

	siempre	a veces	nunca
- Practico deporte.	☐	☐	☐
- Respeto las reglas del juego.	☐	☐	☐
- En los deportes de equipo trabajo para el grupo.	☐	☐	☐
- Para mí es más importante participar que ganar.	☐	☐	☐

Palabras que empiezan por A

Nombres de deportes

Nombres de lugares públicos

Adjetivos de carácter

Reflexión

- ¿Los deportistas de élite son un ejemplo a seguir?

- ¿Por qué tienen tanto éxito los concursos de televisión?

- ¿Es necesaria la competición en nuestras vidas? ¿Es siempre buena la competición?

- ¿Todo es positivo en el deporte?

6 Nutrición

- Hablar sobre comidas y bebidas
- Describir hábitos alimenticios
- Pedir en un establecimiento de comidas
- Organizar un concurso de cocina
- Reflexionar sobre tipos de comida diferentes
- País: España
- Interculturalidad: La influencia de la cultura en la dieta
- Actitudes y valores: Respetar la diversidad en la alimentación

tamales

asado

ceviche

sushi

congrí

burritos

tortilla de patatas

1 ¿Qué te gusta comer? ¿Eres alérgico a algún alimento? ¿Hay algún alimento que no comes?

2 ¿Qué influencia de otras culturas hay en la comida de tu país?

3 Observa las fotografías: todos son platos de países hispanos excepto uno, ¿cuál es?
   ¿Sabes de dónde son estos platos?

4 Imagina que estás en un restaurante, ¿cuál de estos platos pides?

Comidas y bebidas

1 A **Escribe al lado de cada alimento los artículos *el, la, los* o *las*.**

1 ___ verdura	2 ___ fruta	3 ___ arroz	4 ___ cereales	5 ___ embutido	6 ___ agua
7 ___ pan	8 ___ huevos	9 ___ frutos secos	10 ___ legumbres	11 ___ leche	12 ___ zumo
13 ___ patatas	14 ___ pescado	15 ___ carne	16 ___ helado	17 ___ pastel	18 ___ pasta

B (33) **Escucha y comprueba.**

C **Haz una lista con los alimentos que más te gustan y con los que menos te gustan. Después, compara tu lista con la de tu compañero.**

Lo que más me gusta
1 _____
2 _____
3 _____
4 _____
5 _____

Lo que menos me gusta
1 _____
2 _____
3 _____
4 _____
5 _____

Lo que más me gusta es el arroz, después la leche…
Lo que menos me gusta es el pescado…

Avanza Amplía tu lista con otros nombres de alimentos que te gustan.

2 A **¿Cuándo comes o bebes normalmente los alimentos del ejercicio 1A? Completa la siguiente tabla.**

Desayuno 07:00-10:00	Comida 13:00-15:00	Merienda 16:00-18:00	Cena 20:00-22:00
leche			

B **Comenta con tu compañero a qué hora desayunas, comes, meriendas y cenas.**

Yo desayuno siempre a las siete y media. Como entre la una y media y las dos.
No meriendo nunca porque ceno a las ocho. ¿Y tú?

Repasa Las horas, las expresiones de frecuencia y los verbos irregulares en presente en la unidad 4.

COMUNICACIÓN

Expresar preferencia
- *Lo que más me gusta es la leche.* ☺
- *Lo que menos me gusta son las patatas.* ☹
- *Mi comida favorita es la fruta.*
- *Mi comida preferida son los pasteles.*

LÉXICO

Las comidas del día
- el desayuno: desayunar
- el almuerzo*: almorzar
- la comida: comer
- la merienda: merendar
- la cena: cenar

* En España, el almuerzo es la comida a media mañana, entre el desayuno y la comida. En algunos países se utiliza *almorzar* en lugar de *comer*.

GRAMÁTICA

Los verbos *almorzar* y *merendar*

almorzar (o > ue)	merendar (e > ie)
almuerzo	meriendo
almuerzas	meriendas
almuerza	merienda
almorzamos	merendamos
almorzáis	merendáis
almuerzan	meriendan

3 **A** Marca si crees que estas recomendaciones sobre buenos hábitos alimenticios son verdaderas (V) o falsas (F).

Es recomendable:

		V	**F**
1	Beber menos de seis vasos de agua al día.	☐	☐
2	Comer tres veces al día fruta.	☐	☐
3	Comer frutos secos entre tres y siete veces a la semana.	☐	☐

		V	**F**
4	Tomar lácteos más de una vez al día.	☐	☐
5	Comer legumbres entre dos y cuatro veces a la semana.	☐	☐
6	Comer pasteles ocasionalmente.	☐	☐

B Ahora lee esta infografía del Gobierno de España y comprueba tus respuestas.

Dulces, caramelos, pasteles, bebidas refrescantes, helados
Ocasionalmente

Carnes grasas, embutidos, grasas (margarina, mantequilla)
Ocasionalmente

Frutos secos
3 - 7 veces a la semana

Lácteos
2 - 4 veces al día

Fruta
3 veces al día
Verdura
2 veces al día

Arroz, pasta, pan, cereales, patatas (mejor integrales)
4 - 6 veces al día

Haz ejercicio físico casi todos los días 60 minutos

Pescados, mariscos, carnes magras, huevos
3 - 4 veces a la semana
Legumbres
2 - 4 veces a la semana

Aceite de oliva
3 - 6 veces al día

Agua
6 - 8 veces al día

Extraído de http://www.alimentacion.es

C Responde este test para saber si llevas una alimentación saludable según la pirámide de alimentación anterior.

1 ¿Cuántas veces al día tomas productos lácteos?
a nunca tomo productos lácteos ○
b una vez ○
c dos o tres veces ○

2 ¿Cuándo comes helados y dulces?
a todos los días ○
b dos o tres veces a la semana ○
c ocasionalmente ○

3 ¿Cuántas veces a la semana comes huevos, carne o pescado?
a nunca ○
b una o dos veces ○
c tres o cuatro veces ○

4 ¿Cuántas veces al día bebes agua?
a una vez ○
b dos o tres veces ○
c más de cinco veces ○

5 ¿Cuántas veces al día comes arroz, pasta, pan o cereales?
a nunca ○
b una o dos veces ○
c entre cuatro y seis veces ○

6 ¿Cuántas veces comes fruta al día?
a nunca como fruta ○
b una vez ○
c más de una vez ○

Mayoría de respuestas a: no comes bien. Recuerda que es importante beber mucha agua, comer fruta y verdura, ¡y no comer muchos dulces y alimentos grasos! Mayoría de respuestas b: comes bastante bien, pero tienes que comer un poco mejor. Mayoría de respuestas c: ¡enhorabuena, comes muy bien!

COMUNICACIÓN

Expresar frecuencia

Una vez	al año
Entre dos veces **y** tres veces	al mes
Más de tres veces	a la semana
Menos de cuatro veces	al día

Otras formas: *siempre, casi siempre, normalmente, generalmente, una vez, dos veces, tres veces, a veces, ocasionalmente, casi nunca, nunca.*

D En pequeños grupos, comentad el resultado del test. ¿Tu dieta es sana? ¿Qué tienes que cambiar en tu alimentación? ¿Quién come más sano?

● *Yo bebo poca agua y como muchos dulces. Como muy mal.*
■ *Yo como muy bien: bebo agua seis veces al día o más y como cereales todos los días.*

Hábitos alimenticios

1 A 🔊 **Escucha un programa de radio y toma nota de las diferencias en los hábitos alimenticios en España, Argentina y México.**

	En España	En Argentina	En México
¿Qué se come?			
¿Qué se bebe?			

B ¿Sabes qué se come o se bebe en estos países?

China ● Italia ● Estados Unidos ● Rusia ● Alemania ● Turquía ● Francia

En China se come mucho arroz…

Avanza ▶ Comenta con tus compañeros qué se come o se bebe en otros países.

2 A Mira el texto y, sin leerlo, decide qué tipo de texto crees que es.

☐ un blog ☐ un artículo ☐ una receta
☐ una noticia ☐ una reseña ☐ un folleto

B ¿Qué características crees que tiene la dieta mediterránea? Coméntalo con tus compañeros y después lee el texto.

COMUNICACIÓN

Expresar impersonalidad

Se utiliza la forma *se* + 3.ª persona del presente de indicativo:
*En la India **se come** <u>mucho arroz</u>.*
*En España **se comen** <u>muchas ensaladas</u>.*

La dieta mediterránea

El origen de la palabra *dieta* procede del griego *diaita*, que significa 'estilo de vida equilibrada', y esto es la dieta mediterránea: una forma de comer y de vivir.

Es un estilo de vida que combina ingredientes de la agricultura local, las recetas de cada lugar, las comidas compartidas entre amigos y familia en las celebraciones y la práctica de ejercicio físico diario gracias al buen clima de la región.

La dieta mediterránea es una antigua herencia cultural de los pueblos de la zona del Mediterráneo, una combinación equilibrada y completa de los alimentos, basada en productos frescos, locales y de temporada.

Según el historiador griego Plutarco: «Los hombres se invitan no para comer y beber, sino para comer y beber juntos». En el Mediterráneo, cuando hablamos de sus productos básicos, como el trigo, la vid y el olivo (el pan, el vino y el aceite), así como las legumbres, las verduras, las frutas, el pescado, los quesos o los frutos secos, tenemos que añadir un condimento esencial: la sociabilidad.

Decálogo de la dieta mediterránea:

1 Se utiliza el aceite de oliva: es el aceite más utilizado en la cocina mediterránea. Es un alimento con propiedades cardioprotectoras[1].

2 Se consumen muchos alimentos de origen vegetal: frutas, verduras, legumbres y frutos secos, alimentos que ayudan a prevenir algunas enfermedades cardiovasculares[2] y algunos tipos de cáncer.

3 El pan y los alimentos procedentes de cereales (pasta y arroz, especialmente sus derivados integrales) forman parte de la alimentación diaria.

4 Los alimentos son frescos y de temporada[3].

5 Se consumen todos los días productos lácteos, principalmente yogur y quesos.

6 Se come carne roja en cantidades pequeñas y como ingrediente de bocadillos y platos.

7 Se come mucho pescado.

8 Se come fruta después de las comidas; los dulces y pasteles, solo ocasionalmente.

9 Se bebe agua siempre y también se bebe vino con moderación[4] y durante las comidas.

10 Se realiza actividad física todos los días.

¡Y lo más importante! Se come sentado a la mesa con la familia o con amigos y, después de comer, se habla relajadamente y se hace la sobremesa: esto es lo mejor de la comida.

---

[1] Protegen contra las enfermedades del corazón.
[2] Relacionadas con el corazón y con el aparato circulatorio.
[3] Alimentos que se producen en esa época del año.
[4] Sin exceso.

C Lee el texto otra vez y responde a las preguntas.

1 ¿Qué tiene de especial la dieta mediterránea?
2 ¿Cuáles son los alimentos básicos de la dieta mediterránea?
3 ¿Por qué es una dieta sana?
4 ¿Qué crees que es lo mejor de la dieta mediterránea?

3 A (35) **Juan quiere preparar un gazpacho y le pregunta a su amiga Carmen qué ingredientes necesita. Escucha la conversación y señala los ingredientes que escuchas. ¿Qué ingrediente no se menciona?**

Ingredientes para hacer gazpacho andaluz

(para cuatro personas)

☐ 1 kilo de tomates maduros
☐ 1 pimiento verde (unos 60 gramos)
☐ 1 pepino (unos 250 gramos)
☐ 1 trozo de cebolla (unos 100 gramos)
☐ 1 diente de ajo
☐ 3 cucharadas de aceite de oliva
☐ 3 o 4 cucharadas de vinagre
☐ 1 cucharada pequeña de sal
☐ 1 trozo de pan

B (35) **Vuelve a leer los ingredientes anteriores y escucha otra vez. ¿Qué ingredientes tiene que comprar Juan?**

C Fíjate en cómo se hace un gazpacho. Relaciona las instrucciones con las imágenes.

Receta para hacer gazpacho andaluz

(para cuatro personas)

1 Se lavan los tomates, el pepino y el pimiento.
2 Se cortan los tomates y el pimiento.
3 Se pela el diente de ajo y se corta por la mitad.
4 Se pelan la cebolla y el pepino y se cortan en trozos.
5 Se echan todas las verduras en el vaso de la batidora.
6 Se añade la sal, el aceite, el vinagre, el trozo de pan y un poco de agua, y se bate.
7 Por último, se mete en la nevera y se toma muy frío. ¡Buen provecho!

 A ☐
 B ☐
 C ☐
 D ☐
 E ☐
 F ☐
 G ☐

D ¿Sabes preparar algún plato? Escribe la receta y los ingredientes que se necesitan.

Para preparar … se necesita…

E En grupos, leed las recetas de vuestros compañeros, ¿qué receta os gusta más?

Avanza Busca otras recetas en internet y anota nuevos verbos para dar instrucciones para cocinar.

Medidas y cantidades

- **un kilo de** patatas
- **medio kilo de** tomates
- **250 gramos** (un cuarto de kilo) **de** azúcar
- **un litro de** aceite
- **un paquete de** legumbres
- **un trozo de** pan
- **un vaso de** agua
- **una cucharada de** sal
- **un diente de** ajo

Cocinar

- **cortar** los tomates
- **lavar** los pimientos
- **pelar** el pepino
- **batir** los huevos
- **añadir** la sal
- **echar** las verduras a la batidora
- **meter** el gazpacho en la nevera
- **mezclar** el huevo con las patatas
- **picar** la cebolla
- **freír*** el pescado

*freír es un verbo irregular: **frío, fríes, fríe**, freímos, freís, **fríen**

Comer fuera

1 A Imagina que estás en un restaurante en España. Lee el menú. ¿Conoces todos los platos? Escribe qué preguntas le haces al camarero para descubrir las cosas que no entiendes o quieres saber.

¿Qué es la dorada?

La terraza

MENÚ

Primer plato:
Sopa de pescado • Ensalada de la casa • Arroz a la cubana
Verduras a la plancha • Espaguetis a la boloñesa

Segundo plato:
Bistec con pimientos asados • Dorada al horno
Pollo con patatas • Croquetas de bacalao • Cuscús de verduras

Postre:
Flan de la casa • Yogur • Helado
Macedonia • Fruta de temporada (melón o sandía)

Pan, vino o agua y café incluidos

11 €

Avanza ▶ Confecciona un nuevo menú en una cartulina.

B (36)) Bernardo y Lucía están en el restaurante. Escucha lo que piden y completa la tabla.

	De primero	De segundo	De postre	Para beber
Bernardo				
Lucía				

C (36)) Escucha otra vez y completa las frases con las palabras que faltan. ¿Sabes qué son esas palabras y para qué sirven?

Bernardo: ¿Cómo preparan la dorada?
Camarero: _____ hacemos al horno.
* * *
Lucía: Y para mí, de segundo, el bistec con pimientos asados.
Camarero: ¿_____ quiere muy hecho o poco hecho?
Lucía: _____ quiero muy hecho.

Repasa ▶ Las formas verbales de *tú* y *usted* en la unidad 1.

D (37)) Escucha y anota qué piden después de comer.

¿Me pone un _____, por favor?

A mí un _____.

¡Ah! Y me trae la _____ también, por favor.

COMUNICACIÓN

Pedir información en un restaurante

- ● *¿**Qué es** la dorada?*
- ■ *Un pescado.*

- ● *¿**Qué lleva** la ensalada?*
- ■ *Lechuga, tomates, aceitunas y cebolla.*

- ● *¿La dorada **es** carne?*
- ■ *No, es pescado.*

- ● *¿**Lleva** cebolla la ensalada?*
- ■ *Sí, y tomates, aceitunas y lechuga.*

- ● *¿**Cómo preparan / hacen** la dorada?*
- ■ *Al horno.*

Pedir en un restaurante o en un bar

- ● *¿Qué desea(n)?*
- ■ ***Para mí, de primero,** una ensalada.*
- ▲ ***Yo quiero** la sopa de pescado.*
- ■ *Y, **de segundo,** la dorada al horno.*

Después de comer

- - ***De postre,** un flan, **por favor**.*
- - *¿**Me pone** un café con leche, **por favor**?*
- - *¿**Me trae** la cuenta, **por favor**?*

GRAMÁTICA

Los pronombres de objeto directo (OD)

	singular	plural
masculino	lo	los
femenino	la	las

- ● *¿Cómo preparan <u>la carne</u>?*
- ■ ***La** hacemos a la parrilla.*

- ● *¿Cómo quiere <u>el pollo</u>?*
- ■ ***Lo** quiero con patatas.*

- ● *¿Y <u>las patatas</u>?*
- ■ ***Las** quiero con mayonesa.*

- ● *¿Cómo quieren <u>los cafés</u>?*
- ■ ***Los** queremos solos.*

El verbo *querer*

(yo)	quiero
(tú)	quieres
(él, ella, usted)	quiere
(nosotros/-as)	queremos
(vosotros/-as)	queréis
(ellos/-as, ustedes)	quieren

2 A Ordena el diálogo entre un cliente y un camarero.

- ☐ a Muy bien, ¿y de segundo?
- ☐ b Poco hecha, muy bien. ¿Y para beber?
- ☐ c Hola, buenos días. ¿Qué desea?
- ☐ d De segundo, me trae un bistec con patatas.
- ☐ e De primero, quiero una sopa de pescado.
- ☐ f ¿La carne la quiere muy hecha o poco hecha?
- ☐ g Me pone un agua con gas.
- ☐ h Poco hecha.

B En grupos de tres, practicad una conversación en un restaurante con el menú de la página anterior.

Avanza ▶ Podéis grabar en vídeo vuestra conversación y mostrarla a la clase.

3 Comenta con dos compañeros cómo comes o bebes los siguientes alimentos. Puedes marcar más de una opción.

1 Yo como la carne…
- ☐ a muy hecha
- ☐ b poco hecha
- ☐ c no como carne

2 Yo como las patatas fritas…
- ☐ a con mayonesa
- ☐ b con kétchup
- ☐ c con sal

3 Yo como el pescado…
- ☐ a al horno
- ☐ b a la plancha
- ☐ c crudo

4 Yo tomo el café…
- ☐ a con leche
- ☐ b solo
- ☐ c con azúcar

5 Yo como los huevos…
- ☐ a fritos
- ☐ b duros
- ☐ c no como huevos

6 Yo como el pan…
- ☐ a con mermelada
- ☐ b con aceite
- ☐ c con mantequilla

- ● *Yo como la carne poco hecha.*
- ■ *Yo no como carne, soy vegetariano.*
- ▲ *Yo la como muy hecha.*

LÉXICO

Formas de cocinar
- pollo **al horno**
- verduras **al vapor**
- dorada **a la plancha**
- carne **a la parrilla**
- huevos **fritos**
- pescado **crudo**
- arroz **hervido**

Formas de comer y de beber
- el pan **con** mantequilla, mermelada, aceite, tomate
- las patatas **con / sin** mayonesa, kétchup, sal
- el agua **con / sin** gas
- el té **con / sin** azúcar, limón, leche
- el café **solo, caliente, frío (con hielo)**
- la carne **muy hecha, poco hecha**

4 ¿Sabes qué llevan los platos de la portada de la unidad? Escoge tres diferentes a tu compañero, escribe los ingredientes principales y después intercambia la información.

		Tortilla de patatas	Burritos	Ceviche
Alumno A	Ingredientes			

		Congrí	Asado	Tamales
Alumno B	Ingredientes			

La tortilla lleva…

5 A Completa las siguientes palabras con *ch* o *ll*.

1 po___o
2 cevi___e
3 ___urros
4 ___orizo
5 mantequi___a
6 en___ilada
7 bocadi___o
8 cebo___a
9 pae___a
10 le___e
11 ___ocolate
12 gazpa___o

ORTOGRAFÍA Y PRONUNCIACIÓN

Dígrafos

Las siguientes combinaciones de letras representan un sonido:

ch: cuchara   *ll: cebolla*

B 🔊38 Escucha y comprueba tus respuestas.

España

Mar Cantábrico

FRANCIA

❼ Galicia ❽ Asturias ❾ País Vasco

❻ Cataluña

ESPAÑA

PORTUGAL

❶ Comunidad de Madrid

❺ Baleares

❸ Comunidad Valenciana

❹ Andalucía

Mar Mediterráneo

OCÉANO ATLÁNTICO

OCÉANO ATLÁNTICO

❷ Canarias

1 Completa la información que falta sobre España. Puedes buscarla en internet.

España es un país que está en el suroeste de (1) _____, entre el océano Atlántico, el mar (2) _____ y la cordillera de los Pirineos. Tiene aproximadamente (3) _____ millones de habitantes y su capital es (4) _____. En España hay (5) _____ comunidades autónomas y (6) _____ lenguas oficiales: el castellano (también llamado español), el (7) _____ (9% de la población), el gallego (5% de la población) y el vasco (también llamado euskera, 1% de la población).

PESCADO FRITO

❹ _____

PLATOS TÍPICOS

COCIDO

❶ _____

PAPAS ARRUGADAS CON MOJO

❷ _____

ENSAIMADA

❺ _____

PAELLA

❸ _____

CREMA CATALANA

❻ _____

2 Las siguientes expresiones se dicen cuando alguien come (en catalán, en gallego y en euskera), ¿cómo se dice en español?

Bon profit!   *On egin!*

Bo proveito!   *¡Buen _____!*

3 Estos platos y postres son típicos de diferentes zonas de España. Mira el mapa y los números y anota en cada fotografía de qué comunidades autónomas son.

TARTA DE SANTIAGO

7 _____

FABADA

8 _____

BACALAO AL PIL PIL

9 _____

4 A Antes de leer unos fragmentos de noticias sobre la cocina española, comenta con tu compañero qué sabes sobre los siguientes temas.

LAS TAPAS   FERRAN ADRIÀ   JOSÉ ANDRÉS

LA COCINA CATALANA   LA COCINA VASCA

B Lee los siguientes textos. ¿Qué otras cosas sabes ahora de la cocina española?

La cocina española: ¿es la mejor del mundo?

Las exportaciones de comida española representan un 16% de las exportaciones totales de España.

1

En países como Brasil, Polonia y Gran Bretaña, en los últimos cinco años los chefs españoles más famosos abren restaurantes en diferentes ciudades.

2

El *New York Times* afirma que la cocina española es una tendencia importante gracias a sus sabores intensos y a la destreza técnica de sus principales chefs.

3

El concepto de las tapas tiene un gran éxito en Estados Unidos gracias al conocido chef José Andrés.

4

Las cocinas española, catalana y vasca están al mismo nivel que otras cocinas, como la francesa y la italiana. En la lista de los 10 mejores restaurantes del mundo, tres de ellos son españoles.

5

El éxito de la comida española en los últimos años se debe a la evolución del sector gastronómico en España –una cocina moderna, construida sobre la tradición y los productos frescos de primera calidad–, y a la fama internacional del cocinero Ferran Adrià y de muchos otros.

7

6

Las tapas se ponen de moda en todas las capitales del mundo.

La comida española, líder de la cocina mundial.

8

C ¿Hay algún restaurante español en tu ciudad?

Mira estas fotos: ¿dónde comen estas personas? Y a ti, ¿dónde te gusta comer cuando viajas a otro país?

A Vais a hacer un concurso de cocina. En parejas, preparad un menú y presentadlo a la clase.

1 Imaginad que preparáis una comida para unos invitados muy especiales.
2 Pensad en tres platos (primero, segundo y postre).
3 Buscad información en internet.
4 Presentad vuestros platos a la clase (podéis utilizar imágenes): ingredientes que llevan, nacionalidad de los platos, características especiales...
5 Votad a la mejor pareja de chefs de la clase, entre 1 (-) y 10 (+).

B ¿Cuál es el menú más votado?

Actitudes y valores

Tu compañero propone un menú con platos que no comes nunca. ¿Cómo reaccionas?

a Lo acepto, pero no me gusta.
b Lo acepto porque todos tenemos gustos distintos.
c No lo acepto.

Reflexión

- **¿Crees que hay una relación entre comida y cultura?**

- **¿Tiene la comida la misma importancia en todas las culturas?**

- **¿De qué otras culturas tiene más influencia la comida de tu país?**

7 Diversión

- Hablar sobre planes e intenciones
- Invitar y quedar
- Opinar y mostrar acuerdo o desacuerdo
- Escribir un correo electrónico
- Reflexionar sobre qué es la diversión
- Países: Cuba y la República Dominicana
- Interculturalidad: La diversión en distintas culturas
- Actitudes y valores: Valorar el uso de internet

bailar

ir a la playa

esquiar

ir a un concierto

ir de excursión

visitar una exposición

1 ¿Cuáles de estas fotografías asocias con la palabra "diversión"?
2 Valora del 1 al 6 lo que más te gusta hacer.
3 ¿Con quién te gusta hacer las actividades anteriores?

Hacer planes

1 A ¿Cuáles de todos estos temas asocias con Cuba? Coméntalo con tus compañeros.

- músicos en la calle
- béisbol
- ruinas arqueológicas
- zumos de frutas

- gente alegre
- atletismo
- baile
- casas de colores

- tango
- playas con palmeras
- coches de los años cincuenta
- pirámides

- clima tropical
- tacos y nachos
- fútbol
- salsa

● *Yo creo que en Cuba juegan mucho al béisbol.*

■ *¿Sí? ¿No practican mucho atletismo?*

B (39) Cristina y Álex están de vacaciones en Cuba visitando a su amigo cubano Rodrigo, que les propone planes para el fin de semana. Lee y escucha su conversación. ¿Qué deciden hacer el fin de semana?

	Actividades que realizan
1 El sábado durante el día…	*Pasear por el Malecón*
2 El sábado por la noche…	
3 El domingo por la mañana…	
4 El domingo por la tarde…	
5 El domingo por la noche…	

RODRIGO: Tengo varias ideas para este fin de semana. ¿Qué les parece si el sábado paseamos por el Malecón? Es un lugar muy especial.

CRISTINA: Pero… ¿qué es el Malecón?

RODRIGO: Es un paseo al lado del mar donde siempre hay mucha gente joven.

ÁLEX: A mí me gusta la idea, tengo muchas ganas de pasear…

CRISTINA: Sí, a mí también me parece bien ir al Malecón.

RODRIGO: ¿Y si vamos a bailar por la noche? Hay dos conciertos el sábado, uno de salsa y otro de *hip hop.*

ÁLEX: Yo prefiero el de salsa; es más cubano, ¿no?

CRISTINA: Sí, a mí también me apetece más el concierto de salsa.

RODRIGO: De acuerdo, pues llamo a unos amigos y vamos al concierto.

ÁLEX: ¡Estupendo!

CRISTINA: Sí, sí, me apetece mucho…

ÁLEX: ¿Y el domingo?

RODRIGO: ¿Por qué no vamos a la exposición de Mario David por la mañana? Es un artista cubano muy interesante…

CRISTINA: No sé, las exposiciones me parecen aburridas. Yo prefiero pasear por el centro de La Habana.

RODRIGO: Bueno, por la mañana podemos ir a la exposición y por la tarde vamos de paseo. Y por la noche, podemos salir a cenar.

ÁLEX: Me gusta la idea, pero podemos cenar en casa y después salimos.

RODRIGO: OK, ya está. Tenemos el fin de semana organizado.

Repasa El uso de *gustar* y *encantar* en la unidad 5.

C Vuelve a leer la conversación y subraya las estructuras utilizadas para hacer o elegir una propuesta, en un color, y para aceptar o rechazar una propuesta, en otro color.

D ¿Y tú qué planes tienes para el próximo fin de semana? Haz una lista y luego haz propuestas a un compañero.

● *El sábado por la mañana podemos ir de compras.*

■ *Me parece bien. ¿Y si después comemos una pizza en el nuevo restaurante italiano?*

● *Yo prefiero ir al mexicano. Me encantan los burritos.*

COMUNICACIÓN

Hacer planes

Hacer una propuesta:
- **¿Por qué no** <u>vamos</u> a la exposición?
- **¿Y si** <u>vamos</u> a bailar por la noche?
- **¿Qué les parece** si (el sábado) <u>paseamos</u> por el Malecón?
- **Podemos** <u>ir</u> a la exposición.

Aceptar:
- **Me gusta la idea de** ir a dar un paseo.
- **Me apetece mucho** ir al concierto.
- **Me parece bien** ir al Malecón.
- **Tengo** (muchas) **ganas de** pasear.
- **De acuerdo / Vale / Estupendo / Muy bien / OK.**

Rechazar:
- **No tengo** (muchas) **ganas de** pasear.
- **No me apetece** ir al concierto.
- **Me parece** (un poco) **aburrido** ir a la exposición.

Elegir o hacer una propuesta alternativa:
- Yo **prefiero*** el concierto de salsa.
- **Me apetece más** el concierto de salsa.
- **Sí, pero podemos** cenar en casa.

* El verbo **preferir** es irregular y funciona como los verbos **e > ie**: *pref*ie*ro, pref*ie*res, pref*ie*re, preferimos, preferís, pref*ie*ren.*

GRAMÁTICA

Los verbos valorativos

- Se utilizan para expresar gustos, intereses u opiniones: *gustar, encantar, interesar, apetecer, parecer.*
- Van siempre acompañados de un pronombre y con el verbo en tercera persona del singular o del plural:
  *¿**Te gusta** la idea de ir al cine?*
  *A nosotros **nos apetece** más pasear.*
  *¿**Qué le parece** visitar una exposición?*
  *Los deportes de aventura **me encantan**.*

2 A ¿Qué sabes sobre la República Dominicana? Coméntalo con tus compañeros.

Está en el Caribe.

B Claudia está en la República Dominicana de vacaciones y escribe un correo electrónico a su familia. Lee el correo y después contesta a las preguntas.

1 ¿Dónde está ahora?
2 ¿Adónde va después?
3 ¿Con quién está?

Catedral de Santo Domingo

Mensaje nuevo — ↗ ✕

Destinatarios Familia

Asunto Santo Domingo

¡Hola a todos!
¡Por fin tengo tiempo y os puedo mandar este correo! ¡Es que no paramos!
¿Cómo estáis? Yo estoy muy muy contenta. ¡Me encanta Santo Domingo! Los dos próximos días nos vamos a quedar aquí. Tenemos muchos planes... Os cuento:
Mañana vamos a hacer una excursión por la zona colonial. Vamos a visitar la catedral, la Torre del Homenaje, el Alcázar de León y las Casas Reales. Sí, mamá, ¡tu hija va a visitar museos! También vamos a ir a la zona de las Atarazanas, donde ahora hay muchas tiendas y restaurantes. Quiero comprar regalos para los abuelos.
El martes vamos a pasear por el Malecón. Tengo ganas de correr por el parque Mirador del Sur. Dicen que es precioso y tengo que hacer un poco de deporte porque el dulce de leche, un postre típico de aquí, está buenísimo, pero es peligroso. Bueno, y por supuesto, por las noches, vamos a escuchar ¡y bailar merengue!
El miércoles vamos a coger un tren para ir a la playa de las Terrenas. Preferimos descansar primero y después vamos a hacer un curso de submarinismo.
Bueno, me llaman mis amigos y me tengo que ir. Os escribo la semana que viene.
Besos y recuerdos,
Claudia

Enviar A ⎘ +   🗑 ▾

Playa de las Terrenas

C Vuelve a leer el correo y ordena estos planes de Claudia en los tres días.

a Voy a ir a correr por el parque.
b Vamos a visitar la catedral.
c Vamos a descansar.
d Voy a visitar un museo.
e Vamos a coger un tren.
f Vamos a pasear por el Malecón.
g Vamos a escuchar y ¡bailar merengue!
h Vamos a hacer una excursión.
i Voy a ir a comprar regalos.
j Vamos a hacer un curso de submarinismo.

Noviembre		
lunes 15	**martes 16**	**miércoles 17**
1.º *h*	1.º _____	1.º _____
2.º _____	2.º _____	2.º _____
3.º _____	3.º _____	3.º _____
4.º _____		

Repasa La conjugación del verbo *ir* en la unidad 4.

D Ahora imagina que tú estás de vacaciones. Escribe un correo como el de Claudia a tu familia con tus planes.

Avanza Busca más información en internet sobre Cuba o la República Dominicana y escribe sobre tus planes de vacaciones en uno de los dos países.

COMUNICACIÓN

Hablar de planes
Ir + a + infinitivo:
*El sábado **voy a ir** a un concierto de rap.*

Expresar deseo o intención
Querer / Preferir / Tener ganas de + infinitivo:
- ***Quiero comprar*** regalos para los abuelos.
- ***Preferimos descansar*** primero.
- ***Tengo ganas de correr*** por el parque.

GRAMÁTICA

Marcadores temporales del futuro
- ***Mañana / Pasado mañana*** vamos a hacer...
- ***El (próximo) lunes / martes*** quiero ir...
- ***El lunes que viene*** prefieren visitar...

Invitar

1 A Lee la viñeta. ¿Qué crees que dice María Elena por teléfono?

> Si me escribe María Elena, yo le contesto después de dos horas…

> Si me pregunta si quiero ir al cine con ella, le digo que sí, pero mañana, no hoy…

> Si me propone ir solos, le digo que no, que mejor con amigos…

> Si…

> ¡Ring, ring!

> ¡María Elena? Hola, hola… Sí, sí, de acuerdo. ¡Estoy en tu casa en quince minutos!

B 40 Ahora escucha la conversación y di qué le propone María Elena a Raúl.

Avanza Explica la diferencia que hay entre *si* (condicional) y *sí* (afirmación).

C ¿Qué haces tú en estos casos? Comenta con un compañero.

1 Necesitas ropa nueva.
Si necesito ropa nueva, voy de compras con mis amigos o con mi madre. No me gusta ir sola.
2 No tienes planes para el fin de semana.
3 Tienes que comprar un regalo.
4 Quieres ir a bailar.
5 Tienes ganas de hacer una fiesta.
6 Te gusta un chico/-a de tu instituto.

2 A ¿Cómo te comunicas con tus amigos para invitarles a hacer algo? ¿Utilizas Facebook, el móvil, el correo electrónico…?

● *Yo, normalmente, escribo mensajes en Facebook.*
■ *Pues yo utilizo…*

B Lee este mensaje del grupo de amigos de Facebook de Ana. ¿Quién acepta y quién rechaza su invitación?

Ana

Ana: Chicos, ¡no os lo vais a creer! Tengo tres entradas para el estreno de la última película de Bardem el viernes por la noche. ¿Quién quiere venir?

Susana: ¡Qué bien! ¡Gracias! Estoy sola este fin de semana, mis padres están en la montaña. Si quieres, puedes venir el viernes a dormir a mi casa después de la película.

Marina: Lo siento, no puedo. Es que el viernes voy a ver a mis tíos. ¡Vaya aburrimiento!

Luis: Me encantaría, pero hay una fiesta en el barrio y mi hermano toca con su banda en un concierto. Tengo que ir.

Toni: ¡Qué bueno! ¿A qué hora empieza la película? Podemos quedar por la tarde y después ir al cine.

COMUNICACIÓN

Expresar una condición

Si + presente, presente:
Si quiero ir al cine, *llamo* a mis amigos.

COMUNICACIÓN

Invitar

Hacer un invitación:

¿*Quieres / Te apetece* + infinitivo?:
- ¿*Quieres* venir el sábado de compras?
- ¿*Te apetece* ir al cine?

Aceptar una invitación:

- *Vale / De acuerdo / Me parece bien.*
- ¡*Qué buena idea!*
- ¡*Qué bien!*
- ¡*Qué bueno!*

Rechazar una invitación:

- *Lo siento, no puedo, es que* me voy.
- *Me encantaría, pero* tengo clase.

Quedar

● ¿*Cómo quedamos?*
■ *Podemos quedar* en mi casa a las cuatro.

C En pequeños grupos, haced un juego de rol. Enviad mensajes breves en papel, con invitaciones para el fin de semana, y aceptad o rechazad esas invitaciones.

¿Te apetece jugar al fútbol el sábado?

Avanza ▸ Os podéis también llamar por teléfono en lugar de enviar mensajes.

3 **A** ¿Te gusta el cine? ¿Qué tipo de películas ves normalmente? ¿De qué país? Comenta con un compañero.

A mí me gustan las películas románticas…

B Lee estas reseñas y completa la tabla.

	Mateo	*Quince años y un día*	*Corazón de león*
País			
Argumento			
Tipo de película			

«MATEO», de María Gamboa (colombiana)

Mateo es un joven de 16 años que cobra dinero a comerciantes de Barrancabermeja (Colombia) para su tío, un jefe criminal. Un día entra en un grupo de teatro para contar las actividades políticas de sus miembros a su tío. Es una película realista, los actores no son profesionales, sino habitantes de la zona. La directora comenta que el tema es la dignidad y que también quiere demostrar cómo el arte puede abrir los ojos a los jóvenes para no entrar en conflictos armados. «*Mateo* es un drama: es el reflejo del proceso colectivo del país en este momento.»

«QUINCE AÑOS Y UN DÍA», de Gracia Querejeta (española)

Es la historia de un adolescente conflictivo, con muchos problemas, sobre todo con su madre. Cuando es expulsado del colegio, se va a vivir una temporada a casa de su abuelo, un militar jubilado que vive en la costa de la Luz. La película es una mezcla de suspense, humor y drama que trata temas como la amistad y la familia.

LÉXICO

El cine

- películas (largometrajes): de ciencia ficción / de suspense / de humor / de acción / de terror / románticas / dramáticas / históricas…
- cortometrajes
- documentales: de viajes / de naturaleza / culturales…
- el actor / la actriz
- el director / la directora
- el argumento (la historia)
- la reseña

«CORAZÓN DE LEÓN», de Marcos Carnevale (argentina)

Es una comedia crítica. Un hombre y una mujer se conocen porque uno de ellos pierde el celular. Se gustan, pero hay un problema: él es mucho más bajo que ella. Este hecho es un inconveniente por los prejuicios de la sociedad, que cree que la mujer siempre quiere tener a su lado a un hombre alto.

C Vuelve a leer los textos y elige qué película prefieres. Coméntalo con tu compañero.

Yo prefiero ver Corazón de León *porque creo que puede ser muy divertida…*

D En parejas, escribid una pequeña reseña de otra película. Podéis incluir:

Nombre de la película ‖ Tipo de película ‖ Nombre del director y los actores ‖ País ‖ Argumento ‖ ¿Qué es lo que más / menos os gusta de la película?

Dar opiniones

1 A 🔊41 **Escucha esta conversación entre dos compañeros de clase. ¿Qué frase resume mejor de lo que hablan?**

1 Sara y Carlos están de acuerdo en que los estudios estresan mucho, pero Sara tiene soluciones para el estrés.

2 Sara y Carlos no están de acuerdo en que se puede reducir el estrés en los estudios.

3 Sara y Carlos no están de acuerdo en que los estudios producen tanto estrés.

¡Qué estrés!

B 🔊41 **Ahora, vuelve a escuchar. Dos de estas frases no aparecen en el diálogo, ¿cuáles son?**

1 Pues sí, tienes razón, pero creo que todo es cuestión de organizarse. ☐

2 Pienso que organizarse no es tan importante. ☐

3 Me parece que tienes que aprender a relajarte. ☐

4 Estoy de acuerdo contigo, todo eso ayuda, pero es que estoy siempre cansado. ☐

5 Yo no estoy de acuerdo contigo, es imposible reducir el estrés. ☐

6 Es verdad, duermo pocas horas y juego mucho con el ordenador. ☐

7 Pienso que tienes que empezar a ser menos serio. ☐

8 Tienes razón, tengo que aprender. ☐

C Escribe tres opiniones sobre tus estudios o sobre tu instituto y léelas. Tu compañero va a mostrar acuerdo o desacuerdo. Después, él lee sus frases y tú reaccionas.

1 _____

2 _____

3 _____

2 A 🔊42 **Escucha estas 10 palabras e indica si se pronuncian como /k/ o como /z/.**

1 k / z	3 k / z	5 k / z	7 k / z	9 k / z
2 k / z	4 k / z	6 k / z	8 k / z	10 k / z

B 🔊43 **Ahora escucha estas otras palabras pronunciadas por diferentes hablantes y señala cuáles se pronuncian con seseo.**

☐ concierto ☐ razón ☐ centro ☐ cine ☐ zapato
☐ hacer ☐ decir ☐ cena ☐ gracias ☐ zona

3 **A** **En grupos, completad el mapa mental con palabras que asociáis con la diversión.**

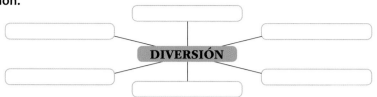

DIVERSIÓN

B **Lee este artículo de una revista para jóvenes y relaciona las siguientes frases con el párrafo correspondiente.**

A Hay cosas que son gratis y muy divertidas. ☐
B Hay muchos tipos de diversión. ☐
C La diversión es necesaria para poder trabajar. ☐
D Es necesario realizar pequeñas actividades, también en el trabajo. ☐
E Cuando nos divertimos, el tiempo pasa más deprisa. ☐

¿Es necesaria *LA DIVERSIÓN?*

1 La diversión es esencial en nuestras vidas porque el cuerpo y la mente necesitan descansar y recargar energías. Además, las pausas en el trabajo y el estudio son también muy importantes porque generan más productividad e inspiran la creatividad.

2 Hay muchas actividades que nos pueden ayudar a realizar un descanso divertido en nuestra rutina de trabajo o estudios, que de otra manera resulta muy aburrida. En muchas sociedades la vida es demasiado sedentaria y por eso necesitamos incorporar el movimiento para nuestra salud.

3 Estas actividades incluyen todo tipo de deportes o bailes, leer, ver películas, asistir a un concierto, jugar a videojuegos, hacer fotografía y todo tipo de actividades sociales, como chatear con los amigos, salir de compras, etc.

4 Por otra parte, la diversión cambia la percepción del tiempo. Cuando sentimos que el tiempo «vuela», es seguramente porque lo estamos pasando bien. En cambio, cuando nos aburrimos, pasa muy lentamente. Este proceso tiene lugar en el cerebro porque se estimula la amígdala (lugar donde residen las emociones) con la dopamina, una sustancia química que produce el cerebro.

5 Y no debemos olvidar que la diversión no tiene por qué costar dinero. Es verdad que hay lugares especiales de diversión, entre ellos están los parques de atracciones, que son caros, pero también podemos hacer actividades más baratas, o totalmente gratis, como ir a una playa, dar un paseo por el parque o quedar en casa con los amigos. Lo más importante es estar acompañado, no estar solo.

C **Lee estas frases extraídas del texto anterior. Expresa acuerdo o desacuerdo y da tu opinión.**

1 La diversión es esencial en nuestras vidas.
Estoy de acuerdo. Creo que divertirse es muy importante para sentirse feliz.
2 En muchas sociedades la vida es demasiado sedentaria y por eso necesitamos incorporar el movimiento para nuestra salud.
3 La diversión cambia la percepción del tiempo. Cuando sentimos que el tiempo «vuela» es seguramente porque lo estamos pasando bien.
4 Cuando nos aburrimos, (el tiempo) pasa muy lentamente.
5 La diversión no tiene por qué costar dinero.
6 Lo más importante es estar acompañado, no estar solo.

4 **En grupos, vais a hablar sobre la importancia de la diversión. Tened en cuenta las sugerencias del cuadro de al lado. Estas son las preguntas:**

1 ¿Qué es para ti la diversión?
2 ¿Qué cosas son divertidas?
3 ¿Qué te relaja más: leer o escuchar música?
4 ¿Cómo puedes reducir el estrés?
5 ¿Cuántas horas de sueño consideras lo mínimo para no estar estresado?
6 ¿Qué importancia tiene el sueño para estar relajado?

Recordad:

✓ Podéis anotar vuestras opiniones en el cuaderno.
✓ Es importante repasar las frases que vais a usar.
✓ Tenéis que hablar por turnos.
✓ Tenéis que escuchar a los demás y esperar vuestro turno para hablar.
✓ Debéis justificar vuestras opiniones.
✓ Debéis ser tolerantes con todas las opiniones.
✓ Si queréis, podéis elegir un moderador.
✓ Tenéis que mostrar acuerdo y desacuerdo con respeto.

Cuba
República Dominicana

Mujer con ropa típica (La Habana)

Carnaval de la Vega (Rep. Dominicana)

Una playa caribeña

Alcázar de Colón (Santo Domingo)

El Capitolio (La Habana)

Ámbar (Rep. Dominicana)

Músicos callejeros (Cuba)

El carabiné, baile típico (Rep. Dominicana)

1 ¿Con qué país o países relacionas las siguientes frases? ¿Con Cuba, con la República Dominicana o con los dos?

a Su capital es La Habana.
b Tiene playas preciosas.
c Es la isla más grande del Caribe.
d Forma parte, junto con Haití, de la isla de La Española.
e La mayoría de sus habitantes son de origen español y africano.
f El deporte más popular es el béisbol.
g Es el país de origen del merengue y la bachata.

h Nacido en Argentina, el *Che* Guevara es uno de los héroes y símbolos de este país.
i En este país viven los indios taínos, que son de origen precolombino.
j Es un gran destino turístico.
k Es el país de origen del son, el chachachá, el mambo, la guaracha y la salsa.
l Su capital es Santo Domingo.

	República Dominicana	Cuba	Los dos países
Frases			

2 A ¿Qué ritmos caribeños conoces? ¿Te gustan? ¿Son populares en tu país? Lee la información sobre el merengue y completa estas frases.

1 El merengue es el baile nacional de…
2 La cultura dominicana tiene influencias de los indios taínos, los europeos y los…
3 Todos los veranos en Santo Domingo se celebra…

CONTRA EL ESTRÉS...
¡EL MERENGUE!

acordeón

tambora

güiro

La música es una de las características de los países caribeños, como las playas y el sol. Normalmente es muy bailable y divertida, y diferente en cada país. En la República Dominicana encontramos el origen de uno de los bailes más conocidos, el merengue, considerado el baile nacional.

El merengue se interpreta con tres instrumentos: el acordeón, la tambora y el güiro, que son la síntesis de las tres culturas dominicanas. La influencia europea está representada por el acordeón; la africana, por la tambora; y la taína o aborigen, por el güiro.

El Festival del Merengue se celebra cada año a finales de julio o principios de agosto en Santo Domingo, capital de la isla. Dura una semana y está dedicado exclusivamente al baile del merengue y a actuaciones musicales. Los autores más famosos son Wilfrido Vargas, Johnny Ventura y Los Hermanos Rosario y, más actualmente, Juan Luis Guerra.

Muchas de sus letras hablan de amor, de mujeres hermosas y, sobre todo, de diversión.

B En grupos, elegid otro ritmo caribeño: bachata, salsa, mambo, chachachá... Buscad la información en internet y escribid un pequeño texto para presentarlo oralmente. Podéis acompañar la presentación con fotos o diapositivas, y por supuesto… ¡con música!

3 Busca en internet y escucha estas dos canciones. ¿Cuál prefieres? ¿Por qué?

ES MERENGUE, NO ES MERENGUE,
de Wilfrido Vargas

La la la la, la la la la.
La la la la, la la la la.
La la la la, la la la la.
La la la la.

Es merengue, no merengue.
Es merengue, no merengue.
Es merengue, no merengue.
Es merengue, ni un merengue.

Si tú bailas con este ritmo,
gozarás con sabrosura,
que este ritmo lo hemos hecho pa' bailar.
Si tú bailas con este ritmo,
gozarás con sabrosura,
que este ritmo lo hemos hecho pa' bailar.

(Merengue, República Dominicana)

DIVERSIÓN, de WDK

Diversión, solo quiero diversión,
lunes, martes, miércoles y jueves,
solo quiero diversión.
Yo no quiero estudiar
porque quiero merodear,
siempre en buscar de placer,
nada me quiero perder.
Donde sea que haya acción,
yo no pido lo mejor,
ahí es donde estaré.
¡Porque la diversión es mi primera ley!
¡Mi primera ley! ¡Mi primera ley!

Diversión, solo quiero diversión,
viernes, sábado y domingo.
Día y noche, solo quiero diversión,
y es la hora, sí señor, ya no puedo esperar.
Cualquier cosa puede ser, lo que sea viene bien,
en un kiosco o en un bar, o en la casa de papá,
una fiesta voy a hacer.
¡Porque la diversión es mi primera ley!
¡Mi primera ley! ¡Mi primera ley! ¡Mi primera ley!

(Ska, Argentina)

Acción - Reflexión

Observa estas fotografías. ¿Cuáles relacionas con el tema de la diversión y cuáles con el estrés o el aburrimiento? ¿Por qué?

Acción

Escribid un correo electrónico para invitar a estudiantes de otro instituto a hacer un intercambio de una semana en vuestra ciudad.

1 Buscad información en internet de las actividades que se ofrecen en vuestra ciudad.
2 Podéis tomar nota de algunas actividades e inventaros otras.
3 Estructurad la información en cada día de la semana.
4 Haced planes detallados con varias propuestas.
5 Incluid diferentes opciones por si vuestros invitados os ponen condiciones o prefieren hacer otra cosa.

Actitudes y valores

¿Cómo buscas información en internet?

	siempre	a veces	nunca
- Diferencio las fuentes de información de calidad.	☐	☐	☐
- Busco la información en español.	☐	☐	☐
- Contrasto varias fuentes para conseguir la información.	☐	☐	☐

Reflexión

- ¿Qué es la diversión?

- ¿Qué necesitas para divertirte?

- ¿Qué te divierte más?

8 Clima

- Hablar y preguntar sobre el tiempo
- Analizar el clima y su influencia
- Comparar lugares turísticos
- Redactar un artículo informativo

- Reflexionar sobre el clima y su influencia en la vida diaria
- País: Argentina
- Interculturalidad: El clima y su efecto en la cultura
- Actitudes y valores: Adaptarse y aceptar distintos puntos de vista

1 ¿Qué prefieres, el frío o el calor?

2 Mira las fotografías: ¿cuál prefieres y por qué?

3 ¿Qué estación del año te gusta más: el otoño, el invierno, la primavera o el verano? ¿Por qué?

4 ¿Con qué fotografía relacionas cada estación?

El tiempo

1 A Mira la tabla e indica qué tiempo hace en cada estación en tu país o en tu ciudad. Hay muchas opciones.

¿QUÉ TIEMPO HACE EN…?			
	OTOÑO	INVIERNO	PRIMAVERA	VERANO
Nieva				
Hace / Hay viento				
Está nublado				
Hace sol				
Hay tormenta				
Llueve				
Hace buen tiempo				
Hace mal tiempo				
Hay niebla				
Hace frío				
Hace calor				

B Compara algunas respuestas con tu compañero.

● *En invierno hace mucho frío.*
■ *Sí, y a veces nieva.*

C 🔊 44 Escucha en la radio la previsión del tiempo en algunas capitales del mundo. Indica la opción correcta.

Londres	Moscú	Bangkok	Lima
☐ a Hay tormenta	☐ a Nieva	☐ a Hace buen tiempo	☐ a Hace mal tiempo
☐ b Está nublado	☐ b Hace calor	☐ b Hace calor	☐ b Hace frío
☐ c Hace sol	☐ c Hace viento	☐ c Llueve	☐ c Hace sol

D ¿En qué meses comienzan en tu país las estaciones del año? ¿Sabes cuándo comienzan en Argentina?

COMUNICACIÓN

Hablar del tiempo

- Se utilizan verbos impersonales como *llover* y *nevar*.
- También se utilizan verbos que funcionan como impersonales y solo se conjugan en la tercera persona del singular: *estar, hacer, haber*.

¿Qué tiempo hace?

Está	nublado
Hace	sol frío calor buen / mal tiempo viento
Hay	viento tormenta niebla
Llueve Nieva	bastante mucho poco

Cuando hablamos de la temperatura utilizamos:
- el verbo *estar* en primera persona del plural seguido de la preposición *a*:
  Estamos <u>a 10 grados</u>.
- el verbo *hacer* en tercera persona del singular:
  Hace <u>10 grados</u>.

LÉXICO

Las estaciones

- la primavera
- el verano
- el otoño
- el invierno

2 A Mira el mapa de la predicción del tiempo en Argentina y observa el cuadro de comunicación. Completa el texto con los siguientes conectores.

y (x2) ● aunque ● pero ● también ● además

La previsión para hoy

(1) _____ por la tarde va a hacer sol, en el norte del país llueve (2) _*y*_ hay tormentas en este momento. En el centro, hace buen tiempo, (3) _____ está nublado en las regiones del oeste. (4) _____, hay niebla en estas regiones. En la Patagonia, en el sur del país, hay tormentas en Río Negro y (5) _____ en Chubut. En Santa Cruz está nublado (6) _____ hace sol en Tierra del Fuego.

Repasa Los conectores *y, pero, también* en la unidad 2 y los puntos cardinales en la unidad 3.

B (45) Escucha y comprueba tus respuestas.

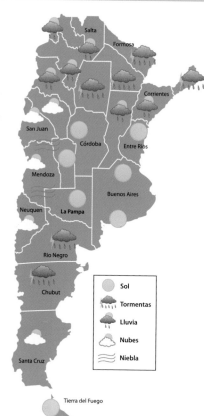

Sol
Tormentas
Lluvia
Nubes
Niebla

Tierra del Fuego

Conectores

- ***Además*** añade información (como ***también***):
  *Hace sol en Mendoza. **Además**, hace ¡mucho calor!*
- ***Aunque*** une dos oraciones con ideas opuestas o diferentes (como ***pero***):
  ***Aunque** hace sol en Buenos Aires en este momento, va a llover por la tarde.*

Glaciar Perito Moreno (Patagonia)

Quebrada de Cafayate (Salta)

3 A En parejas, elige un mapa. Tu compañero te va a hacer una pregunta para descubrir cuál es tu mapa.

● *¿Hace sol en el norte?*
■ *No.*

B Escribe la previsión del tiempo de hoy en tu país.

Avanza Graba un vídeo para la previsión del tiempo de tu país.

El clima en nuestras vidas

1 ¿Influye el clima en tu vida? ¿Cómo?

Cuando hace sol, estoy muy alegre y motivado...

2 A Lee este artículo sobre la influencia del clima en nuestras vidas y coloca los siguientes títulos en su lugar.

- EN LOS HÁBITOS
- EN LA SALUD
- AGENTES CLIMÁTICOS Y SUS CONSECUENCIAS

LÉXICO

Estados de ánimo

- estar alegre / triste
- estar motivado/-a / desmotivado/-a
- sentirse guapo/-a
- estar / sentirse deprimido/-a

La influencia del CLIMA

1 El clima influye en el ánimo o en el humor de la gente. En primavera y en verano tenemos más energía, estamos más alegres y nos sentimos más guapos. En invierno somos más dormilones y estamos desmotivados. ¿Es eso cierto? ¿Cómo influye el clima en el comportamiento humano?

A

2 Hay estudios que prueban que la luz solar influye en ciertas actividades del cerebro que se relacionan con el estado de ánimo de las personas: al disminuir la luz solar hay gente que se siente deprimida. Esto sucede con frecuencia en países de largos inviernos. Por otro lado, en países con climas tropicales la gente se siente más optimista, alegre y participativa.

B

3 La climatología médica es la ciencia que estudia la influencia que el clima tiene en los seres humanos, tanto por sus efectos terapéuticos como por sus posibles daños para la salud. La temperatura extrema y su combinación con la humedad y el viento exponen al cuerpo a enfermedades. Por ejemplo, enfermedades de la piel, dolores de cabeza, diarreas, asma, insomnio y otras.

4 Si hace calor, sudamos más, pero si hace frío, tenemos problemas respiratorios y circulatorios.
Si hay mucha humedad ambiental, podemos tener enfermedades como la artritis o la artrosis. Si la humedad es baja, produce sequedad de la piel y las mucosas. Si llueve o nieva, es positivo para la atmósfera porque se purifica el aire que respiramos.

C

5 La siesta es un hábito en muchos países donde el clima es cálido. Además, las tiendas tienen un horario partido, es decir, cierran al mediodía y abren sobre las 5 de la tarde. Las comidas al aire libre son muy habituales en países que disfrutan del sol y el calor.

Como podemos ver, el clima influye de manera importante en nuestras vidas.

B Lee el primer párrafo 1. ¿Cuáles son los dos adjetivos positivos y cuáles los dos negativos mencionados?

😊 Positivos	😟 Negativos
_____ ,	_____ ,
_____	_____

LÉXICO

Tipos de clima

- clima tropical
- clima cálido
- clima seco
- clima árido
- clima húmedo
- clima frío

*En el norte de Argentina el clima es **árido** en algunas regiones y muy **húmedo** en otras.*

C Lee el párrafo 2 y contesta a las preguntas con las palabras del texto.

1 ¿Cómo influye la luz solar en las personas?
2 ¿Qué sucede en países de largos inviernos?
3 ¿Cómo es, en general, la gente en los países de climas tropicales?

D Lee el párrafo 3 y completa la tabla.

En la frase...	la palabra...	se refiere a...
"... por **sus** efectos..."	sus	*el clima*
"... y **su** combinación..."	su	
"... dolores de cabeza, diarreas, asma, insomnio y **otras**..."	otras	

E Lee el párrafo 4 y completa las frases utilizando las palabras del texto.

1 Hay problemas respiratorios y circulatorios si _____.
2 Las enfermedades como la artritis o la artrosis pueden aparecer si _____.
3 El aire se purifica si _____.

Repasa La condición *si* + presente en la unidad 7.

F Lee el párrafo 5 y elige el significado de cada palabra.

1 Un hábito
  ☐ a una costumbre
  ☐ b una celebración
  ☐ c una regla

2 Un horario
  ☐ a una comida
  ☐ b un clima
  ☐ c el tiempo de trabajo

3 Habituales
  ☐ a extrañas
  ☐ b inusuales
  ☐ c frecuentes

3 ¿Estás de acuerdo con el texto? ¿Cómo influye el clima en tu vida diaria?

Yo también tengo problemas respiratorios cuando hace frío.

Avanza Lee el artículo del ejercicio 2 otra vez y resalta la frase más importante en cada párrafo.

4 A ¿Sabes cómo se dicen los colores en español? Escribe los nombres. Puedes utilizar el diccionario o consultar a tu compañero.

negro ● verde oscuro / claro ● azul ● gris ● amarillo ● blanco ● naranja ● rosa ● rojo ● marrón ● violeta

1 _____ 2 _____ *oscuro* 3 _____ 4 _____ 5 _____ 6 _____

7 _____ 8 _____ 9 _____ *claro* 10 _____ 11 _____ 12 _____

Avanza ¿Cómo se dicen en tu idioma *granate, azul marino, salmón, caqui, beis*?

B Relaciona los colores con las estaciones del año. Coméntalo con tu compañero.

Primavera: _____
Verano: _____
Otoño: _____
Invierno: _____

Para mí, el otoño se relaciona con el naranja, el amarillo...

C Completa. ¿Con qué palabras relacionas estos colores en tu cultura?

1 Blanco como *la nieve*.
2 Negro como _____.
3 Azul como _____.
4 Amarillo como _____.
5 Verde como _____.
6 Rojo como _____.

LÉXICO

Colores

- Algunos colores terminan en **-o** y cambian el femenino en **-a**:
*un autobús roj**o** / una bicicleta roj**a***
- Otros colores son invariables (tienen solo una forma):
*un autobús **verde** / una bicicleta **verde***

Estos colores son **verde, azul, gris, naranja, violeta, marrón, rosa, salmón, granate, caqui** y **beis***.

* En Hispanoamérica se utiliza la forma original *beige*.

El clima perfecto

1 A ¿Cuál es el clima perfecto para tus vacaciones? Comenta con tu compañero.

B 46 Yanina y Antonio son novios y viven en Buenos Aires (ella es argentina y él es español). Ahora están en una agencia de viajes. Escucha la conversación. ¿Qué ciudad prefieren, Mar del Plata o Pinamar?

C 46 Escucha la conversación de Yanina y Antonio otra vez e indica si las oraciones son verdaderas (V) o falsas (F).

1 Mar del Plata es más turística que Pinamar. V
2 Pinamar es una ciudad más ruidosa y menos exclusiva que Mar del Plata. ☐
3 Pinamar es más cara que Mar del Plata. ☐
4 Mar del Plata es mejor porque está más cerca de Buenos Aires. ☐
5 Pinamar tiene más medios de transporte que Mar del Plata. ☐
6 Si llueve, hay tantos lugares interesantes en Pinamar como en Mar del Plata. ☐
7 Las dos ciudades no tienen la misma gastronomía. ☐
8 Mar del Plata y Pinamar tienen el mismo clima. ☐

> **Repasa** Los adjetivos en la unidad 3.

D Completa las siguientes frases sobre las dos ciudades.

Mar del Plata

Pinamar

1 Mar del Plata es una mejor opción si _____.
2 Si buscas tranquilidad _____.
3 Pinamar está más cerca si _____.
4 Si no quieres gastar mucho dinero _____.

COMUNICACIÓN

Hacer comparaciones

Podemos hacer comparaciones con *más / menos ... que*:

- con adjetivos:
  Mar del Plata es *más* turística *que* Pinamar.
  Pinamar es una ciudad *menos* ruidosa *que* Mar del Plata.

  - El comparativo de *bueno* es *mejor*.
    Pinamar es *mejor que* Mar del Plata porque está más cerca de Buenos Aires.

  - El comparativo de *malo* es *peor*.
    Para ir a Pinamar es *peor* el transporte *que* para ir a Mar del Plata.

- con adverbios:
  Mar del Plata está *más* lejos de Buenos Aires *que* Pinamar.
  Pinamar está *más* cerca de Buenos Aires *que* Mar del Plata.

- con sustantivos:
  Pinamar tiene *menos* medios de transporte *que* Mar del Plata.

Indicar igualdad

- *tan* + adjetivo + *como*:
  En Mar del Plata la gastronomía es *tan* variada *como* en Pinamar.

- *tanto / tanta / tantos / tantas* + nombre + *como*:
  En Mar del Plata hay *tantos* sitios de interés *como* en Pinamar.

- *el mismo / la misma / los mismos / las mismas* + nombre (+ *que*):
  Mar del Plata y Pinamar tienen *el mismo* clima.
  Las dos ciudades ofrecen *los mismos* entretenimientos *que* otras ciudades turísticas.

E ¿Dónde quieres ir tú? Elige la opción que prefieres y explica a tu compañero por qué.

1   ¿Vacaciones en la playa o en la montaña?

2   ¿Londres o Barcelona?

3   ¿En avión o en coche?

4   ¿Con la familia o con los amigos?

Yo prefiero pasar las vacaciones en la playa porque me encanta nadar y es más divertida que la montaña…

2   Con tu compañero, elegid dos ciudades diferentes para ir de vacaciones; buscad información y decidid la mejor opción.

3 (47) Yanina es argentina y Antonio es español. Escucha y lee partes de su conversación. Observa cómo pronuncian las palabras resaltadas. ¿Qué diferencias hay?

1   Mar del Plata es más turística que Pinamar y ¡me encantan sus **playas**!
2   No, **Yanina**, a mí me gusta más Pinamar.
3   **Ya**, pero en Pinamar puedes estar más tranquilo y puedes descansar con una naturaleza sin contaminación, en **playas** limpias.
4   Sí, **ya** sé.
5   Si **llueve**, ¡hay tantas cosas interesantes en Pinamar!
6   Sí, ¡tantos lugares interesantes como en Mar del Plata…, si **llueve**!

4 (48) Escucha las siguientes expresiones. ¿Quién las dice, una argentina (A) o una española (E)?

1   Vamos en yate. ☐
2   A mí no me gusta nada la lluvia. ☐
3   ¿Dónde está la llave de tu casa? ☐
4   Esta es la calle que busco. ☐
5   Yésica va a mi clase de francés. ☐
6   Yo me llamo Daniela, ¿y vos? ☐

5   ¿Qué ocurre con el verbo *poder* en este fragmento de la conversación de Yanina y Antonio? Mira el cuadro de gramática y completa con los verbos que faltan.

Antonio: Ya, pero en Pinamar tú **(1)** _____ estar más tranquilo y **(2)** _____ descansar con una naturaleza sin contaminación, en playas limpias... Además, es mejor, porque está más cerca de Buenos Aires que Mar del Plata.

Yanina: Sí, pero Mar del Plata tiene más medios de transporte, vos **(3)** _____ llegar en avión; a Pinamar no **(4)** _____ volar.

ORTOGRAFÍA Y PRONUNCIACIÓN

LL / Y

- En muchas regiones de los países hispanos la **ll** se pronuncia como **y**. Este fenómeno se llama **yeísmo**.
- En algunas regiones de países hispanoamericanos, como, por ejemplo, en Argentina, la **y / ll** se pronuncian con una vibración especial.

GRAMÁTICA

El voseo

Es un fenómeno lingüístico que ocurre en algunos países de Hispanoamérica, como en el caso de Argentina. El pronombre de segunda persona de singular es *vos* y el verbo es diferente en algunos tiempos, como el presente.

	Voseo
tú **puedes**	vos **podés**
tú **eres**	vos **sos**
tú **vives**	vos **vivís**
tú **hablas**	vos **hablás**
tú **te llamas**	vos **te llamás**

Argentina

Map labels: Salta, PARAGUAY, BRASIL, Corrientes, ARGENTINA, San Juan, Santa Fe, OCÉANO PACÍFICO, Mendoza, Córdoba, URUGUAY, OCÉANO ATLÁNTICO, BUENOS AIRES, CHILE, Mar del Plata, Río Gallegos, Antártida Argentina

El clima y el paisaje

El clima de Argentina se caracteriza por su diversidad debido a la amplia longitud y latitud del país. Argentina se divide en cuatro grandes regiones: norte, central, oeste y sur. La zona sur también es conocida como la Patagonia. Las cuatro tienen climas y paisajes muy diferentes.

1 Región norte

Esta región se caracteriza por veranos cálidos y húmedos, con inviernos secos y suaves. Existe una gran biodiversidad, que se desarrolla en selvas como la Misionera y la Yunga, en la provincia de Tucumán, aunque dentro de esta región también encontramos una meseta de gran altura muy fría y seca: la Puna. La temperatura aquí alcanza unos -25° en las noches de invierno.

2 Región central

Esta región tiene el clima templado húmedo, con veranos cálidos, de muchas lluvias, aunque encontramos también microclimas muy fríos en las zonas elevadas andinas. La Pampa (llanura, superficie sin árboles) es el paisaje más característico de esta región. El clima templado se llama clima pampeano.

1 A ¿Qué sabes de Argentina? Elige la opción correcta.

1 Argentina está en…
- ☐ a América del Sur.
- ☐ b América Central.
- ☐ c América del Norte.

2 Argentina limita con…
- ☐ a Chile, Bolivia, Paraguay, Brasil y Venezuela.
- ☐ b Chile, Bolivia, Perú y Paraguay.
- ☐ c Chile, Bolivia, Paraguay, Brasil y Uruguay.

3 Argentina tiene…
- ☐ a 25 millones de habitantes.
- ☐ b 40 millones de habitantes.
- ☐ c 60 millones de habitantes.

4 La capital de Argentina es…
- ☐ a La Plata.
- ☐ b Buenos Aires.
- ☐ c Córdoba.

5 El idioma oficial de Argentina es…
- ☐ a el español, y tiene 25 lenguas indígenas.
- ☐ b el español, y el portugués.
- ☐ c el español, y tiene tres lenguas indígenas: el guaraní, el quechua y el aimara.

B (49) Escucha y comprueba tus respuestas.

2 A Lee este artículo informativo sobre el clima y el paisaje de Argentina y contesta a las siguientes preguntas.

1 ¿Por qué es diverso el clima en Argentina?
2 ¿Qué clima caracteriza a cada región?
3 ¿En qué región hace más calor?
4 ¿Qué es el clima pampeano?
5 ¿Dónde se produce uva?
6 ¿Por qué hay una gran producción de vinos en esta región?
7 ¿Dónde nieva?

B ¿Conoces otro país con un clima tan diverso como el de Argentina? Coméntalo con tu compañero.

3 Región oeste

Esta región se caracteriza por la presencia de montañas, sierras y campos. El clima, en general, es seco o árido con mucho sol. Este clima es ideal para el cultivo de la vid*. En esta región encontramos una gran producción de vinos, famosos en todo el mundo, en particular en la provincia de Mendoza.

_____
* uva

4 Región sur (o la Patagonia)

Esta región se divide en dos grandes regiones: la Patagonia andina, donde está la cordillera de los Andes, con un clima árido y frío, y la región extraandina y tercio sur de Tierra del Fuego, con un clima frío, muy húmedo y con fuertes vientos. En toda la Patagonia nieva frecuentemente.

3 (50) **La situación geográfica y el clima de Argentina influyen en la inmigración a este país. Lee y escucha la entrevista a un historiador argentino y completa la tabla.**

Países de origen	Región	Características de la región
		clima templado
		viñedos y olivares
	norte	
Inglaterra Alemania		

● En el programa de hoy entrevistamos a Santiago Biasi, el autor del libro *El clima y su influencia en nuestras vidas*. Buenos días y bienvenido.

■ Buenos días, muchas gracias por invitarme.

● Señor Biasi, en su libro defiende que la inmigración y el clima en Argentina tienen relación. Es un tema muy interesante. ¿Qué relación tiene la geografía y el clima con la inmigración?

■ Las características de las diversas regiones de Argentina atraen a los inmigrantes que vienen de distintos países, principalmente de Italia, España, Siria, Líbano, Alemania e Inglaterra, entre muchos otros. Estas características les recuerdan a sus países de origen.

● ¿Y cómo influyen esas características?

■ Por ejemplo, los italianos van principalmente a las regiones del centro, que son regiones de clima templado, con diversidad de paisajes y zonas agrícolas y ganaderas, en particular, en La Pampa argentina…

● ¿Y los españoles?

■ Los españoles viven en las regiones del oeste, en provincias como Mendoza o San Juan, donde hace calor y hay viñedos y olivares.

● ¿Y los árabes?

■ Los sirios y libaneses prefieren climas más extremos, más cálidos, y paisajes más desérticos, como el norte de Argentina.

● ¿Y dónde se encuentran los inmigrantes alemanes?

■ Los alemanes, como los ingleses, generalmente viven en el sur, donde nieva y hace más frío.

● ¿En la Patagonia?

■ Sí, es muy curioso. En esta región vive una comunidad de Gales muy importante que conserva su lengua.

● Muy interesante. Muchísimas gracias, señor Biasi.

Todas estas fotos muestran diversos lugares de Argentina en los meses de verano (diciembre-marzo).
¿Cuál es tu lugar favorito? ¿Por qué? ¿En tu país el clima es diferente en estos meses del año?
¿Cómo cambian las estaciones en los distintos hemisferios?

Pinamar

Cataratas del Iguazú

Tucumán

La Pampa

Jujuy

Glaciar Perito Moreno

Acción

A En grupos pequeños, redactad un artículo informativo sobre un lugar con un clima ideal. El lugar puede ser inventado.

1 Elegid el clima ideal y el lugar.
2 Pensad en las estaciones que tiene, los tipos de clima, las características del lugar (*está lejos / cerca de… / hay montañas,* etc.), la naturaleza…
3 Decidid cómo influye el clima en la población y en la cultura.
4 Incluid elementos visuales (fotos, ilustraciones, etc.).
5 Tratad de ser originales y creativos.

B Votad entre todos para decidir cuál es el mejor artículo informativo. Justificad vuestra decisión.

Actitudes y valores

Responde *sí* o *no* con respecto al proceso de elaboración del artículo.

	Sí	No
- Me adapto a las decisiones de la mayoría.	☐	☐
- Acepto distintas opiniones.	☐	☐
- Aprendo mucho compartiendo distintos puntos de vista.	☐	☐

Reflexión

- ¿Qué influencia tiene el clima del lugar donde vives en tu vida diaria?

- ¿Cómo influye el clima en la cultura de un país?

- ¿Hay lugares que por su clima te parecen atractivos para vivir?, ¿cuáles?

9 Viajes

- Hablar sobre viajes y hábitos culturales
- Preguntar direcciones
- Describir experiencias en viajes
- Organizar un viaje con la clase

- Reflexionar sobre el significado de viajar
- País: México
- Interculturalidad: El respeto a otras culturas
- Actitudes y valores: Valorar la organización en las actividades

Lago Titicaca

Cataratas del Iguazú

Islas Galápagos

Volcán Popocatepetl

Río Amazonas

Desierto de Atacama

1 Observa las fotografías: ¿conoces estos lugares?

2 ¿Sabes en qué países están estos espacios naturales?

3 Imagina que puedes ir de vacaciones a uno de ellos: ¿a cuál vas?, ¿por qué?

4 ¿Qué lugares especiales hay en tu país?

Saber viajar

1 A ¿Qué actividades realizas cuando tienes este tipo de vacaciones? Coméntalo con tu compañero.

vacaciones culturales ● vacaciones de playa ● vacaciones de aventura ● vacaciones deportivas
vacaciones de salud ● vacaciones familiares ● vacaciones escolares

En unas vacaciones culturales visito…

Repasa Las actividades de ocio en la unidad 7.

B (51) Yago y Yolanda son españoles y estudian en una universidad de México D. F. Tienen unos días de vacaciones y quieren hacer un viaje por el país. Escucha la conversación: ¿qué tipo de vacaciones quiere hacer cada uno?

Yago quiere…
Yolanda quiere…

C (51) Escucha la conversación otra vez y marca a quién se refieren las frases.

	Yago	Yolanda
1 Quiere ir a Acapulco.		
2 No conoce Guadalajara.		
3 Conoce Guadalajara.		
4 Quiere conocer el Caribe.		
5 Conoce Puebla y Cuernavaca.		
6 Quiere ir a Playa del Carmen.		

D Marca en el mapa los lugares que mencionan.

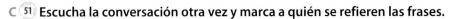

2 A ¿Sabes cómo se llaman las partes numeradas del dibujo? Mira el cuadro de léxico y comenta con tu compañero.

El número 1 es una isla.

Avanza Haz tú un dibujo y añade otros accidentes geográficos.

B Haz una lista de lugares de tu país que conoces y después pregunta a tu compañero si los conoce.

● *¿Conoces el lago…?*
■ *No, ¿y tú conoces…?*

LÉXICO

Geografía y accidentes geográficos

- lago	- isla	- bosque
- volcán	- playa	- valle
- desierto	- catarata	- iceberg
- río	- montaña	- península

3 A Yago y Yolanda están en Playa del Carmen y alquilan unas bicicletas. Lee la viñeta. Y tú, ¿sabes hacer estas cosas? Completa las frases y después pregunta a tu compañero.

Sé – No sé...

1 _____ ir en bicicleta.
2 _____ patinar.
3 _____ conducir un coche.
4 _____ montar a caballo.
5 _____ ir en moto.
6 _____ ir en monopatín.

¡No sabes ir en bicicleta!

Pero seguro que tú no sabes patinar, ni ir en moto, ni en coche, ni en monopatín... ¡Pues yo sí!

● *¿Sabes ir en bicicleta?*
■ *Sí.*

B Señala qué actividad es importante saber hacer para viajar. Coméntalo con tu compañero y explícale por qué.

cocinar ● hablar muchos idiomas ● nadar ● hacer una maleta ● tocar un instrumento
conducir un coche ● bailar ● lavar la ropa ● interpretar un mapa ● ir en bicicleta
imprimir una tarjeta de embarque ● orientarse en un lugar desconocido

Para mí es importante saber hablar muchos idiomas porque...

4 Completa las frases con los verbos *saber* o *conocer.*

1 ● Sonia, ¿_____ jugar al tenis?
  ■ No, pero _____ jugar al *squash.*
2 ● ¿Tú _____ quién es Walter?
  ■ No, no _____ a ese chico.
3 ● ¿Y vosotros, dónde vais a ir de vacaciones?
  ■ A Cancún, no _____ el Caribe.
4 Cuando viajo, siempre _____ gente nueva.
5 ¿Ustedes _____ cómo llegar al centro?
6 ● Lara, ¿_____ al nuevo compañero de clase?
  ■ No, no lo _____.

5 Lee este artículo de una revista de unas líneas aéreas sobre hábitos culturales en el mundo. ¿Es igual en tu país?

Hábitos culturales

Saber viajar es también conocer y respetar las costumbres de un país extranjero. Es importante conocer sus hábitos culturales y comprender que algo que no es normal en tu país puede ser normal en otro. Hay actitudes o gestos que son de buena educación en un lugar y de mala educación en otro.

 ✳ ¿Sabes que en la India y en otros países asiáticos es ofensivo señalar a alguien con el dedo?

 ✳ ¿Sabes que en Japón las mujeres normalmente se tapan la boca con la mano cuando sonríen?

 ✳ ¿Sabes que en Rusia o en Japón, cuando vas a casa de alguien, te tienes que quitar los zapatos?

 ✳ ¿Sabes que en la India o en Pakistán siempre saludan o comen con la mano derecha?

 ✳ ¿Sabes que en Tailandia es ofensivo tocar la cabeza de una persona?

En mi país también es de mala educación señalar con el dedo a alguien.

Avanza ¿Conoces los hábitos culturales de otros países? Coméntalo con un compañero.

Expresar capacidad y conocimiento

Saber y *conocer*
- *No sé* patinar, pero *sé* montar a caballo.
- ¿*Sabes* los números del 1 al 100 en árabe?
- ¿*Sabes* que en la India es de mala educación señalar con el dedo?
- ¡Quiero *conocer* a tu primo!
● ¿*Conoces* las Islas Baleares?
■ Sí, pero solo *conozco* Mallorca.
● ¿*Conoces* a Alfredo?
■ Sí, es el nuevo profesor de Gimnasia.

La doble negación

No... ni...
No sé (ni) patinar ni ir en moto.

LÉXICO

Medios de transporte

(ir / viajar en) { avión / tren / barco / autobús / coche / moto / bicicleta }

GRAMÁTICA

Verbos irregulares en primera persona

conocer: **conozco**   saber: **sé**

Otros verbos irregulares en primera persona:
conducir: **conduzco**   hacer: **hago**
traducir: **traduzco**   poner: **pongo**
salir: **salgo**   traer: **traigo**

Descubrir

1 (52) Yolanda está en el centro de México D. F. y quiere visitar el Templo Mayor. Fíjate en el plano. Lee y escucha los cuatro diálogos: ¿dónde está Yolanda en cada situación?

A ☐
- • Perdone, ¿sabe dónde está el Templo Mayor?
- ■ Sí, **todo derecho*, al final de** esta calle.

B ☐
- • Perdone, ¿el Templo Mayor?
- ■ La segunda **a la izquierda**. Está **entre** el antiguo colegio de San Ildefonso y la catedral.

C ☐
- • Disculpe, ¿el Templo Mayor está cerca?
- ■ Sí, sí, está aquí **al lado, detrás de** la catedral.

D ☐
- • Disculpe, ¿hay un templo azteca por aquí?
- ■ Sí, el Templo Mayor. La segunda calle **a la derecha**.
- • Muchas gracias.

*En España se dice «todo recto»

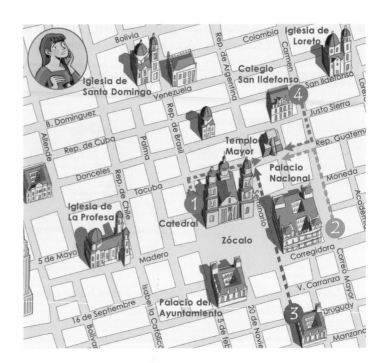

> **Repasa** Los marcadores de lugar en la unidad 3.

2 A En parejas, uno es estudiante A y otro es estudiante B. Sitúa tus lugares en el plano.

Estudiante A
1 la Catedral
2 un hospital
3 el Museo de Arte Contemporáneo

Estudiante B
1 la Biblioteca Nacional
2 una farmacia
3 la Universidad Autónoma

Tú y tu compañero

B Pregunta a tu compañero por sus lugares y sitúalos en este plano.
Estudiante B: *Perdone, ¿sabe dónde está la catedral?*
Estudiante A: *Sí, la tercera calle…*

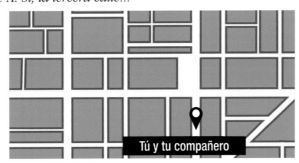

Tú y tu compañero

C Compara tu plano con el de tu compañero.

COMUNICACIÓN

Preguntar y dar direcciones

- • *Disculpe/-a, ¿el Templo Mayor* **está cerca**?
- • *Perdone/-a, ¿el Templo Mayor?*
- • *Disculpe/-a, ¿hay alguna iglesia* **por aquí**?
- • *Perdone/-a, ¿sabe(s) dónde está el Templo Mayor?*

- ■ *Sí,* **todo recto, al final de** *esta calle.*
- ■ *Sí, sí, está aquí* **al lado, detrás de** *la catedral.*
- ■ *La segunda calle* **a la derecha / a la izquierda**.
- ■ *El Templo Mayor está* **entre** *el antiguo colegio de San Ildefonso* **y** *la catedral.*

LÉXICO

Números ordinales

- 1.º / 1.ª primero/-a
- 2.º / 2.ª segundo/-a
- 3.º / 3.ª tercero/-a
- 4.º / 4.ª cuarto/-a
- 5.º / 5.ª quinto/-a
- 6.º / 6.ª sexto/-a
- 7.º / 7.ª séptimo/-a
- 8.º / 8.ª octavo/-a
- 9.º / 9.ª noveno/-a
- 10.º / 10.ª décimo/-a

3 A Lee estas tarjetas de visita: ¿sabes qué significan las abreviaturas?

Josep Barniols Serra
DIRECTOR COMERCIAL

Avda. Diagonal, 530, 5.º 2.ª
C. P. 08029 Barcelona
Tel.: 834 231 008
jbserra@meil.com

Ángeles Bermejo Álvarez
Jefa de Ventas

✉ C/ Fuencarral, 51, 2.º izda. B
C. P. 28013 Madrid

📞 Tel.: 91 564 53 20
Móv.: 664 10 07 39

@ abalvarez@meil.com

B Escribe las siguientes direcciones. Utiliza las abreviaturas.

1 Calle Real, número 27, piso tercero, puerta C, Madrid, código postal 28017
2 Avenida República Argentina, número 65, piso segundo, puerta primera, Barcelona, código postal 08023
3 Plaza Mayor, número 8, piso tercero, León, código postal 37002

4 A Verónica Boned tiene un blog para mujeres viajeras. Lee este fragmento, en el que habla sobre sus razones para viajar, y subraya tres que te parecen importantes.

Consejos de viajes | Mi blog | Guías | Noticias | Fotos

¿Por qué viajar?

(...) Viajar es mucho más que hacer turismo; es un ejercicio de aprendizaje constante que nos aleja de nuestra rutina, nos pone a prueba y permite conocernos mejor a nosotras mismas.

¿Por qué viajar? Las razones o excusas sobran: para romper con la rutina, para tomar distancia de tu realidad, para conocer y experimentar de primera mano nuevas culturas, para ver *ese* templo budista que tanto te ha hecho suspirar en fotos, para conocer gente, para conocerte, para conocer tus límites..., para empujarlos; por experimentar la adrenalina al 100 %, por amor a viajar, por el placer de lo desconocido, por miedo a lo desconocido, porque sí...

Porque te gusta. Porque no hay fronteras en tu imaginación ni en tus deseos (...). Porque no todo gira en torno a la carrera profesional. Porque el mundo es grande y bonito. Porque las culturas que lo habitan son excepcionales, únicas y hay que conocerlas para entenderlas. Porque viajar es un ejercicio de tolerancia, de paciencia, de audacia, de perspicacia... Porque viajar te da alas, te da libertad, te da energía, te llena de ideas nuevas, te cambia la perspectiva con la que usualmente miras tu mundo, te abre nuevas puertas. Porque viajar es aprender y equivocarse. Es perdonar y perdonarse. Es liberarse de ataduras: físicas, mentales, ideológicas, espirituales, religiosas, políticas, sociales... (...) Es transgredir la estructura política y social que nos agrupa y nos encadena a una rutina de 8:00 a. m. a 6:00 p. m., de lunes a viernes... Viajar es para muchas personas una necesidad; para algunas, una opción; para otras, un gran deseo.

Fragmento extraído de www.sinmapa.net

B Las siguientes expresiones están en el texto. Relaciona las palabras de las dos columnas y comenta con tu compañero su significado.

1	hacer	a	de primera mano
2	ponerse	b	turismo
3	romper	c	la estructura política y social
4	tomar	d	a prueba
5	conocer	e	con la rutina
6	cambiar	f	de ataduras
7	liberarse	g	distancia
8	transgredir	h	la perspectiva

Hacer turismo es viajar, ir de vacaciones...

C Elige tres expresiones del ejercicio 4B y escribe tres frases con ellas.

D Escribe qué es para ti viajar y redacta una entrada para el blog de Verónica Boned.

Repasa *Para* y *porque* en la unidad 3.

Experiencias

1 A Yolanda escribe a sus amigos de España un mensaje en Facebook sobre la visita de su amiga Laura a México D. F. ¿Qué han hecho esta semana? Lee el mensaje y márcalo en la siguiente lista.

1 Han visto la obra de Frida Kahlo. ☐
2 Han ido de excursión a la Pirámide del Sol. ☐
3 Yolanda se ha enamorado de Carlos Daniel. ☐
4 Yolanda ha visitado el Palacio de Bellas Artes. ☐
5 Yolanda ha ido a clase esta mañana. ☐
6 Han escuchado a los mariachis. ☐
7 Han comido tacos. ☐
8 Han salido con los amigos de Yolanda. ☐

Yolanda García
Editar perfil

- Últimas noticias
- Mensajes
- Eventos
- Buscar amigos

APLICACIONES
- Juegos
- Toques
- Pixer
- Guardado
- Fotos
- Música
- Noticias de juegos

INTERESES
- Páginas y personaj...

AMIGOS
- Conocidos
- Mejores amigos

Hola amigos:

Os escribo este mensaje para todos porque no tengo tiempo de escribir a cada uno. ¡Esta semana ha venido Laura! ¡Y hemos hecho muchas cosas! Hemos visitado el Museo de Frida Kahlo: ¡es un lugar precioso! Y también hemos ido al mercado y hemos comido unos tacos buenísimos. También hemos ido al Zócalo, a la gran plaza donde está la catedral. La plaza siempre está llena de gente, es puro México. Y hemos escuchado a los mariachis en la Plaza Garibaldi. ¡Qué música tan bonita y tan romántica! Esta mañana yo he ido a clase y Laura ha visitado el Palacio de Bellas Artes y ha visto los impresionantes murales de Diego Rivera. Pero lo mejor es que esta semana hemos salido con mis amigos mexicanos todos los días (¡mis cuates!) y Laura ha conocido a Carlos Daniel, mi mejor amigo, y creo que se ha enamorado de él… ¡Hoy ha llamado a su familia y les ha dicho que el próximo año quiere venir a estudiar a México! ¡México lindo y querido!
Muchos besos,
Yolanda

Añadir archivo   Añadir foto   Pulsar "enter".... ☐   **Responder**

B Subraya los verbos en pretérito perfecto que aparecen en el texto y después clasifícalos como en el ejemplo.

ESTA SEMANA
Ha venido Laura

HOY

ESTA MAÑANA

2 A Escribe una actividad que has hecho tú.

1 Este año _____.
2 Este mes _____.
3 Esta semana _____.
4 Hoy _____.

B Ahora, pregunta a tu compañero y toma nota.

● *¿Qué has hecho este año?*
■ *Este año he ido a México.*

1 Este año *David ha ido a México.*
2 Este mes _____.
3 Esta semana _____.
4 Hoy _____.

Avanza Escribe otras frases sobre cosas que has hecho: *este fin de semana, estos días, este verano…* Una de ellas tiene que ser mentira. Tu compañero tiene que descubrir cuál es.

El pretérito perfecto

- Se usa para hablar de acciones y experiencias realizadas en el pasado y que están relacionadas con el momento en el que hablamos.
*Laura **se*** **ha enamorado** de Carlos Daniel.*

*Los pronombres van antes del verbo **haber**.

	Presente de *haber*	+ participio
(yo)	he	
(tú)	has	
(él, ella, usted)	ha	escuchado
(nosotros/-as)	hemos	+ comido
(vosotros/-as)	habéis	salido
(ellos/-as, ustedes)	han	

- Normalmente, va acompañado de marcadores temporales: *esta mañana, esta tarde, este fin de semana, estos días, esta semana, este mes, este año, hoy,* etc.

*Esta mañana **he ido** a clase.*
*Esta semana **ha venido** Laura.*

- El participio se forma sustituyendo las terminaciones del infinitivo *(-ar, -er, -ir)*.
  - *ar > ado (viajado)*
  - *er / ir > ido (bebido / venido)*

Participios irregulares:

hacer: **hecho**   escribir: **escrito**
decir: **dicho**   poner: **puesto**
abrir: **abierto**   morir: **muerto**
romper: **roto**   volver: **vuelto**
ver: **visto**   descubrir: **descubierto**

Museo de Frida Kahlo

3 A (53) **Laura ha vuelto a España. Lee el resumen de lo que le cuenta a una amiga y escucha su conversación. ¿Cuáles de las siguientes informaciones son falsas?**

El viaje de Laura a México ha sido fantástico. Ha conocido a Carlos Daniel, un chico muy reservado que, aunque ha viajado mucho, no ha estado nunca en España. Ha tenido muchos trabajos en el cine como actor. También ha escrito cuatro libros y ha ganado tres veces un premio de literatura.

B (53) **Vuelve a escuchar la conversación, ¿dice Laura exactamente cuándo ha hecho Carlos Daniel todas esas cosas? ¿Qué tiempo verbal utiliza?**

C Completa estas frases sobre ti.

1 Yo nunca he _____ .
2 He _____ solo una vez.
3 He _____ varias veces.
4 He _____ muchas veces.

4 A Lee este foro sobre viajes. ¿Cómo crees que son las siguientes personas? Fíjate en el cuadro de léxico y después coméntalo con dos compañeros.

Para mí las personas que viajan mucho son interesantes...

¿Y TÚ, CÓMO VIAJAS?

JUAN FRANCISCO, Madrid (España)
A mí me gusta mucho viajar por mi país porque hay lugares muy interesantes. Este año he estado en Santander, en el norte, con mis padres y mi hermana. Hemos alquilado una casita al lado de la playa y hemos visitado los pueblos de los alrededores. Todos los años vamos a un lugar diferente de España. Algunas veces alquilamos una casa o un apartamento, a veces alquilamos una caravana, otras veces vamos a un *camping* o a un hotel. Pero este año vamos a ir todos juntos de vacaciones en un crucero por el Mediterráneo.

ALFONSO, Cuernavaca (México)
Tengo dos carreras: Ciencias de la Comunicación y Relaciones Internacionales. He estudiado en España, en Inglaterra y en Estados Unidos. Me encanta conocer otras culturas y aprender idiomas. He vivido en residencias de estudiantes, en pensiones, en hostales, en pisos compartidos... He trabajado en cinco países y he escrito artículos en revistas y periódicos. No me gusta hacer turismo; yo siempre viajo por trabajo o para aprender.

ELENA, Tucumán (Argentina)
Me encanta viajar, pero no me gustan los lugares turísticos. Me gusta viajar sola; bueno, sola no, con mi mochila. He estado en muchos lugares, pero todos muy especiales: he dormido en tiendas de campaña en el desierto del Sahara, me he bañado en las Cataratas del Iguazú, he cruzado el río Amazonas, he trabajado en las islas Galápagos, he caminado sobre el volcán Popocatepetl en México, he recorrido países enteros en bicicleta... Y más de una vez he dormido en un parque.

Repasa Los adjetivos de carácter en la unidad 2.

B ¿A quién te pareces tú más, a Juan Francisco, Alfonso o Elena? ¿Por qué?

C ¿Y tu compañero?, ¿es aventurero? Para averiguarlo, hazle preguntas con el pretérito perfecto sobre las siguientes actividades (puedes añadir otras).

caminar sobre un volcán • bañarse en una catarata • dormir en un desierto • hacer un crucero
viajar solo • dormir en un *camping* • hacer un viaje largo en bicicleta • estudiar o trabajar en otro país

5 Haz una lista en tu cuaderno con los diferentes alojamientos que han aparecido en el ejercicio 4A. ¿En cuántos de esos lugares has dormido tú?

GRAMÁTICA

Otros usos del pretérito perfecto

- Cuando hablamos de experiencias en el pasado a lo largo de la vida, pero no decimos cuándo.

- Lo usamos con los siguientes marcadores de frecuencia:

muchas veces	dos veces
varias veces	una vez
alguna vez	nunca

● ¿**Has estado** *alguna vez* en México?
■ No, *nunca** **he viajado** a América.

* No es obligatorio si *nunca* va después del verbo:
No, *no* he viajado *nunca* a América.

Xavi **ha estado** en México *muchas veces*.

- También usamos el pretérito perfecto cuando hablamos de nuestra vida en general.
He estudiado en España y en Inglaterra.

LÉXICO

Adjetivos de carácter

- abierto/-a	- aventurero/-a
- conformista	- irresponsable
- flexible	- responsable
- independiente	- solitario/-a
- reservado/-a	- valiente
- sociable	- tradicional
- sensible	- interesante

LÉXICO

Alojamientos

- reservar una habitación en **un hotel**
- alojarse en **un hostal**
- quedarse en **una pensión**
- alquilar **un apartamento**
- dormir en **un albergue**
- ir a **un camping**

México

ESTADOS UNIDOS

Chihuahua
Nuevo Laredo
Monterrey
La Paz
MÉXICO
Golfo de México
Golfo de California
Tampico
Puerto Vallarta
Guadalajara
Holbox
Mérida
Cancún
Isla Mujere
Veracruz
Manzanillo
MÉXICO D. F.
Mar Caribe
OCÉANO PACÍFICO
Lázaro Cárdenas
Oaxaca
BELICE
Acapulco
GUATEMALA HONDURAS

¡Como México no hay dos!

Hay mil razones para visitar México, pero diez son suficientes para recordar este país para siempre.

1 Completa la siguiente información sobre México.

Norte ● Estados Unidos Mexicanos ● Guatemala ● Brasil
Estados Unidos ● 67 ● Argentina ● Caribe ● D. F. ● 118

México se llama oficialmente (1) _____. Está situado en América del (2) _____. Limita al norte con los (3) _____ de América, al sureste con Belice y (4) _____, al oeste con el océano Pacífico y al este con el golfo de México y el mar (5) _____. Su capital es Ciudad de México, también llamada Distrito Federal o (6) _____. Es el tercer país más extenso de Latinoamérica después de Brasil y (7) _____, con una superficie cercana a los 2 millones de km², y el segundo más poblado, después de (8) _____, con una población aproximada de (9) _____ millones de habitantes. No existe un idioma oficial, pero el español y (10) _____ lenguas indígenas están reconocidas como lenguas nacionales.

2 Lee el reportaje «¡Como México no hay dos!», donde aparecen diez razones para visitar México y pon uno de estos títulos a cada una de ellas. ¿Qué es lo que más te interesa a ti?

Sus tesoros arqueológicos

Su gente   Sus fiestas y tradiciones

Sus bonitas ciudades coloniales

Su gastronomía   Sus espacios de aventura

Sus playas paradisíacas   Su gran biodiversidad

Sus grandes ciudades   Su música

3 Busca en internet una canción típica de México: un bolero o una ranchera. Elige una, busca la letra y compártela con tu compañero.

5

TEOTIHUACÁN

El México misterioso y místico lo podemos encontrar en sus tesoros arqueológicos. No te puedes perder lugares como Chichen Itzá, con la pirámide de Kukulkán, catalogada como una de las nuevas maravillas del mundo, o la ciudad de los Dioses de Teotihuacán, con sus increíbles pirámides dedicadas al sol y a la luna.

PEZ RAYA

8

Por su posición geográfica y gran variedad de ecosistemas, México tiene el diez por ciento de las especies del planeta, muchas de ellas habitan en reservas de la biosfera como Sian Ka'an, Kalakmul, Montes Azules o Cuatro Ciénegas.

CENOTE DZITNUP

1

▲
Para los aventureros existen muchas opciones, como adentrarse en los cenotes sagrados de los mayas y sumergirse en sus aguas cristalinas. México es un país perfecto para visitar la cima de un volcán, recorrer un río de rápidos o practicar el alpinismo y el senderismo en las numerosas montañas que hay en el país.

PUEBLA

2

◄
Puebla, Morelia, Zacatecas, Guanajuato y Querétaro son algunos ejemplos de la arquitectura colonial del país. Ciudades antiguas, llenas de color y romanticismo.

DÍA DE LA INDEPENDENCIA (16 DE SEPTIEMBRE)

4

▲
Por sus tradiciones y sus fiestas se reconoce el carácter y la identidad del pueblo mexicano. A lo largo del año, se puede presenciar y participar en celebraciones como el Día de Muertos, la Semana Santa o el Aniversario de la Independencia.

CHILE EN NOGADA

3

▲
La cocina mexicana ha sido declarada recientemente por la Unesco Patrimonio Cultural de la Humanidad. Cada estado tiene sus propias recetas y tradiciones culinarias. Todas tienen en común sus ingredientes: el maíz, el chile, el frijol y el jitomate. Hay muchos platillos exquisitos en el país, uno de ellos es el chile en nogada (un chile relleno de fruta y carne bañado con una salsa de nuez y decorado con granada).

GUADALAJARA

6

▲
Las metrópolis más importantes de México, como la Ciudad de México, Monterrey o Guadalajara, ofrecen todo tipo de atractivos y eventos culturales para la gente que las visita: museos, teatros, mercados, restaurantes, parques...

ISLA MUJERES

7

◄
México tiene playas maravillosas en sus costas de norte a sur, desde el mar de Cortés, con su rica biodiversidad marina, hasta las playas con aguas cristalinas del Caribe mexicano, las más bellas del mundo.

MARIACHIS

10

▲
México es también conocido por canciones como *Bésame mucho*, *Granada*, *Cielito lindo*, *La bamba* o *El rey*. Sus rancheras y sus boleros se cantan en todos los países de habla hispana y muchos de sus cantantes se escuchan en todo el mundo: Juan Gabriel, Luis Miguel, Alejandro Fernández, Lila Downs o Julieta Venegas.

JÓVENES MEXICANOS

9

◄
Los mexicanos son gente alegre y hospitalaria. El buen humor y las ganas de vivir son características muy propias de los mexicanos, y siempre reciben bien a sus visitantes. En México es muy fácil hacer amigos.

Acción - Reflexión

Mira estas fotos e imagina que has estado de vacaciones en uno de los siguientes lugares: ¿qué has hecho?

Acción

A En grupos de tres, organizad un viaje y elaborad vuestra propuesta para presentarla a la clase. Lo podéis hacer de forma oral o escrita.

1 Elegid un destino desconocido al que queréis ir los tres.
2 Pensad qué tipo de viaje queréis hacer.
3 Decidid cómo os vais a desplazar por la zona y en qué tipo de alojamiento vais a dormir.
4 Buscad información sobre algunas costumbres de la gente del lugar.
5 Pensad qué tipo de actividades queréis hacer en ese lugar.
6 Justificad el motivo de vuestro viaje.
7 Presentad vuestra propuesta a la clase de manera oral o escrita.
8 Decidid entre todos cuál es la mejor. Vuestros compañeros os dan una puntuación por vuestra propuesta entre 1 (-) y 10 (+).

B ¿Cuál es el viaje más votado?

Actitudes y valores

Haz un círculo en las tres sugerencias que te parecen más importantes.

Lo más importante cuando organizamos o preparamos una actividad es:

1 Gestionar bien el tiempo
2 No estresarse
3 Buscar información adecuada
4 Repartir los papeles en el grupo
5 Respetar las reglas
6 Tomar decisiones

Nuestro centro | **Foros** | Fotos | Opinión

Viaje de fin de curso

- Nosotros queremos ir a…
- Queremos hacer un viaje…
- Vamos a desplazarnos por la región en…
- Vamos a dormir en…
- La gente de allí…
- Vamos a pasar unos días allí para hacer…
- Queremos ir allí porque es un lugar…

Reflexión

- **¿Qué significa viajar para ti?**

- **¿Qué buscas cuando vas de vacaciones: cultura, nuevas experiencias, descanso, diversión…?**

- **¿Qué cosas te gusta descubrir cuando viajas?**

Gramática

Léxico

Gramática

EL ALFABETO

El alfabeto o abecedario español tiene 27 letras (22 consonantes y 5 vocales).

Las letras tienen género femenino: la **be**, la **ce**, etc.

A	a	a	Antigua
B	b	be	Bogotá
C	c	ce	Caracas
D	d	de	Durazno
E	e	e	El Escorial
F	f	efe	Formentera
G	g	ge	Guadalajara
H	h	hache	Heredia
I	i	i	Iquitos
J	j	jota	Jarabacoa
K	k	ka	Kino
L	l	ele	La Habana
M	m	eme	Managua
N	n	ene	Neuquén
Ñ	ñ	eñe	Ñemby
O	o	o	Oviedo
P	p	pe	Panamá
Q	q	cu	Quito
R	r	erre	Rocha
S	s	ese	San Salvador
T	t	te	Tegucigalpa
U	u	u	Uyuni
V	v	uve	Valparaíso
W	w	uve doble (doble uve)	Wanda
X	x	equis	Xico
Y	y	i griega (ye)	Yauco
Z	z	zeta	Zaragoza

Las vocales: a – e – i – o – u

Solo las vocales pueden llevar acento gráfico (tilde):
á (a con acento) – **a** (a sin acento).

Las consonantes: b – c – d – f – g – h – j – k – l – m – n – ñ – p – q – r – s – t – v – w – x – y – z

D (de mayúscula) – **d** (de minúscula)

Dígrafos: ch – ll

Conjunto de dos letras que representa un sonido: *ch* (che)
Chinchón

ll (elle) *Medellín*

Ortografía y pronunciación

● R – RR

Hay dos formas de pronunciar la letra *r*, una suave y una fuerte:
- Fuerte: cuando hay una *rr* entre vocales *(barrio)*; al principio de palabra *(radio)*; cuando va después de *l*, *n* o *s (alrededor)*.
- Suave: cuando en el interior de una palabra hay una *r (turismo)*; al final de palabra *(comer)*; después de las consonantes *b*, *c*, *d*, *f*, *g*, *p* y *t (prueba)*.

● G – J

- Se pronuncian de forma diferente cuando van con las vocales *a, o, u*: *ga*nar, *ha*go, *gu*star (sonido suave) / *Ja*vier, me*jor*, ju*gar* (sonido fuerte).

- La **ge** se pronuncia igual que la **jota** (sonido fuerte) cuando va seguida de las vocales *e*, *i*: *ge*nte / a*je*drez, ele*gir* / *ji*rafa.
- En los grupos *gue* y *gui* la *u* no se pronuncia y la *g* se pronuncia con un sonido suave: *gui*tarra, consi*gue*.

● C – Z

- La letra *c* se pronuncia de dos maneras diferentes:
  - como *k* delante de *a, o, u (ca*sa, miér*co*les, *cu*ando) o cuando va con otra consonante (a*cc*ión, *crí*tica, a*ct*or).
  - como *z* delante de *e, i* (dul*ce*, pre*ci*oso).
- La letra *z*, se pronuncia siempre igual (con la lengua entre los dientes): *zo*na, *zu*mo.
- En muchas partes de España y prácticamente en todo Latinoamérica no hay sonido /z/, se pronuncia /s/ (se llama **seseo**).

● LL – Y

- En muchas regiones de los países hispanos la *ll* se pronuncia como *y*. Este fenómeno se llama **yeísmo**.
- En algunas regiones de algunos países hispanoamericanos, como, por ejemplo, en Argentina, la *y* / *ll* se pronuncian con una vibración especial.

● Letras que no se pronuncian

- La *h* no se pronuncia nunca: *h*oy, *h*ora, *h*orario.
- La *u* no se pronuncia en los grupos *que, qui, gue, gui*: *qué, quí*mica, *gue*rra, *gui*tarra.

LOS NÚMEROS

Del 0 al 100

0 cero	14 catorce	28 veintiocho
1 uno/-a	15 quince	29 veintinueve
2 dos	16 dieciséis	30 treinta
3 tres	17 diecisiete	31 treinta y uno/-a
4 cuatro	18 dieciocho	32 treinta y dos
5 cinco	19 diecinueve	33 treinta y tres
6 seis	20 veinte	40 cuarenta
7 siete	21 veintiuno/-a	50 cincuenta
8 ocho	22 veintidós	60 sesenta
9 nueve	23 veintitrés	70 setenta
10 diez	24 veinticuatro	80 ochenta
11 once	25 veinticinco	90 noventa
12 doce	26 veintiséis	99 noventa y nueve
13 trece	27 veintisiete	100 cien

A partir del 100

101 ciento uno/-a	1000 mil
102 ciento dos	1100 mil cien
200 doscientos/-as	1110 mil ciento diez
300 trescientos/-as	1200 mil doscientos/-as
400 cuatrocientos/-as	2000 dos mil
500 quinientos/-as	10 000 diez mil
600 seiscientos/-as	100 000 cien mil
700 setecientos/-as	200 000 doscientos/-as mil
800 ochocientos/-as	1 000 000 un millón
900 novecientos/-as	1 000 000 000 mil millones

- Entre las decenas (10, 20, 30…) y las unidades (1, 2, 3…) usamos **y**: *356 = trescientos cincuenta* **y** *seis*.
- **100** se dice **cien**, pero a partir de **101** se dice **ciento** (*ciento uno, ciento dos…*).
- **Mil** es invariable: *1000 =* **mil**, *3000 = tres* **mil**, *30 000 = treinta* **mil** *personas / euros*.
- Cuando hablamos de **millones**, se dice **de**: *un millón* **de** *euros*.
- En español **1 000 000 000 000** (un millón de millones) es **un billón**.

EL SUSTANTIVO

- Con el sustantivo nombramos personas, animales, objetos, sentimientos, ideas…
- Tiene género: **masculino** o **femenino**. Muchos sustantivos masculinos terminan en **-o** y los femeninos en **-a**.

masculino	femenino
el libr**o** / el bolígraf**o**	la puert**a** / la pizarr**a**

- Puede terminar en otra vocal o en consonante:
  *el estudiant**e** / la estudiant**e***
  *el sacapunta**s***
  *el lápi**z***

- Tiene número: **singular** o **plural**.

singular		plural
la puerta el bolígrafo	+s	las puerta**s** los bolígrafo**s**
el rotulador el reloj	+es	los rotulador**es** los reloj**es**
el lápiz	-z = +ces	los lápi**ces**
el sacapuntas*	=	los sacapuntas

*Es igual en singular y plural.

EL ARTÍCULO

El artículo se usa para introducir un sustantivo, y hay dos tipos: determinado e indeterminado.

El artículo determinado

Cuando nos referimos a algo mencionado antes.

	singular	plural
masculino	**el** cuaderno	**los** libros
femenino	**la** goma	**las** mochilas

Juan es **el** *hermano de Laura.*

El artículo indeterminado

Cuando nos referimos a algo por primera vez o cuando pensamos que el interlocutor no lo conoce.

	singular	plural
masculino	**un** museo	**unos** museos
femenino	**una** biblioteca	**unas** bibliotecas

El Prado es **un** <u>museo</u> *muy famoso.*
Andalucía tiene **unos** <u>museos</u> *muy interesantes.*

EL ADJETIVO

- El adjetivo da información sobre las características de un sustantivo y concuerda con él en género y número:

sustantivo masculino plural	adjetivo masculino plural	sustantivo femenino singular	adjetivo femenino singular

- El adjetivo puede ser **masculino** o **femenino**:
  - Normalmente si termina en **-o** forma el femenino con **-a**: *bonito – bonita*.
  - Algunos adjetivos tienen la misma forma para el masculino y para el femenino. Estos terminan en **-a, -e, -i, -u** (*belga, inteligente, marroquí, hindú*) o en **-ista** (*pesimista*).
- El adjetivo tiene número: **singular** y **plural**. Normalmente, si termina en vocal forma el plural con una **-s** (*bonito – bonitos, bonita – bonitas*) y si termina en consonante lo forma con **-es** (*alemán – alemanes*).

LOS POSESIVOS

Los posesivos identifican al poseedor de algo o la pertenencia de alguien a un grupo. Concuerdan con el objeto o la persona:
Mi *bicicleta es muy moderna.*
Nuestro *equipo de fútbol es el mejor.*

Un poseedor

singular
mi nombre
tu apellido
su cumpleaños
plural
mis nombre**s**
tus apellido**s**
sus cumpleaños

Varios poseedores

singular
nuestro gat**o** / **nuestra** gat**a**
vuestro perr**o** / **vuestra** perr**a**
su mascota
plural
nuestros gat**os** / **nuestras** gat**as**
vuestros perr**os** / **vuestras** perr**as**
sus mascot**as**

LOS DEMOSTRATIVOS

Con los demostrativos nos referimos a algo o a alguien. Podemos indicar si estamos cerca o lejos y concuerdan con el sustantivo en género y número:
Estos *zapato**s** son de Pamela.*
Aquella *falda es muy bonit**a**.*

	singular	plural
masculino	este	estos
femenino	esta	estas
masculino	ese	esos
femenino	esa	esas
masculino	aquel	aquellos
femenino	aquella	aquellas

Esta casa
Esa casa
Aquella casa

Gramática

LOS CUANTIFICADORES

Los cuantificadores son adjetivos y adverbios que sirven para graduar la cantidad o la intensidad. Pueden acompañar a sustantivos, verbos, adjetivos o adverbios.

Con sustantivos:

Concuerdan en género y número con el sustantivo.

masculino	femenino
demasiado ruido	**demasiada** comida
muchos amigos	**muchas** personas
algún hombre / **algunos** hombres	**alguna** pregunta
poco dinero	**pocas** amigas
ningún teatro	**ninguna** plaza

- **Demasiado** se utiliza para expresar que algo es excesivo:
*Hace **demasiado** calor. Yo no salgo de casa.*
- Con **ningún / ninguna** siempre utilizamos **no** antes del verbo:
*Soy nuevo en el colegio y por eso **no** tengo **ningún** amigo.*

Usado como pronombre (no va seguido de sustantivo), la forma masculina es **ninguno** en lugar de **ningún**:
- ● *¿Has probado los churros?*
- ■ *No, no he comido **ninguno**.*

Con verbos:

- Cuando acompañan a un verbo funcionan como adverbios y son invariables. Siempre van después del verbo:
*Juan <u>trabaja</u> **demasiado**.*

- Con **nada** utilizamos **no** delante del verbo:
*Juan <u>no trabaja</u> **nada**.*

Con adjetivos y adverbios:

- Cuando acompañan a un adjetivo son invariables:
*La casa es **demasiado** <u>tranquila</u>.*
*La casa es **muy** <u>tranquila</u>.*
*La casa es **bastante** <u>tranquila</u>.*
*La casa es **poco** <u>tranquila</u>.*
*La casa <u>no</u> es **nada** <u>tranquila</u>.*

- Cuando acompañan a un adverbio también son invariables:
*Me levanto **demasiado** <u>temprano</u>.*
*Me levanto **muy** <u>temprano</u>.*
*Me levanto **bastante** <u>temprano</u>.*
*Me levanto **poco** <u>temprano</u>.*
*<u>No</u> me levanto **nada** <u>temprano</u>.*

LOS PRONOMBRES

Los pronombres personales (sujeto)

singular	
1.ª persona	**yo**
2.ª persona	**tú** **usted** (formal masculino / femenino)
3.ª persona	**él** (masculino) / **ella** (femenino)

plural	
1.ª persona	**nosotros** (masculino) / **nosotras** (femenino)
2.ª persona	**vosotros** (masculino) / **vosotras** (femenino) **ustedes** (formal masculino / femenino)
3.ª persona	**ellos** (masculino) / **ellas** (femenino)

- En español, los pronombres personales de sujeto no son obligatorios porque la forma del verbo contiene esa información. Se utilizan para dar énfasis o cuando queremos dejar claro cuál es el sujeto de la frase.
***Yo** no estoy de acuerdo.*
- ● *¿Eres **(tú)** Pedro?*
- ■ *No, Pedro es **él**, **yo** soy Juan Francisco.*

- **Usted** y **ustedes** son segunda persona, pero el verbo se conjuga como los de tercera persona: **usted es**. En España se usan como tratamiento formal en lugar de **tú** o **vosotros/-as**. En América se utiliza **ustedes** en lugar de **vosotros**.

- Cuando nos referimos a un grupo de personas (hombres y mujeres), usamos la forma masculina: **nosotros, vosotros, ellos**. Usamos **nosotras, vosotras, ellas** cuando todas las personas son del sexo femenino.

Los pronombres de objeto directo (OD)

El objeto directo es el objeto o la persona que está relacionada directamente con el verbo. Los pronombres de objeto directo son:

	singular	plural
masculino	lo	los
femenino	la	las

- ● *¿Cómo preparan <u>la carne</u>?*
- ■ ***La** hacemos a la parrilla.*

- ● *¿Cómo quiere <u>el pollo</u>?*
- ■ ***Lo** quiero con patatas.*

- ● *¿Y <u>las patatas</u>?*
- ■ ***Las** quiero con mayonesa.*

- ● *¿Cómo quieren <u>los cafés</u>?*
- ■ ***Los** queremos solos.*

Los pronombres de objeto indirecto (OI)

El objeto indirecto indica el receptor o beneficiario del verbo. Los pronombres de objeto indirecto son:

	singular	plural
1.ª persona	me	nos
2.ª persona	te	os
3.ª persona	le / se	les / se

*A la tortilla **le** pongo sal.*
*A mi hermano **le** pongo la camisa todos los días.*

Los pronombres interrogativos

Se utilizan para preguntar algo sobre personas o cosas:

- **¿Qué?**
  *¿**Qué** idiomas hablas?*
  *¿**A qué** hora te levantas?*

- **¿Cuántos / Cuántas?**
  *¿**Cuántos** años tienes?*

- **¿Cuál / Cuáles?**
  *¿**Cuál** es tu número de teléfono?*
  *¿**Cuáles** son tus apellidos?*

- **¿Dónde?**
  *¿**Dónde** vives?*
  *¿De **dónde** eres?*

- **¿Cómo?**
  *¿**Cómo** te llamas?*
  *¿**Cómo** preparan la carne?*

- **¿Cuándo?**
  *¿**Cuándo** es tu cumpleaños?*

- **¿Quién / Quiénes?**
  *¿**Quién** habla chino en la clase?*
  *¿**Quiénes** son los amigos de Ana?*

EL VERBO

- Los verbos están compuestos de una raíz y de una **terminación**: *hablar*.

- Existen tres conjugaciones: los verbos de la primera conjugación que terminan en *-ar*, los de la segunda conjugación, que terminan en *-er*, y los de la tercera conjugación, que terminan en *-ir*. Las terminaciones nos dan información del tiempo (*hablo*: presente) y de la persona (*hablas*: tú).

EL PRESENTE

Usamos el presente para:
- Afirmar lo que sabemos o hablar de cosas que son seguras:
  *Alfredo **tiene** un coche muy caro.*
  *En Madrid **viven** millones de personas.*

- Hablar de hábitos:
  ***Desayuno** a las siete y media.*

- Hablar de intenciones o hacer propuestas:
  *Mañana **vamos** al cine.*
  *¿Por qué no **nos quedamos** en casa?*

Verbos regulares

Terminados en *-ar* hablar	Terminados en *-er* comprender	Terminados en *-ir* vivir
habl**o**	comprend**o**	viv**o**
habl**as**	comprend**es**	viv**es**
habl**a**	comprend**e**	viv**e**
habl**amos**	comprend**emos**	viv**imos**
habl**áis**	comprend**éis**	viv**ís**
habl**an**	comprend**en**	viv**en**

Verbos irregulares

Verbos con cambio en la vocal

empezar (e > ie)	volver (o > ue)	vestirse (e > i)	jugar (u > ue)
emp**ie**zo	v**ue**lvo	me v**i**sto	j**ue**go
emp**ie**zas	v**ue**lves	te v**i**stes	j**ue**gas
emp**ie**za	v**ue**lve	se v**i**ste	j**ue**ga
empezamos	volvemos	nos vestimos	jugamos
empezáis	volvéis	os vestís	jugáis
emp**ie**zan	v**ue**lven	se v**i**sten	j**ue**gan
Otros verbos: *c**e**rrar, com**e**nzar, ent**e**nder, m**e**rendar, s**e**ntir, p**e**nsar, p**e**rder, pr**e**ferir, qu**e**rer*	*Otros verbos:* *d**o**ler, d**o**rmir, enc**o**ntrar, m**o**rir, p**o**der, rec**o**rdar, v**o**lar*	*Otros verbos:* *p**e**dir, s**e**guir, rep**e**tir, r**e**ír, s**o**nreír, comp**e**tir*	

Verbos irregulares en primera persona

conocer: **conozco**	salir: **salgo**	caer: **caigo**
saber: **sé**	hacer: **hago**	ver: **veo**
conducir: **conduzco**	poner: **pongo**	dar: **doy**
traducir: **traduzco**	traer: **traigo**	

Otros verbos irregulares

tener	venir	decir	oír	estar
ten**go**	vengo	di**go**	oi**go**	est**oy**
tienes	vienes	dices	oyes	estás
tiene	viene	dice	oye	está
tenemos	venimos	decimos	oímos	estamos
tenéis	venís	decís	oís	estáis
tienen	vienen	dice	oyen	están

Verbos totalmente irregulares

ser	ir
soy	voy
eres	vas
es	va
somos	vamos
sois	vais
son	van

El voseo

Es un fenómeno lingüístico que ocurre en algunos países de Hispanoamérica, como es el caso de Argentina. El pronombre de segunda persona de singular es *vos*, y el verbo es diferente en algunos tiempos, como en el presente.

	Voseo
tú **puedes**	vos **podés**
tú **eres**	vos **sos**
tú **vives**	vos **vivís**
tú **hablas**	vos **hablás**
tú **te llamas**	vos **te llamás**

Gramática

LOS VERBOS REFLEXIVOS

- Van acompañados de un pronombre que coincide con el sujeto.
- Con ellos expresamos que una acción la produce y la recibe el mismo sujeto.

levantarse	
(yo)	**me levanto**
(tú)	**te levantas**
(él, ella, usted)	**se levanta**
(nosotros/-as)	**nos levantamos**
(vosotros/-as)	**os levantáis**
(ellos, ellas, ustedes)	**se levantan**

Otros verbos reflexivos: *ducharse, lavarse (los* dientes), acostarse, vestirse.*

* **los** *dientes*, no **mis** *dientes*

LOS VERBOS VALORATIVOS

- Van acompañados de un pronombre.
- Con ellos expresamos gustos, intereses u opiniones: *gustar, encantar, interesar, apetecer, parecer.*

gustar		
(A mí)	**me**	
(A ti)	**te**	
(A él, ella, usted)	**le**	**gusta** el fútbol
(A nosotros/-as)	**nos**	
(A vosotros/-as)	**os**	**gustan** los deportes
(A ellos/-as, ustedes)	**les**	

- El sujeto puede ser una acción, situación, objeto, persona, etc., que causa una sensación, sentimiento o reacción en una persona, representada normalmente por el pronombre.
- La construcción puede ser:
  - pronombre + verbo en tercera persona + sujeto
  - sujeto + pronombre + verbo en tercera persona

Me gusta la natación. = *La natación* **me gusta**.
¿Os gustan los deportes? = *¿Los deportes* **os gustan**?
¿Te gusta la idea de ir al cine?

A nosotros **nos apetece** *más pasear.*
¿Qué **le parece** *visitar una exposición?*
Los deportes de aventura **me parecen** *aburridos.*

Contrastar gustos

- A mí me gusta.
  A mí también.
  A mí no.
  ● *A mí me gusta* el esquí.
  ■ *A mí también*.

- A mí no me gusta.
  A mí sí.
  A mí tampoco.
  ● *A mí no me gusta* nada el fútbol.
  ■ *A mí tampoco*.

CONSTRUCCIONES IMPERSONALES

Son oraciones que no llevan sujeto.

Con *se* + verbo en tercera persona
En la India **se come** <u>mucho arroz</u>.
En Guinea Ecuatorial **se habla** <u>español</u>.

Con *hay*
En mi región **hay** <u>un</u> *pueblo muy bonito.*
En mi ciudad **hay** <u>dos</u> *oficinas de turismo.*
En mi barrio no **hay** *restaurantes.*

Verbos impersonales
En estos verbos solo existe la tercera persona del singular, como los verbos de fenómenos meteorológicos *(llover:* **llueve***; nevar:* **nieva***).*

Con verbos y expresiones referidos a fenómenos atmosféricos
Se usan solo en tercera persona del singular, como *llover, nevar, estar nublado* o *hacer + sol / frío / calor / viento / buen tiempo...*
Normalmente **llueve** *mucho durante el mes de agosto.*
En invierno **nieva** *muy poco.*
Hoy no vamos a la playa porque **está nublado***.*
Hoy **hace** *mucho* **sol***. ¿Vamos a pasear?*
En esta región nunca **hace calor***.*
En el sur no siempre **hace buen tiempo***.*

SER Y ESTAR

ser	estar
soy	estoy
eres	estás
es	está
somos	estamos
sois	estáis
son	están

Ser

Usamos este verbo:
- Para definir conceptos:
  Un móvil **es** *un aparato que sirve para comunicarse.*
- Para hablar de nacionalidad, origen, relaciones, profesión:
  Es *italiano,* **es** *de Roma.*
  Es *mi hermana.*
  Es *pintor.*
- Parar hablar de las características de algo o de alguien:
  Es *una casa muy grande.*
  Julio **es** *un hombre muy especial.*
- Parar decir la hora (solo se utiliza la 3.ª persona):
  Es *la una.*
  Son *las tres menos cuarto.*

Estar

Usamos este verbo:
- Para ubicar, localizar o señalar la posición:

*Antigua **está** en Guatemala.*

- Para expresar el estado civil:
*Juan **está** casado.*

- Para expresar el estado de ánimo:
***Estoy** muy bien, gracias.*

- Para hablar del tiempo:
*Hoy **está** nublado.*

PERÍFRASIS

Son construcciones con dos o más verbos (normalmente, un verbo principal y un auxiliar) que sirven para expresar aspectos que no pueden expresarse con una forma simple.

Hablar de posibilidades u opciones

- *Poder* + infinitivo:
***Puedes practicar** el fútbol en la playa.*

Expresar obligaciones

- *Tener* + *que* + infinitivo:
*Los concursantes no **tienen que** <u>hacer</u> una entrevista.*

Hablar de planes

- *Ir* + *a* + infinitivo:
*El sábado **voy a** <u>ir</u> a un concierto de rap.*

Expresar deseos o intenciones

- *Querer / Preferir / Tener ganas de* + infinitivo:
***Quiero** <u>comprar</u> regalos para los abuelos.*
***Preferimos** <u>descansar</u> primero.*
***Tengo ganas de** <u>correr</u> por el parque.*

Invitar

-*¿Quieres / Te apetece* + infinitivo?:
*¿**Quieres** <u>venir</u> el sábado de compras?*
*¿**Te apetece** <u>ir</u> al cine?*

EL PRETÉRITO PERFECTO

	Presente de haber	+ participio
(yo)	he	
(tú)	has	
(él, ella, usted)	ha	escuchado
(nosotros/-as)	hemos	+ comido
(vosotros/-as)	habéis	salido
(ellos, ellas, ustedes)	han	

El participio se forma sustituyendo las terminaciones del infinitivo (*-ar, -er, -ir*), *ar > ado* (*viajado*), *er / ir > ido* (*bebido / venido*).
Participios irregulares:

hacer: **hecho**	ver: **visto**	volver: **vuelto**
decir: **dicho**	escribir: **escrito**	descubrir: **descubierto**
abrir: **abierto**	poner: **puesto**	morir: **muerto**
romper: **roto**		

Usamos el pretérito perfecto:
- Para hablar de acciones y experiencias realizadas en el pasado y que están relacionadas con el momento en el que hablamos.
*Laura **se* ha enamorado** de Carlos Daniel.*

Los pronombres van antes del verbo **haber.*

Es habitual utilizar el pretérito perfecto junto a marcadores temporales que señalan un tiempo no terminado: *esta mañana, esta tarde, hoy, este fin de semana, estos días, esta semana, este mes, este año*, etc. *Hoy*, por ejemplo, señala un tiempo todavía presente. También *esta semana, esta mañana o este mes*…:
<u>Esta mañana</u> **he ido** a clase.
<u>Esta semana</u> **ha venido** Laura.

- Cuando hablamos de experiencias en el pasado, a lo largo de la vida, pero no decimos cuándo. Lo usamos con los siguientes marcadores de frecuencia: *muchas veces, varias veces, alguna vez, dos veces, una vez, nunca*.

*Xavi **ha estado** en México <u>muchas veces</u>.*

- ● *¿**Has estado** <u>alguna vez</u> en México?*
- ■ *No, <u>nunca</u> **he viajado** a América.*

- Cuando hablamos de nuestra vida en general:
***He estudiado** en España y en Inglaterra.*

LOS CONECTORES

Hay palabras (adverbios, preposiciones y conjunciones) que son invariables: no tienen género, número, tiempo o persona. Normalmente, sirven para enlazar palabras, frases o ideas y se usan para:

Añadir información

- *Y, también, además:*
- *Tiene el pelo corto **y** lleva un tatuaje.*
- *Yo tengo los ojos azules y mi hermana **también**.*
- *Hoy hace sol en el sur. **Además,** hace mucho calor.*

Indicar diferencia o alternativa

- *O:*
*O es español **o** es italiano.*
*Podemos comer gazpacho **o** tortilla.*

Contrastar o expresar oposición

- *Pero, aunque:*
*Juan Miguel es muy trabajador, **pero** un poco aburrido, ¿no?*
***Aunque** hace sol en Buenos aires ahora, esta tarde va a llover.*

Expresar condición

- *Si:*
***Si** quiero ir al cine, llamo a mis amigos.*

Expresar finalidad u opinión

- *Para:*
*Estudio español **para** viajar por Sudamérica.*
***Para** mí viajar es una aventura.*

Gramática

Expresar causa

- *Porque, por:*

   *Mi ciudad es interesante **porque** hay muchos museos.*
   *Viajo **por** placer, no **por** trabajo.*

Referirse a un lugar o ubicar

detrás de ≠ delante de
debajo de ≠ encima de
a la izquierda de ≠ a la derecha de
entre
en el centro de
lejos de ≠ cerca de
al norte / al sur / al este / al oeste de

*El gato está **debajo del** sofá.*
*El sombrero está **encima de** la mesa.*
*Guatemala y México están **lejos de** Europa.*
*Ciudad de Guatemala está **cerca del*** océano Pacífico.*
*Guatemala está **al** sur** de** México.*
*Guatemala está **al norte de** El Salvador.*

* de + el = del
** a + el = al

Secuenciar

- ***Primero..., Luego..., Después...:***

   ***Primero** me ducho, **luego** desayuno y **después** me lavo los dientes.*

Situar en el tiempo

- *A las..., Por la mañana / tarde..., Aproximadamente a las..., Sobre las..., Durante...:*

   *Me acuesto **a las** doce.*
   *Los sábados **por la mañana** juego al baloncesto.*
   *Todos los días entrenamos a las siete **aproximadamente**.*
   *Desayuno **sobre las** ocho de la mañana.*
   ***Durante** la semana me levanto pronto.*

Expresar frecuencia

+	*siempre*
	casi siempre
	normalmente, generalmente
	una vez, dos veces, tres veces, a veces
	casi nunca
−	*nunca*

*Yo **siempre** me levanto a las siete y media.*
***A veces** voy al instituto en bicicleta.*

Comparar

Más / Menos que
- con adjetivos:

   *Mar del Plata es **más** turística **que** Pinamar.*
   *Pinamar es una ciudad **menos** ruidosa **que** Mar del Plata.*

   - El comparativo de **bueno** es **mejor**:
   *Pinamar es **mejor que** Mar del Plata porque está más cerca de Buenos Aires.*

   - El comparativo de **malo** es **peor**:
   *Para ir a Pinamar es **peor** el transporte **que** para ir a Mar del Plata.*

- con adverbios:

   *Mar del Plata está **más** lejos de Buenos Aires **que** Pinamar.*
   *Pinamar está **más** cerca de Buenos Aires **que** Mar del Plata.*

- con sustantivos:

   *Pinamar tiene **menos** medios de transporte **que** Mar del Plata.*

Indicar igualdad
- *tan + adjetivo + como:*

   *En Mar del Plata la gastronomía es **tan** variada **como** en Pinamar.*

- *tanto / tanta / tantos / tantas + nombre + como:*

   *En Mar del Plata hay **tantos** sitios de interés **como** en Pinamar.*

- *el mismo / la misma / los mismos / las mismas + nombre (+ que):*

   *Mar del Plata y Pinamar tienen **el mismo** clima.*
   *Las dos ciudades ofrecen **los mismos** entretenimientos **que** otras ciudades turísticas.*

LA NEGACIÓN

- ***No** va siempre delante del verbo:*
   *Javier **no** es guapo y **no** habla mucho.*
- Cuando respondemos a una pregunta, podemos usar dos veces **no**:
   - *¿Es muy tímido?*
   - ***No, no** es tímido, es muy sociable.*

Léxico

0 ¡Hola!

Saludos
¡Hola!
¡Buenos días!
¡Buenas tardes!
¡Buenas noches!

Despedidas
¡Adiós!
¡Chau / Chao!
¡Hasta luego!
¡Hasta mañana!
¡Hasta pronto!

Instrucciones
comenta
escribe
escucha
habla
lee
mira
pregunta

Preguntas útiles para la clase
¿Cómo se dice *teacher*?
¿Cómo se escribe *aula* en español?
¿Puede(s) repetir, por favor?
¿Qué significa *bolígrafo*?

1 Identidad

Objetos de la clase
el bolígrafo
el cuaderno
la goma
el lápiz
el lápiz de color
el libro
el mapa
la mesa
la mochila
el ordenador
la pizarra
la puerta
el reloj
el rotulador
el sacapuntas
la silla

Países y nacionalidades
Alemania: alemán/-ana
Argentina: argentino/-a
Australia: australiano/-a
Bélgica: belga
Bolivia: boliviano/-a
Brasil: brasileño/-a
Chile: chileno/-a
China: chino/-a
Colombia: colombiano/-a
Cuba: cubano/-a
Dinamarca: danés/-esa
Ecuador: ecuatoriano/-a
El Salvador: salvadoreño/-a
Escocia: escocés/-esa
España: español(a)
Estados Unidos: estadounidense
Francia: francés/-esa
Gales: galés/-esa
Grecia: griego/-a
Guatemala: guatemalteco/-a
Holanda: holandés/-esa
Honduras: hondureño/-a
India: hindú
Inglaterra: inglés/-esa
Irlanda: irlandés/-esa
Italia: italiano/-a
Japón: japonés/-esa
Marruecos: marroquí
México: mexicano/-a
Nicaragua: nicaragüense
Panamá: panameño/-a
Paraguay: paraguayo/-a
Perú: peruano/-a
Polonia: polaco/-a
Puerto Rico: puertorriqueño/-a
Reino Unido: británico/-a
República Dominicana: dominicano/-a
Rusia: ruso/-a
Suecia: sueco/-a
Suiza: suizo/-a
Uruguay: uruguayo/-a
Venezuela: venezolano/-a

Los meses del año
enero
febrero
marzo
abril
mayo
junio
julio
agosto
septiembre
octubre
noviembre
diciembre

Deportistas
el/la atleta
el/la ciclista
el/la futbolista
el/la jugador(a) de baloncesto / rugby / fútbol
el/la nadador/-a
el/la tenista

2 Relaciones

Las relaciones familiares
el/la abuelo/-a
el/la esposo/-a
el/la hermanastro/-a
el/la hermano/-a
el/la hijo/-a
el/la hijo/-a único/-a
el/la hijo/-a adoptado/-a
la madrastra
la madre
el marido
la mujer
el/la nieto/-a
el padrastro
el padre
el/la primo/-a
el/la sobrino/-a
el/la tío/-a

Otras relaciones
el/la amigo/-a
el/la compañero/-a de clase
el/la compañero/-a de trabajo
el/la ex
el/la novio/-a
la pareja

Estado civil
casado/-a
divorciado/-a
soltero/-a

Descripción física
El pelo:
corto
largo
liso
rizado
castaño
negro
pelirrojo
rubio

Los ojos:
azules
castaños
grises
negros
verdes

El tamaño y la altura:
alto/-a
bajo/-a
delgado/-a
gordo/-a
fuerte
de estatura mediana

Léxico

La apariencia:
- la barba
- el bigote
- las gafas
- el pendiente
- la perilla
- el tatuaje
- atractivo/-a
- calvo/-a
- feo/-a
- guapo/-a

Adjetivos de carácter
- aburrido/-a
- antipático/-a
- buena persona
- desordenado/-a
- divertido/-a
- inteligente
- ordenado/-a
- romántico/-a
- simpático/-a
- trabajador(a)

3 Hábitat

Lugares públicos
- el aeropuerto
- el aparcamiento
- el bar
- la biblioteca
- la catedral
- el centro comercial
- el cine
- la discoteca
- la estación de autobuses
- la estación de trenes
- el hospital
- el hotel
- la iglesia
- el mercado
- el museo
- la oficina de turismo
- la parada de metro
- el parque
- el teatro
- la universidad

Describir una ciudad, un pueblo o un barrio
- antiguo/-a
- barato/-a
- bonito/-a
- caro/-a
- céntrico/-a
- divertido/-a
- feo/-a

- grande
- industrial
- interesante
- limpio/-a
- moderno/-a
- multiétnico/-a
- pequeño/-a
- popular
- ruidoso/-a
- seguro/-a
- sucio/-a
- tranquilo/-a
- turístico/-a

Los puntos cardinales
- Norte
- Sur
- Este
- Oeste
- Noreste
- Noroeste
- Sureste
- Suroeste

Partes de la casa
- el balcón
- la cocina
- el cuarto de baño
- el dormitorio
- el salón
- la terraza

Muebles y objetos de la casa
- la alfombra
- el armario
- la cama
- la chimenea
- la cocina
- el cojín
- la cómoda
- la cortina
- el cuadro
- el escritorio
- el espejo
- la estantería
- el jarrón
- la lámpara
- la lavadora
- la mesa
- la nevera
- la puerta
- la silla
- el sillón
- el sofá
- el televisor
- la ventana

4 Hábitos

Las horas
- en punto
- y cuarto
- y media
- menos cuarto

Rutina diaria
- acostarse
- cenar
- comer
- desayunar
- ducharse
- hacer los deberes
- ir al instituto
- jugar
- lavarse
- levantarse
- tener clase
- vestirse
- volver a casa

Los días de la semana
- el lunes
- el martes
- el miércoles
- el jueves
- el viernes
- el sábado
- el domingo
- el fin de semana

Asignaturas
- Arte
- Biología
- Ciencias
- Educación Cívica
- Educación Física
- Filosofía
- Física
- Geografía
- Historia
- Inglés
- Lengua y Literatura
- Matemáticas
- Música
- Química
- Teatro
- Tecnología

Verbos de movimiento, tiempo y duración
- abrir
- cerrar
- durar
- empezar
- entrar
- llegar
- salir
- terminar

5 Competición

Deportes
- el atletismo
- el ciclismo
- la equitación
- la escalada
- el esquí
- el fútbol
- el *jogging*
- el kayak
- la natación
- el piragüismo
- el submarinismo
- el tenis
- la vela
- el voleibol
- el *windsurf*

Verbos relacionados con deportes
- bucear
- correr
- entrenar
- escalar
- esquiar
- ir en | bicicleta
- | moto
- jugar
- montar a caballo
- nadar
- practicar
- remar

Instalaciones deportivas
- el campo de | fútbol
- | golf
- el polideportivo
- la cancha de | baloncesto
- | voleibol
- la piscina
- la pista de | tenis
- | esquí
- | atletismo

Tipos de deportes
- deportes | acuáticos
- | individuales
- | de aventura
- | de competición
- | de montaña
- | de equipo

Deportistas
- el/la atleta
- el/la ciclista
- el/la futbolista
- el/la jugador(a) de baloncesto
- el/la nadador(a)
- el/la tenista

Acontecimientos deportivos
- la ceremonia de inauguración
- la delegación
- el/la espectador(a)
- el estadio
- los Juegos Olímpicos
- la medalla de | oro
- | plata
- | bronce
- el récord

La competición
- competir
- concursar
- empatar
- ganar
- participar
- perder
- preguntar
- responder

6 Nutrición

Gastronomía mundial
- el asado
- el bacalao al pil-pil
- el burrito
- el ceviche
- el cocido
- el congrí
- la crema catalana
- el cuscús
- la enchilada
- la ensaimada
- la fabada
- el gazpacho
- la paella
- las papas arrugadas
- el pescado frito
- el *sushi*
- el tamal
- la tarta de Santiago
- la tortilla

Comidas y bebidas
- el agua
- el arroz
- la carne
- los cereales
- el embutido
- la fruta
- los frutos secos
- el helado
- los huevos
- la leche
- las legumbres
- el pan
- la pasta
- el pastel
- las patatas
- el pescado
- la verdura
- el zumo

Las comidas del día
- el desayuno
- el almuerzo
- la comida
- la merienda
- la cena
- desayunar
- almorzar
- comer
- merendar
- cenar

Medidas y cantidades
- el litro
- el kilo
- el medio kilo
- el cuarto de kilo
- el gramo
- la cucharada
- el diente (de ajo)
- el paquete
- el trozo
- el vaso

Cocinar
- añadir
- batir
- cortar
- echar
- freír
- lavar
- meter
- mezclar
- pelar
- picar

Formas de cocinar
- crudo/-a
- frito/-a
- hervido/-a
- al horno
- a la parrilla
- a la plancha
- al vapor

Léxico

Postres

- el arroz con leche
- el flan
- los frutos secos
- el helado
- la macedonia (de frutas)
- el pastel
- el queso
- el yogur

7 Diversión

Actividades de ocio

- bailar
- descansar
- dormir
- esquiar
- hacer deporte
- hacer una fiesta
- ir | a la playa
     | a un concierto
     | al cine
     | de compras
     | de excursión
- jugar | a las cartas
        | al fútbol
- salir con amigos
- ver la tele
- visitar | una exposición
          | un museo

El cine

- el actor
- la actriz
- el argumento
- el cortometraje
- el/la director(a)
- el documental | de viajes
                | de naturaleza
                | cultural
- el largometraje
- la reseña
- la película | de acción
              | de ciencia ficción
              | de humor
              | de suspense
              | de terror
              | dramática
              | histórica
              | romántica

8 Clima

El tiempo

- está nublado
- hace | buen tiempo
       | calor
       | frío
       | mal tiempo
       | sol
       | viento
- hay | niebla
      | tormenta
      | viento
- llueve
- nieva

Las estaciones

- la primavera
- el verano
- el otoño
- el invierno

Estados de ánimo

- estar alegre / triste
- estar motivado/-a / desmotivado/-a
- estar / sentirse deprimido/-a
- sentirse guapo/-a

Tipos de clima

- el clima | árido
           | cálido
           | frío
           | húmedo
           | seco
           | tropical

Colores

- amarillo/-a
- azul
- beis
- blanco/-a
- caqui
- granate
- gris
- marrón
- naranja
- negro/-a
- rojo/-a
- rosa
- salmón
- verde
- violeta
- (verde) claro/-a
- (verde) oscuro/-a

9 Viajes

Tipos de vacaciones

- vacaciones | culturales
             | de aventura
             | de playa
             | de salud
             | deportivas
             | escolares
             | familiares

Geografía y accidentes geográficos

- el bosque
- la catarata
- el desierto
- el iceberg
- la isla
- el lago
- la montaña
- la península
- la playa
- el río
- el valle
- el volcán

Medios de transporte

- el autobús
- el avión
- la bicicleta
- el coche
- el barco
- la moto
- el tren

Actividades relacionadas con los viajes

- hablar idiomas
- hacer un crucero
- hacer una maleta
- imprimir una tarjeta de embarque
- interpretar un mapa
- ir de *camping*
- orientarse en un lugar desconocido

Números ordinales

- primero/-a
- segundo/-a
- tercero/-a
- cuarto/-a
- quinto/-a
- sexto/-a
- séptimo/-a
- octavo/-a
- noveno/-a
- décimo/-a

Adjetivos de carácter

- abierto/-a
- aventurero/-a
- conformista
- flexible
- independiente
- interesante
- irresponsable
- reservado/-a
- responsable
- sensible
- sociable
- solitario/-a
- tradicional
- valiente

Alojamientos

- el albergue
- el apartamento
- el *camping*
- el hostal
- el hotel
- la pensión

Diverso 1

Cuaderno
de ejercicios

La clase

1 **Relaciona los objetos con las palabras.**

a bolígrafo ☐   f libros ☐
b reloj ☐   g sacapuntas ☐
c mochila ☐   h cuadernos ☐
d pizarra ☐   i ordenador ☐
e goma ☐   j rotuladores ☐

2 **Escribe el artículo *el, la, los, las* correspondiente.**

1 _____ bolígrafo
2 _____ reloj
3 _____ mochila
4 _____ pizarra
5 _____ goma
6 _____ libros
7 _____ sacapuntas
8 _____ cuadernos
9 _____ ordenador
10 _____ rotuladores

3 **54** **Escribe el nombre de los objetos que escuchas.**

1 _____   4 _____
2 _____   5 _____
3 _____   6 _____

4 **¿Singular o plural? Transforma los objetos del ejercicio anterior en singular o plural según corresponda.**

1 *cuadernos – cuaderno*   4 _____
2 _____   5 _____
3 _____   6 _____

5 **Completa la tabla.**

PRONOMBRES	ser	llamarse
	soy	
tú		te llamas
	es	
nosotros/-as		
		os llamáis
	son	

6 **Completa con *ser* y *llamarse* en su forma adecuada. Hay más de una opción.**

1 *Es* inglés y vive en Manchester.
2 Hola, yo _____ Maarten y _____ holandés.
3 ● ¿_____ francés?
   ■ ¿Yo? Sí, de París.
4 Yo _____ Denise, _____ italiana y ahora vivo en Barcelona.
5 Mi padre y yo _____ Pedro.
6 ● ¿Ella _____ Ana?
   ■ No, _____ Silvia.
7 ● ¿Vives en Polonia?
   ■ No, _____ polaco y ahora vivo en Alemania.
8 Nosotras _____ Alejandra y Carmen y _____ estudiantes de Medicina.

7 **Lee las frases. Escribe si es saludo (S) o despedida (D).**

1 Hola, ¿cómo estás?   *S*
2 ¡Hasta pronto!   _____
3 Adiós, ¡buenas noches!   _____
4 Buenos días, ¿qué tal?   _____
5 Hola, ¿cómo te llamas?   _____
6 ¡Hasta luego!   _____
7 ¡Adiós!   _____
8 Hola, soy Ana. Y tú, ¿cómo te llamas?   _____
9 ¡Hasta mañana!   _____

8 Escribe las preguntas.

1 _____

José Luis.

2 _____

Muy bien, gracias.

3 _____

Soy francés.

4 _____

Sí, me llamo Carmen.

5 _____

Regular, ¿y tú?

9 (55) **¿*Tú* o *usted*? Mira las fotos. Escucha el programa de radio y completa los diálogos.**

1

● ¿Hola?

■ ¡Buenos días! ¿(1) _____ usted Aurelio Montes?

● Sí, (2) _____ yo.

■ ¡Feliz cumpleaños, señor Montes!

● Muchas gracias.

■ Señor Montes, ¿de dónde (3) _____ usted?

● (4) _____ argentino, de Buenos Aires.

■ ¿Y cuántos años cumple hoy?

● ¡Muchos, señorita, muchos! ¡Ochenta y cinco!

■ ¿Ochenta y cinco?

● Exacto.

■ ¡Muchas felicidades!

2

● ¿Diga?

■ ¡Feliz cumpleaños!

● Muchas gracias.

■ ¿(5) _____ María?

● Sí, (6) _____ María.

■ María, ¿de dónde (7) _____?

● (8) _____ española, de Toledo.

■ ¿Y cuántos años cumples hoy?

● Quince.

■ ¡Muchas felicidades!

● ¡Muchas gracias!

11 Lee los datos de cada foto y escribe la nacionalidad.

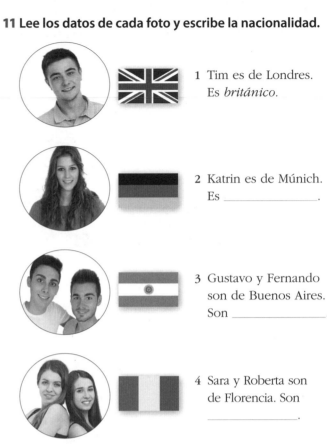

1 Tim es de Londres. Es *británico*.

2 Katrin es de Múnich. Es _____.

3 Gustavo y Fernando son de Buenos Aires. Son _____.

4 Sara y Roberta son de Florencia. Son _____.

5 Marcelo es de Santiago de Chile. Es _____.

6 Tom, Mary y Jennifer son de San Francisco. Son _____.

7 Vincent y Pierre son de París. Son _____.

10 Completa la tabla con las nacionalidades.

PAÍS	MASCULINO SINGULAR	FEMENINO SINGULAR	MASCULINO PLURAL	FEMENINO PLURAL
España				
Francia				
China				
Marruecos				
Bélgica				
Colombia				

Datos personales

12 ¿Cuáles son los pronombres personales que faltan?

Yo ● Tú ● Usted ● Él ● Ella ● Nosotros ● Vosotros ● Ellos

1 _____ se llama Laura.
2 _____ somos amigos.
3 _____ tienen 16 años.
4 _____ sois alemanes.
5 _____ eres argentino.
6 _____ tiene 80 años.
7 _____ soy inglés.
8 _____ habla portugués, es brasileño.

13 Completa con tus datos personales.

14 Escribe un breve texto con tus datos personales.

Me llamo Marie Delorme…

_____
_____
_____
_____

15 Completa la tabla.

	tener
yo	
tú	tienes
él, ella, usted	
nosotros/-as	
vosotros/-as	
ellos, ellas, ustedes	

16 Escribe las fechas según el modelo.

a (12-02) = doce de febrero
b (05-03) = _____
c (_-_) = treinta y uno de marzo
d (10-09) = _____
e (_-_) = veinticinco de noviembre
f (23-04) = _____
g (14-01) = _____
h (_-_) = dieciséis de octubre
i (_-_) = veinte de mayo
j (06-06) = _____
k (13-07) = _____
l (_-_) = dieciocho de agosto

17 Contesta a las preguntas.

1 ¿Cuándo es el cumpleaños de tu mejor amigo?
_____

2 ¿Cuál es tu mes favorito?
_____

3 ¿Cuándo es Navidad?
_____

4 ¿Cuándo es Año Nuevo?
_____

5 ¿Cuándo son tus vacaciones?
_____

6 ¿Qué día es hoy?
_____

7 ¿Qué día es mañana?
_____

8 ¿Cuál es tu día favorito?
_____

18 Completa y contesta a las preguntas.

1 ¿_____ años tienes?
_____

2 ¿_____ es tu cumpleaños?
_____

3 ¿_____ te llamas?
_____

4 ¿_____ es tu primer apellido?
_____

5 ¿_____ es tu segundo apellido?
_____

6 ¿_____ eres?
_____

7 ¿_____ es tu dirección de correo electrónico?
_____

19 Completa las frases con los siguientes posesivos.

mis ● tu ● su ● mi ● tus ● sus

1 ● Te llamas Antonio?
   ■ Sí.
   ● ¿Antonio Castro?
   ■ Sí, Castro es _____ primer apellido.
2 ● Me llamo María y _____ apellidos son Martínez García.
   ■ ¡ _____ apellidos son muy españoles!
   ● Sí, pero yo soy argentina.
3 ● Sara, ¿_____ madre se llama Rosa?
   ■ Sí, se llama Rosa María.
   ● ¿Y cuándo es _____ cumpleaños?
   ■ El 5 de enero.
4 ● ¿Ellos son amigos de Juan?
   ■ Sí, son _____ amigos.

20 Mira la clasificación de la liga de fútbol española. Escribe los números con letras.

Equipo			Pt
1		Barcelona	90
2		Real Madrid	87
3		Atlético	87
4		Athletic	70
5		Sevilla	63
6		Villarreal ▲1	59
7		Real Sociedad ▼1	59
8		Valencia ▲2	49
9		Celta ▼1	49
10		Levante ▼1	48

1 Barcelona: *noventa* puntos.
2 Real Madrid: _____ puntos.
3 Atlético: _____ puntos.
4 Athetic: _____ puntos.
5 Sevilla: _____ puntos.
6 Villarreal: _____ puntos.
7 Real Sociedad: _____ puntos.
8 Valencia: _____ puntos.
9 Celta: _____ puntos.
10 Levante: _____ puntos.

21 (56) Escucha los números y escríbelos.

a *72*   e _____
b _____   f _____
c _____   g _____
d _____   h _____

22 Lee la ficha de este piloto de motos chileno. Luego escribe un texto con sus datos personales.

Nombres: Francisco José

Apellidos: López Contardo

Apodo: *Chaleco*

Nacionalidad: chileno

Cumpleaños: 15 de septiembre

Carrera favorita: Rally Dakar

Equipo actual: KTM

Se llama Francisco…

_____
_____
_____
_____
_____
_____
_____

Presentaciones

23 Completa la tabla con los verbos conjugados.

PRONOMBRES	hablar	comprender	vivir
yo		comprendo	
tú	hablas		
él, ella, usted			vive
nosotros/-as		comprendemos	
vosotros/-as			vivís
ellos/-as, ustedes	hablan		

24 (57) Escucha las preguntas y marca la entonación. Fíjate en el ejemplo.

¿Cómo te llamas?   *¿Eres español?*

1 ¿De dónde eres?

2 ¿Vives en Londres?

3 ¿Cuál es tu apellido?

4 ¿Hablas chino?

5 ¿Dónde vives?

6 ¿Qué idiomas hablas?

7 ¿Cuándo es tu cumpleaños?

8 ¿Cuántos años tienes?

9 ¿Eres estudiante de Medicina?

10 ¿Tienes 20 años?

25 Completa con *y* o *e*.

1 Hablo español ____ inglés.

2 Mi primo estudia francés ____ ruso.

3 Soy brasileño ____ italiano.

4 Estudiamos portugués ____ chino.

5 ¿Hablas holandés ____ alemán?

6 Estudio árabe ____ español.

26 Lee el texto sobre Isabel Allende, la famosa escritora chilena. Completa con los verbos correspondientes.

ISABEL ALLENDE LLONA (1) _____ (ser) una escritora chilena. (2) _____ (ser) miembro de la Academia Estadounidense de las Artes y las Letras. (3) _____ (tener) doble naciona-lidad, chilena y estadounidense. (4) _____ (vivir) en Estados Unidos y (5) _____ (tener) un hijo: (6) _____ (llamarse) Nico-lás. Su cumpleaños (7) _____ (ser) el 2 de agosto. (8) _____ (hablar) muchos idiomas. Su libro más importante (9) _____ (ser) *La casa de los espíritus.*

27 Escribe en tu cuaderno un texto similar sobre un personaje famoso de tu país.

28 Revisa el vocabulario de la unidad. Escribe cuatro palabras en cada grupo. Tienes la primera letra.

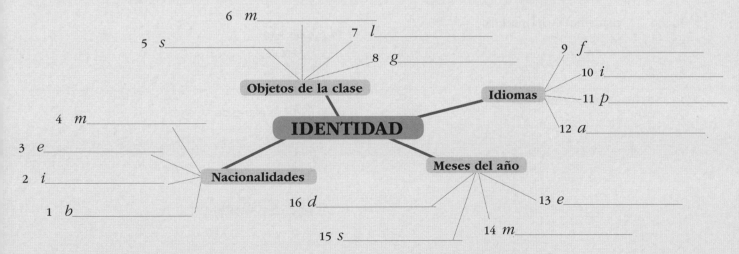

6 *m*_____

5 *s*_____

7 *l*_____

8 *g*_____

9 *f*_____

10 *i*_____

11 *p*_____

12 *a*_____

Objetos de la clase

Idiomas

IDENTIDAD

4 *m*_____

3 *e*_____

2 *i*_____

1 *b*_____

Nacionalidades

Meses del año

16 *d*_____

15 *s*_____

14 *m*_____

13 *e*_____

Lengua y comunicación

Marca la respuesta correcta.

1 Se ____ Felisa.
a) ☐ llamo
b) ☐ llamamos
c) ☐ llama

2 ¿Tienes tú ____ sacapuntas?
a) ☐ el
b) ☐ la
c) ☐ las

3 Su cumpleaños ____ el 20 de mayo.
a) ☐ son
b) ☐ es
c) ☐ eres

4 Mario y Gemma ____ en Madrid.
a) ☐ viven
b) ☐ vivís
c) ☐ vive

5 No ____ alemán, hablo alemán.
a) ☐ estudian
b) ☐ estudias
c) ☐ estudio

6 Elisa ____ muy bien.
a) ☐ están
b) ☐ está
c) ☐ estoy

7 Mario y Carlota ____ 20 años.
a) ☐ tienen
b) ☐ tiene
c) ☐ tenéis

8 Me llamo Marcelo, mi ____ es *El Tano*.
a) ☐ nombre
b) ☐ apellido
c) ☐ apodo

9 Tengo ____ cuadernos en mi mochila.
a) ☐ los
b) ☐ las
c) ☐ el

10 ¿____ es tu número de teléfono?
a) ☐ Cuál
b) ☐ Dónde
c) ☐ Cuáles

11 ____ primer apellido es Cabrera.
a) ☐ Sus
b) ☐ Mis
c) ☐ Mi

12 Clara y Martina ____ español y portugués.
a) ☐ habláis
b) ☐ hablan
c) ☐ habla

13 John y Mary son ____.
a) ☐ inglés
b) ☐ ingleses
c) ☐ inglesa

14 ¡____! ¡Hasta mañana!
a) ☐ Hola
b) ☐ Adiós
c) ☐ Qué tal

15 Mi amigo es ____.
a) ☐ francesa
b) ☐ francés
c) ☐ franceses

16 ¿____ años tienes?
a) ☐ Cuántos
b) ☐ Cuándo
c) ☐ Cuál

17 ¿Vosotros ____ alemán?
a) ☐ hablan
b) ☐ habla
c) ☐ habláis

18 Señor Suárez, ¿____ segundo apellido es Pereira?
a) ☐ su
b) ☐ sus
c) ☐ tu

19 ¿Cómo está ____?
a) ☐ usted
b) ☐ tú
c) ☐ nosotros

20 El 03/06 es el tres de ____.
a) ☐ mayo
b) ☐ junio
c) ☐ julio

Total: _____ / 10 puntos

Destrezas

 1. COMPRENSIÓN ESCRITA

1 Este es el perfil de Facebook de Fernando. Mira las imágenes y el texto. Contesta a las preguntas.

1 ¿Cuál es el segundo nombre de Fernando? _____
2 ¿De dónde es? _____
3 ¿Dónde vive? _____
4 ¿Es estudiante? _____
5 ¿Cuántos años tiene? _____

Fernando Luis Escudero Rojas

Profesión: profesor de Lenguas Modernas

Vive en **España**

De **Chile**

Cumpleaños: 10 de septiembre de 1989

Amigos   Fotos   Mapas   Me gusta (232)

Total: _____ / 10 puntos

2. PRODUCCIÓN ESCRITA

(Mínimo, 50 palabras)

Quieres hacer un intercambio en un bar de idiomas. Escribe un <u>mensaje</u> con tus datos personales en la página web.

Incluye:

- tu nombre y apellido
- tu edad
- dónde vives
- idiomas que hablas o comprendes

▶ EVALUACIÓN DE TU PRODUCCIÓN ESCRITA

- **Lengua** (___ / 4 puntos)
- Léxico: datos personales
- Gramática: verbos *ser / llamarse / tener / hablar / comprender / vivir*

- **Contenido** (___ / 4 puntos)
- Tu nombre y apellido
- Tu edad
- Dónde vives
- Idiomas que hablas o comprendes

- **Formato: mensaje en una página web** (___ / 2 puntos)
- ¿Hay saludo?
- ¿Hay despedida?

Total: _____ / 10 puntos

 ## 3. PRODUCCIÓN Y COMPRENSIÓN ORAL (interacción)

(Mínimo, un minuto cada uno)

Con un compañero, prepara un diálogo para intercambiar información personal.

Incluye:

- saludos, nombre y apellidos
- nacionalidad
- número de teléfono
- lenguas que conoces

▶ EVALUACIÓN DE TU PRODUCCIÓN ORAL Y DE LA COMPRENSIÓN ORAL DE TU COMPAÑERO

- **Lengua** (___ / 4 puntos)
- Léxico: datos personales y números
- Gramática: pronombres interrogativos y verbos en presente

- **Contenido** (___ / 4 puntos)
- Saludos, nombre y apellidos
- Nacionalidad
- Número de teléfono
- Lenguas que conoces

- **Expresión** (___ / 2 puntos)
- Hablas con fluidez
- Hablas con una buena pronunciación y entonación

- **Interacción** (___ / 10 puntos)
- Comprendes lo que dice tu compañero
- Respondes de forma coherente a lo que dice tu compañero

Total: _____ / 20 puntos

Total: _____ / 50 puntos

Mi progreso

Valora tu progreso después de esta unidad.

Mis habilidades	
- Comprender y hablar sobre información personal	
- Interpretar y escribir mensajes en redes sociales	

Mis conocimientos	
- Léxico de los objetos de la clase, las nacionalidades, los meses del año y los números (hasta el 100)	
- Información personal y presentaciones	
- Género y número de los sustantivos	
- Verbos *ser, llamarse* y *tener*, los posesivos, los verbos regulares del presente y los pronombres interrogativos	
- Información sobre Chile y personas famosas	

Soy más consciente	
- De mi clase y mi información personal	
- De mi propia identidad	
- De mi propia cultura	

 Bien   Adecuado   Mal

2 Relaciones

Mi familia y mis amigos

1 Mira el árbol genealógico de Mario y escribe qué relación tiene cada uno con él.

Roberto _____ Nélida

Juan Carlos _____ Tamara Pedro María _____

Cristina _____ **MARIO** _____ Diego Lucía _____

2 Completa la tabla con las relaciones familiares.

SINGULAR		PLURAL	
masculino	femenino	masculino	femenino
abuelo	abuela	abuelos	abuelas
hijo			hijas
		hermanos	
	tía		
		padres	
hermanastro			hermanastras
	prima		

3 ¿Cómo se dice en tu idioma? Escríbelo.

1 mis padres (padre + madre): _____
2 dos padres (padre + padre): _____
3 tu abuela: _____
4 nuestros abuelos (abuelo + abuela): _____
5 la nieta: _____
6 los hermanos (hermano + hermana): _____
7 la mujer: _____
8 el marido: _____

4 Completa las frases con los siguientes posesivos.

vuestra ● su ● nuestra ● sus ● nuestros ● vuestros

1 No tenemos primos, _____ tíos no tienen hijos.
2 Él vive en Madrid y _____ padres viven en Quito.
3 Ellos tienen una tía: _____ tía se llama Carla.
4 Ana, Juan, ¿_____ madre es ecuatoriana?
5 _____ madre no vive con nosotros.
6 Primos, ¿dónde están _____ padres?

5 Completa las frases.

1 Los padres de mi padre son *mis abuelos*.
2 La hija de mi tía es _____.
3 Los hermanos de vuestra madre son _____.
4 Los primos de mis hermanas son _____ también.
5 El hijo de mi tía es _____.
6 El hermano de vuestro padre es _____.
7 La hija de mi hijo es _____.
8 Los hijos de vuestros tíos son _____.

6 Escribe la pregunta.

1 _____
  ¿Mis abuelos? Ah..., se llaman Carlos y Tita.

2 _____
  Sí, nuestras tías son de Argentina.

3 _____
  No, mi instituto no se llama San Francisco de Quito.

4 _____
  ¿Sus tíos? Son ecuatorianos.

5 _____
  Mi familia vive en Guayaquil.

6 _____
  Nuestro perro se llama Cocó.

7 _____
  No, mis primos son peruanos.

8 _____
  Mi padre se llama Osvaldo.

7 Completa la tabla con los demostrativos.

SINGULAR		PLURAL	
masculino	femenino	masculino	femenino
	esta		estas
	esa	esos	
aquel			aquellas

8 Mira los dibujos y escribe el pronombre demostrativo correspondiente.

❶ _____ son mis tíos Rubén y Lola.

❹ _____ son mis compañeras de clase.

❷ _____ es mi padre.

❸ _____ son nuestros abuelos, Andrés y Judith.

❺ _____ es mi amiga Saray.

❻ _____ es mi hermano Javier.

9 Completa las oraciones con las siguientes palabras.

novia ● soltera ● compañera ● único
divorciado ● marido ● adoptada ● ex

1 No tengo hermanos, soy hijo _____.
2 Estoy _____, no estoy casada.
3 No es mi novio, Martín es mi _____.
4 No estoy casado ahora, estoy _____.
5 No son mis padres biológicos, soy _____.
6 No es mi amiga, ¡ahora es mi _____!
7 Estoy casado con él, es mi _____.
8 Sandra es una _____ de clase.

10 (58) María Isabel es ecuatoriana y habla de su familia con su amiga española Lola. Escucha y lee la conversación. Después, describe una familia típica de tu país y coméntalo con tu compañero.

LOLA: ¿Es grande tu familia, María Isabel?

MARÍA ISABEL: ¡Muy grande! Somos seis hermanos: dos hermanas y cuatro hermanos.

LOLA: ¡Seis hermanos!

MARÍA ISABEL: ¡Sí! ¿Y sabes cuántos primos tengo?

LOLA: ¿Cuántos?

MARÍA ISABEL: Veinticuatro por parte de madre y quince por parte de padre.

LOLA: ¡Tienes una familia muy grande!

Aspecto físico

11 Completa con todas las opciones posibles que conoces para describir a una persona.

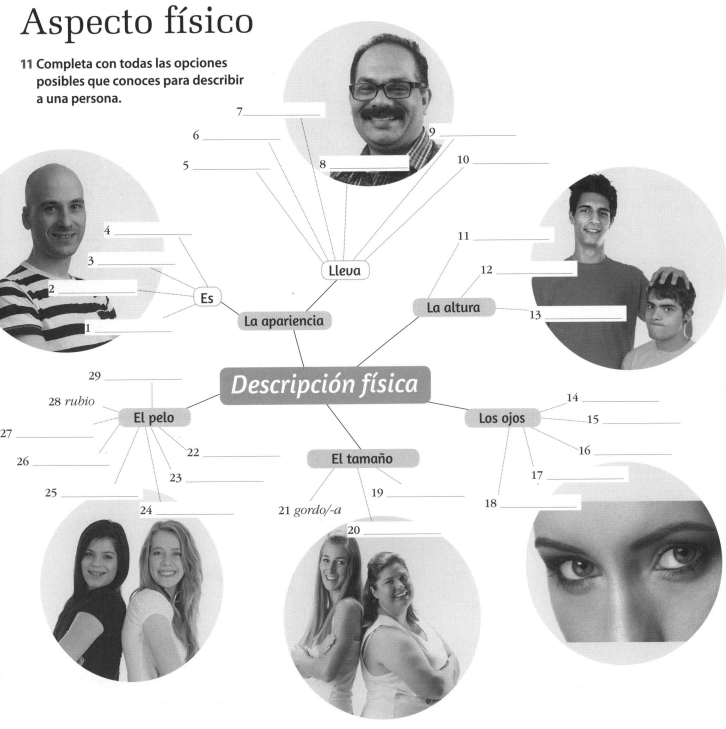

7 _____

6 _____

5 _____

9 _____

8 _____

10 _____

4 _____

3 _____

11 _____

2 _____

12 _____

1 _____

Lleva

Es

La apariencia

La altura

13 _____

Descripción física

29 _____

28 *rubio*

El pelo

Los ojos

14 _____

15 _____

27 _____

16 _____

26 _____

22 _____

El tamaño

17 _____

23 _____

19 _____

18 _____

25 _____

24 _____

21 *gordo/-a*

20 _____

12 (59) **Arturo Villavicencio es un investigador medioambiental, premio Nobel de la Paz 2007. Completa la descripción con los verbos correspondientes. Después, escucha y comprueba.**

(1) _____ Arturo Villavicencio. (2) _____ de Ecuador. (3) _____ en Quito. (4) _____ de estatura mediana. (5) _____ los ojos castaños y el pelo gris. (6) _____ gafas. (7) _____ una persona famosa en Ecuador.

13 Escribe los contrarios.

1 Es moreno/-a ≠ *rubio/-a*
2 Es delgado/-a ≠ _____
3 Es alto/-a ≠ _____
4 Es guapo/-a ≠ _____
5 Tiene el pelo corto ≠ _____
6 Tiene el pelo liso ≠ _____

14 Martha Fierro es una maestra internacional de ajedrez. Lee el texto y coloca los siguientes subtítulos.

Carácter ● Datos personales ● Carrera ● Aspecto físico

MARTHA FIERRO
Una ajedrecista ecuatoriana internacional

(1) _____

Martha Fierro es una ecuatoriana que ahora vive en Estados Unidos. Habla español e inglés. Es ajedrecista y es famosa en todo el mundo.

(2) _____

Es bastante alta y delgada. Tiene el pelo largo y liso y los ojos oscuros. Es muy guapa.

(3) _____

Es muy trabajadora e inteligente. Es sociable y también divertida.

(4) _____

Tiene muchas medallas y campeonatos internacionales y es la mejor ajedrecista de Ecuador.

15 Completa las oraciones. Elige la palabra correcta.

1 Mis padres son *guapas / altas / delgados*.
2 Es una señora *alto / alta / guapo*.
3 Tiene el pelo *largo / lisos / rizados*.
4 Es un chico *alta / atractivos / bajo*.
5 Lleva barba *largo / corta / delgada*.
6 Tiene los ojos *azul / verdes / gris*.

16 ¿Cómo son? Completa el cuadro.

Tu padre / madre	*Es alto/-a. Tiene los ojos…*
Tu mejor amigo/-a	
Tu profesor(a) de español	
Tu primo/-a	
Tu compañero/-a de clase	

17 Eleonora y Laura hablan de sus nuevos amigos por Facebook. Lee las descripciones y mira las fotos. Después, identifica los errores y corrígelos.

f Laura Morán

Laura Morán Hola, Eleonora ¿¿¿Qué tal con Luis???
El 15 de abril a las 13:22 • Me gusta • Comentar • Eliminar

Eleonora Vallejo ¡Hola, guapa! ¡Muy bien con Luis! ¡Es muy guapo! Es moreno y tiene el pelo muy largo y rizado. Lleva gafas y un *piercing* en la boca ¡Mira la foto! ¿¿¿Y cómo es Juan?????

Laura Morán ¡Muy guapo! Tiene el pelo largo y rubio. Es un poco gordo. No lleva gafas ni tatuajes. ¡Mira la foto!

LUIS _____
_____
_____

JUAN _____
_____
_____

Carácter

18 Escribe los contrarios de estos adjetivos.

1 ● Tú eres un poco vago.
  ■ No, yo no soy vago, soy muy _____ .

2 ● Tu tía es bastante ordenada.
  ■ ¿Mi tía ordenada? No, mi tía es muy _____ .

3 ● Fabián es un poco tímido.
  ■ No, Fabián no es tímido, es muy _____ con sus amigos.

4 ● Mis amigos Leo y José son muy divertidos.
  ■ ¿Tus amigos? No, no son divertidos, son un poco _____ .

5 ● ¡Qué guapa es Carmen!
  ■ ¿Guapa? Para mí es un poco _____ .

6 ● Mi ex es muy antipático.
  ■ ¿Jorge? No, no ¡Jorge es muy _____ !

19 Describe en seis frases la personalidad de algunos miembros de tu familia y de tus conocidos. Utiliza *bastante, un poco, muy*.

Mi compañero de clase es muy inteligente…

_____
_____
_____
_____
_____
_____
_____
_____

20 🔊(60) Santiago habla por teléfono con su amigo Alejandro sobre su nueva amiga Sofía. Escucha la conversación y marca qué frases son verdaderas.

1 ¡Es muy guapa! ☐
2 Tiene el pelo largo y rizado. ☐
3 Tiene los ojos verdes. ☐
4 Es baja. ☐
5 Lleva gafas. ☐
6 Lleva un tatuaje. ☐
7 Es bastante vaga en el instituto, pero muy inteligente. ☐
8 No es tímida. ☐
9 No es sociable, es un poco aburrida. ☐
10 Es una chica muy guay. ☐

21 🔊(60) Escucha nuevamente la conversación y dibuja en tu cuaderno a Sofía.

22 Escribe las siguientes frases en negativo como en el ejemplo.

1 Tatiana es rubia (morena).
Tatiana no es rubia, es morena.

2 Este es mi hermano (padre).
_____

3 Iker lleva barba (bigote).
_____

4 Mi madre tiene el pelo rizado (liso).
_____

5 La clase es aburrida (divertida).
_____

6 Mi profesor es desordenado (ordenado).
_____

23 Mira las tres fotografías y elige una. Describe a esa persona. Incluye:

- Datos personales
- Aspecto físico
- Carácter

_____
_____
_____
_____
_____
_____

Lengua y comunicación

Marca la respuesta correcta.

1 María tiene dos ____. Son hijos de su padre y su nueva mujer.
a) ☐ hermanos
b) ☐ hermanastros
c) ☐ primos

2 Mi ____ Agustín es el hijo de mi tío Felipe.
a) ☐ primo
b) ☐ hermano
c) ☐ tía

3 ____ se llaman Federico y María.
a) ☐ Mis hermanas
b) ☐ Mis hermanos
c) ☐ Mi hermano

4 ____ perros son muy divertidos. Se llaman Pepa y Paco.
a) ☐ Nuestro
b) ☐ Nuestra
c) ☐ Nuestros

5 Tengo un hermano. ____ hermano se llama Vicente.
a) ☐ Mi
b) ☐ Tu
c) ☐ Su

6 Alfredo ____ los ojos verdes.
a) ☐ tiene
b) ☐ tenemos
c) ☐ tienes

7 Mi amiga y yo ____ gafas de sol.
a) ☐ llevamos
b) ☐ lleva
c) ☐ llevan

8 Mi hermano y yo no tenemos el pelo ____.
a) ☐ alto
b) ☐ calvo
c) ☐ liso

9 Nosotros no ____ muy altos.
a) ☐ sois
b) ☐ son
c) ☐ somos

10 Es una señora muy ____.
a) ☐ trabajadora
b) ☐ trabajador
c) ☐ trabajadoras

11 Mis abuelos son muy ____.
a) ☐ simpático
b) ☐ simpáticos
c) ☐ simpáticas

12 Mi hermano es inteligente ____ muy trabajador.
a) ☐ y
b) ☐ un poco
c) ☐ pero

13 Es muy simpática, ____ un poco desordenada.
a) ☐ e
b) ☐ o
c) ☐ pero

14 ¿Cómo es Sofía? ¿Es alta ____ baja?
a) ☐ y
b) ☐ o
c) ☐ pero

15 Mis compañeros de clase ____ muy sociables.
a) ☐ son
b) ☐ sois
c) ☐ es

16 ¿____ es tu amigo?
a) ☐ Cuándo
b) ☐ Dónde
c) ☐ Cómo

17 No, Marisa no está casada. Está ____.
a) ☐ casado
b) ☐ soltera
c) ☐ compañera

18 Timoteo es hijo ____. No tiene hermanos.
a) ☐ único
b) ☐ únicos
c) ☐ única

19 Mariana y Fernando ____ casados.
a) ☐ estáis
b) ☐ están
c) ☐ somos

20 ____ es Alejandra, mi madre.
a) ☐ Esta
b) ☐ Este
c) ☐ Esto

Total: _____ / 10 puntos

Destrezas

 1. COMPRENSIÓN ESCRITA

1 **Mira el nombre de la página web, ¿de dónde es? Elige la opción correcta.** (___ / 1 punto)

De Ecuador ☐   De España ☐   De Chile ☐

2 **Mira el eslogan (debajo del nombre de la página). ¿Qué indica que la página web es famosa a escala internacional?** (___ / 1 punto)

_____

3 **Lee el apartado CINE / FICCIÓN. ¿Qué características físicas tienen que tener los actores, las actrices y los modelos? Completa la tabla.** (___ / 3 puntos)

Características físicas
Actores
Actrices
Modelos

4 **Lee el apartado MODA / BELLEZA. La palabra _modelos_, ¿a quién se refiere? Marca con una cruz (X) la opción correcta.** (___ / 1 punto)

chicos ☐   chicas ☐   ambos sexos ☐

5 **Lee el apartado TELEVISIÓN / RADIO. Busca el contrario.** (___ / 2 puntos)

1 bajos ≠ _____   3 pelo liso ≠ _____

2 gordos ≠ _____   4 pelo largo ≠ _____

6 **Lee el apartado OTROS. ¿Qué significa la palabra _tatuajes_? Elige la fotografía correcta.** (___ / 2 puntos)

 1 ☐    2 ☐    3 ☐

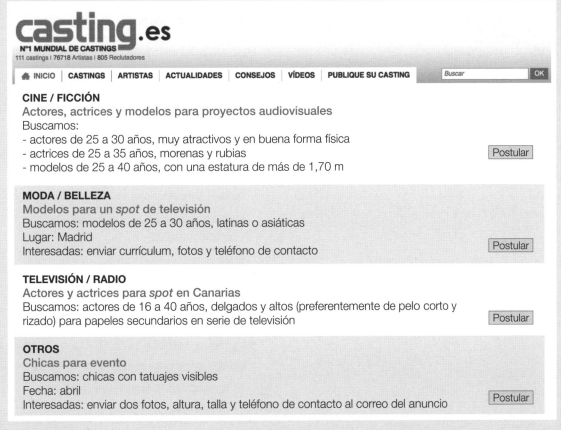

casting.es
Nº1 MUNDIAL DE CASTINGS
111 castings | 76718 Artistas | 805 Reclutadores

INICIO | CASTINGS | ARTISTAS | ACTUALIDADES | CONSEJOS | VÍDEOS | PUBLIQUE SU CASTING   Buscar [OK]

CINE / FICCIÓN
Actores, actrices y modelos para proyectos audiovisuales
Buscamos:
- actores de 25 a 30 años, muy atractivos y en buena forma física
- actrices de 25 a 35 años, morenas y rubias
- modelos de 25 a 40 años, con una estatura de más de 1,70 m   [Postular]

MODA / BELLEZA
Modelos para un _spot_ de televisión
Buscamos: modelos de 25 a 30 años, latinas o asiáticas
Lugar: Madrid
Interesadas: enviar currículum, fotos y teléfono de contacto   [Postular]

TELEVISIÓN / RADIO
Actores y actrices para _spot_ en Canarias
Buscamos: actores de 16 a 40 años, delgados y altos (preferentemente de pelo corto y rizado) para papeles secundarios en serie de televisión   [Postular]

OTROS
Chicas para evento
Buscamos: chicas con tatuajes visibles
Fecha: abril
Interesadas: enviar dos fotos, altura, talla y teléfono de contacto al correo del anuncio   [Postular]

Extraído de http://www.casting.es

Total: _____ / 10 puntos

2. PRODUCCIÓN ESCRITA

(Mínimo, 50 palabras)

Describe a tu persona favorita en un <u>blog</u>.

Incluye:

- sus datos personales
- su aspecto físico
- su carácter
- tu relación con esa persona

▶ EVALUACIÓN DE TU PRODUCCIÓN ESCRITA

- **Lengua** (___ / 4 puntos)
- Léxico: información personal, aspecto físico, carácter
- Gramática: presente / concordancia sustantivos y adjetivos / posesivos

- **Contenido** (___ / 4 puntos)
- Sus datos personales
- Su aspecto físico
- Su carácter
- Tu relación con esa persona

- **Formato: blog** (___ / 2 puntos)
- ¿Hay título?
- ¿Hay saludo?

Total: _____ / 10 puntos

 3. PRODUCCIÓN ORAL (expresión)

(Mínimo, un minuto)

Presenta a un personaje famoso, real o ficticio.

Incluye:

- su nombre y profesión
- su nacionalidad
- su aspecto físico
- su carácter

▶ EVALUACIÓN DE TU PRODUCCIÓN ORAL

- **Lengua** (___ / 4 puntos)
- Léxico: información personal, aspecto físico, carácter
- Gramática: presente / concordancia sustantivos y adjetivos / posesivos

- **Contenido** (___ / 4 puntos)
- Su nombre y profesión
- Su nacionalidad
- Su aspecto físico
- Su carácter

- **Expresión** (___ / 2 puntos)
- Hablas con fluidez
- Hablas con una buena pronunciación y entonación

Total: _____ / 10 puntos

 4. COMPRENSIÓN ORAL

(61) **Escucha a Luis Alberto hablar de su familia y señala si estas frases son verdaderas (V) o falsas (F).**

1 Vive con su padre y con su madre. ☐
2 Tiene una hermana y dos hermanos. ☐
3 Tiene dos abuelos y una abuela. ☐
4 Tiene muchos primos y primas. ☐
5 Tiene un gato. ☐

Total: _____ / 10 puntos

Total: _____ / 50 puntos

Mi progreso

Valora tu progreso después de esta unidad.

Mis habilidades	
- Hablar sobre las relaciones familiares y sociales, el aspecto físico y el carácter	
- Entender y escribir una entrada en un blog y diseñar un árbol genealógico	

Mis conocimientos	
- Léxico de las relaciones familiares y sociales, aspecto físico y carácter	
- Posesivos, demostrativos y la concordancia sustantivos-adjetivos	
- El uso de *y, o, también* y *pero*	
- Sonidos que se pronuncian juntos	
- Información sobre Ecuador y la diversidad étnica	

Soy más consciente	
- De mis relaciones, mi aspecto físico y mi carácter	
- De la importancia de las relaciones personales	
- De las relaciones en mi propia cultura	

 Bien   Adecuado   Mal

3 Hábitat

Una ciudad

1 Completa con *un, una, unos* o *unas*.

1 _____ museo
2 _____ discoteca
3 _____ cines
4 _____ ciudad
5 _____ hospital
6 _____ pueblo
7 _____ parques
8 _____ estación de autobuses
9 _____ casa
10 _____ parada de metro
11 _____ oficina de turismo
12 _____ centro comercial

2 ¿Qué hay en tu ciudad o en tu pueblo? Escribe una frase con *hay* o *no hay*. Añade el artículo si es necesario.

cine / cines
En mi ciudad hay un cine. / En mi pueblo no hay cines.

1 teatro / teatros

_____

2 hospital / hospitales

_____

3 aeropuerto / aeropuertos

_____

4 discoteca / discotecas

_____

5 centro comercial / centros comerciales

_____

6 oficina de turismo / oficinas de turismo

_____

7 biblioteca / bibliotecas

_____

8 museo / museos

_____

9 parque / parques

_____

10 estación de autobuses / estaciones de autobuses

_____

3 ¿Qué hay en tu clase? Responde a las preguntas.

1 ¿Cuántos alumnos hay?

_____

2 ¿Cuántos chicos hay?

_____

3 ¿Cuántas chicas hay?

_____

4 ¿Cuántas nacionalidades hay?

_____

5 ¿Cuántos ordenadores hay?

_____

6 ¿Cuántas sillas hay?

_____

4 Escribe los adjetivos contrarios.

1 ruidoso # _____

2 antiguas # _____

3 pequeños # _____

4 divertida # _____

5 feos # _____

6 limpia # _____

5 Completa las frases con el nombre de una ciudad.

1 _____ es una ciudad grande.

2 _____ es una ciudad antigua.

3 _____ es una ciudad moderna.

4 _____ es una ciudad bonita

5 _____ es una ciudad divertida.

6 _____ es una ciudad tranquila.

6 Escribe frases con *muy, mucho, mucha, muchos* y *muchas*. Hay más de una opción.

En mi ciudad hay muchas bibliotecas.

En mi ciudad hay	muy	antigua.
Mi país es	mucho	bibliotecas.
Mi casa es	mucha	pequeño.
En Salamanca hay	muchos	estudiantes.
Salamanca es una ciudad	muchas	turismo.
En mi pueblo hay		bonito.
En mi pueblo no hay		gente.
Guatemala es un país		divertida.

7 Escribe frases sobre lugares (países, ciudades o pueblos) que conoces.

Roma es una ciudad antigua y muy bonita.

1 _____

2 _____

3 _____

4 _____

5 _____

6 _____

8 Completa las frases con *porque* o *para*.

1 Nueva York es una ciudad ideal _____ estudiar _____ tiene muchas universidades.

2 Salamanca es una ciudad interesante _____ hay muchos estudiantes y es ideal _____ estudiar español.

3 Río de Janeiro es una ciudad interesante _____ ir de vacaciones _____ tiene muchas playas.

4 París es una ciudad perfecta _____ viajar con tu pareja _____ es muy romántica.

5 Roma es una ciudad interesante _____ es muy bonita y es perfecta _____ vivir.

6 Granada es una ciudad perfecta _____ estudiar español _____ es una ciudad muy tranquila.

9 Marca tus objetivos para estudiar español.

Estudio español para…

… ir a Sudamérica y a Centroamérica. ☐

… hablar con amigos. ☐

… leer en español. ☐

… estudiar en una universidad de habla hispana. ☐

… ver películas de cine en español. ☐

… vivir en el futuro en un país de habla hispana. ☐

… escuchar música en español. ☐

… hablar con mi familia. ☐

… aprobar un examen. ☐

The map of North, Central, and South America shows the following labels:

ESTADOS UNIDOS
Golfo de México
LAS BAHAMAS
MÉXICO
CUBA
REPÚBLICA DOMINICANA
BELICE
JAMAICA
HAITÍ
PUERTO RICO
HONDURAS
GUATEMALA
EL SALVADOR
NICARAGUA
Mar Caribe
COSTA RICA
PANAMÁ
VENEZUELA
GUAYANA
SURINAM
GUAYANA FRANCESA
COLOMBIA
ECUADOR
PERÚ
BRASIL
BOLIVIA
PARAGUAY
CHILE
ARGENTINA
URUGUAY

Un barrio

10 Responde a las siguientes preguntas.

1 ¿Cómo traduces *barrio* en tu idioma?

_____

2 ¿Cómo se llama el barrio en el que vives?

_____

3 Escribe el nombre de un barrio de tu ciudad:
   a Un barrio bonito: _____
   b Un barrio moderno: _____
   c Un barrio pequeño: _____

11 ¿En qué países están las siguientes ciudades?

> Ecuador ● Perú ● Honduras ● Argentina ● Guatemala
> Uruguay ● Venezuela ● Colombia ● Paraguay ● Cuba

1 Lima está en _____.
2 Quito está en _____.
3 Buenos Aires y Rosario están en _____.
4 Tegucigalpa está en _____.
5 Montevideo está en _____.
6 La Habana y Santiago están en _____.
7 Antigua está en _____.
8 Caracas está en _____.
9 Bogotá y Medellín están en _____.
10 Asunción está en _____.

12 Elige una opción.

1 Guatemala está cerca de…
   ☐ a) Honduras   ☐ b) Chile
2 Cuba está lejos de…
   ☐ a) la República Dominicana   ☐ b) Paraguay
3 Uruguay está cerca de…
   ☐ a) Colombia   ☐ b) Argentina
4 Venezuela está lejos de…
   ☐ a) España   ☐ b) Panamá
5 Nicaragua está cerca de…
   ☐ a) El Salvador   ☐ b) Bolivia
6 México está cerca de…
   ☐ a) Guatemala   ☐ b) Ecuador

13 Completa con *norte, sur, este* u *oeste*.

1 Guatemala está al _____ de Estados Unidos.
2 Argentina está al _____ de Chile.
3 Perú está al _____ de Bolivia y Brasil.
4 Paraguay está al _____ de Uruguay.
5 Panamá está al _____ de Nicaragua.
6 Venezuela está al _____ de Brasil.

14 ¿Cómo es tu barrio? Completa las frases con *mucho, muchos, mucha, muchas, poco, pocos, poca* o *pocas*.

1 Hay _____ restaurantes.

2 Hay _____ supermercados.

3 Hay _____ gente.

4 Hay _____ tráfico.

5 Hay _____ escuelas.

6 Hay _____ inmigrantes.

15 Completa las frases con *algún, alguno, alguna, ningún, ninguno* o *ninguna*.

1 • ¿Hay _____ biblioteca en tu barrio?
  ▪ No, no hay _____.

2 • En mi barrio no hay _____ hospital, ¿hay _____ en tu barrio?
  ▪ No, no hay _____.

3 • ¿Hay _____ cine cerca de tu casa?
  ▪ No, no hay _____.

4 • No hay _____ centro comercial cerca de mi barrio, ¿hay _____ cerca de tu casa?
  ▪ No, no hay _____.

5 • ¿Hay _____ parada de metro cerca de aquí?
  ▪ No, no hay _____.

6 • En mi barrio no hay _____ teatro.
  ▪ ¡Pues en mi barrio hay muchos!

16 ⟨62⟩ Escucha las preguntas de este concurso en un programa de radio y señala la respuesta correcta.

Pregunta 1

☐ a) En Sudamérica.
☐ b) En Norteamérica.
☐ c) En Centroamérica.

Pregunta 2

☐ a) De Honduras.
☐ b) De Venezuela.
☐ c) De Puerto Rico.

Pregunta 3

☐ a) En el centro de Guatemala.
☐ b) En el norte de Guatemala.
☐ c) En el sur de Guatemala.

Pregunta 4

☐ a) Un lago.
☐ b) Un mercado de artesanía.
☐ c) Una playa muy grande.

17 ⟨63⟩ Ahora, escucha y comprueba tus respuestas.

Una casa

18 Completa los textos de estos barrios de Barcelona.

parque	carácter	playa
tranquilo	tiendas	gente
ruidoso	caros	inmigrantes
restaurantes	transporte	bohemio
metro	centro	plaza

La Barceloneta

Está en la (1) _____ de Barcelona, cerca del puerto. Hay muchos (2) _____ y bares y siempre hay mucha gente por sus calles. Es un barrio con mucho (3) _____. No hay ningún (4) _____. Está cerca del centro de la ciudad y hay muy buen (5) _____ público.

Sants

Es un barrio popular y los pisos no son (6) _____. No es muy céntrico, pero en (7) _____ o autobús estás en el centro en 15 minutos. Está muy cerca de la (8) _____ de España, perfecto si viajas en tren o si necesitas ir al aeropuerto. En el barrio hay muchas (9) _____. Es muy (10) _____, como un pueblo.

El Raval

Está en el (11) _____ de Barcelona. Está cerca de la Rambla y del Barrio Gótico. También está cerca del puerto. Es un barrio muy (12) _____ donde viven muchos artistas y (13) _____ joven. También hay muchos (14) _____. Es un barrio multiétnico y muy interesante. Es un poco sucio y (15) _____, pero es muy divertido.

19 Escribe las partes de la casa.

cocina ● dormitorio ● terraza ● salón ● cuarto de baño ● balcón

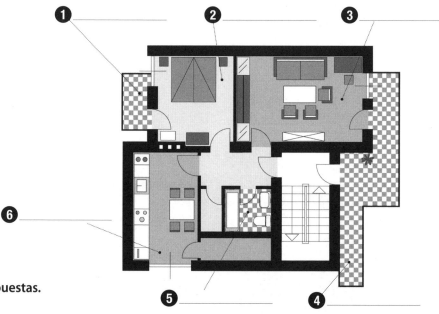

20 ¿En qué parte de la casa están normalmente estas cosas? Hay más de una opción.

Dormitorio	*cuadro*
Salón	
Cocina	
Cuarto de baño	
Terraza	

mesa

alfombra

cama

lavadora

sillón

estantería

armario

cocina

nevera

silla

televisor

ducha

cuadro

sofá

escritorio

cómoda

cojín

lámpara

espejo

21 Observa el dibujo y completa las frases.

derecha	debajo	encima	entre
detrás	izquierda	delante	centro

1 El sofá está a la _____ de la mesa.
2 La alfombra está _____ del sofá.
3 La mesa está _____ de la planta.
4 El sofá está a la _____ de la lámpara.
5 La estantería está _____ del sofá.
6 La planta está _____ de la mesa.
7 El sofá está _____ la mesa y la lámpara.
8 La alfombra está en el _____ del salón.

22 Completa las frases sobre tu país, tu ciudad, tu barrio, tu instituto y tu casa.

1 Mi país está en _____.
2 En mi país hay _____.
3 Mi ciudad está en _____.
4 En mi ciudad hay _____.
5 Mi barrio está en _____.
6 En mi barrio hay _____.
7 Mi instituto está en _____.
8 En mi instituto hay _____.
9 Mi casa está en _____.
10 En mi casa hay _____.

Lengua y comunicación

Marca la respuesta correcta.

1 Vivo en ____ barrio muy bonito, en ____ ciudad muy grande.
a) ☐ un / un
b) ☐ un / una
c) ☐ una / un

2 En mi pueblo no hay ____ hospitales.
a) ☐ un
b) ☐ unos
c) ☐ Ø

3 Mi ciudad no es fea; al contrario, es muy ____.
a) ☐ turística
b) ☐ bonita
c) ☐ ruidosa

4 En esta ciudad hay ____ estudiantes.
a) ☐ muchos
b) ☐ muy
c) ☐ mucho

5 Mi calle es ____ ruidosa.
a) ☐ mucho
b) ☐ muy
c) ☐ mucha

6 Mi ciudad es interesante ____ hay museos, teatros, galerías…
a) ☐ para
b) ☐ por
c) ☐ porque

7 Estudio español ____ trabajar en Perú o en México.
a) ☐ para
b) ☐ por
c) ☐ porque

8 En Salamanca no hay ____ metro.
a) ☐ el
b) ☐ unos
c) ☐ Ø

9 En Madrid ____ oficinas de turismo.
a) ☐ son
b) ☐ hay
c) ☐ están

10 Antigua ____ en Guatemala.
a) ☐ es
b) ☐ está
c) ☐ hay

11 Guatemala ____ ____ sur de México.
a) ☐ es al
b) ☐ está en
c) ☐ está al

12 Guatemala ____ lejos ____ España.
a) ☐ está / a
b) ☐ está / de
c) ☐ es / a la

13 Argentina y Uruguay ____ ____ Sudamérica.
a) ☐ está de
b) ☐ son en
c) ☐ están en

14 ¿Hay ____ restaurante mexicano en tu barrio?
a) ☐ algún
b) ☐ uno
c) ☐ alguno

15 En mi barrio no hay ____ supermercados.
a) ☐ ninguno
b) ☐ ningún
c) ☐ Ø

16 ● ¿Hay algún hospital en tu ciudad?
■ Sí, hay ____.
a) ☐ algún
b) ☐ Ø
c) ☐ uno

17 Mi piso no tiene terraza, pero tiene un ____ pequeño.
a) ☐ dormitorio
b) ☐ balcón
c) ☐ salón

18 El sofá está entre ____ la mesa y la estantería.
a) ☐ de
b) ☐ Ø
c) ☐ a

19 ____ la izquierda ____ la estantería hay un cuadro.
a) ☐ A / Ø
b) ☐ De / de
c) ☐ A / de

20 Mi barrio es muy limpio y muy tranquilo porque hay ____ gente.
a) ☐ poco
b) ☐ poca
c) ☐ pocos

Total: _____ / 10 puntos

Destrezas

 ## 1. COMPRENSIÓN ESCRITA

1 **Lee las dos entradas del foro. ¿De qué países son las personas que escriben?** (___ / 2 puntos)

_____   _____

2 **¿Cómo se llaman las diferentes partes de Ciudad de Guatemala?**
(___ / 1 punto)

☐ barrios   ☐ distritos   ☐ zonas

3 **Lee la respuesta de William. Señala la avenida la Reforma en el mapa.**
(___ / 2 puntos)

4 **Lee la respuesta en el foro: ¿cuál es la palabra que falta en _a, b_ y _c_?**
(___ / 1 punto)

5 **Escribe cuatro lugares de interés que menciona William.** (___ / 4 puntos)

_____   _____

_____   _____

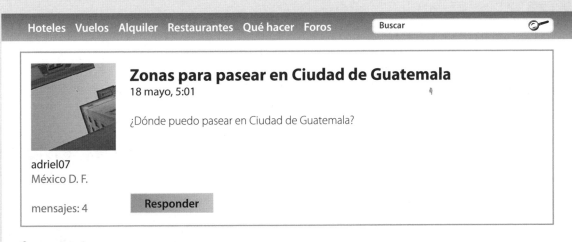

| Hoteles | Vuelos | Alquiler | Restaurantes | Qué hacer | Foros | | Buscar | 🔍 |

Zonas para pasear en Ciudad de Guatemala
18 mayo, 5:01

¿Dónde puedo pasear en Ciudad de Guatemala?

adriel07
México D. F.

mensajes: 4

[**Responder**]

1 respuesta

William H
Ciudad de Guatemala

mensajes: 3
opiniones: 12

1. **Re: Zonas para pasear en Ciudad de Guatemala**
19 mayo, 3:08

En Ciudad de Guatemala los domingos puedes ir a la bonita avenida la Reforma (está entre la Avenida 6 y la Avenida 7, muy cerca de la estación Plaza España o de la estación 626) para pasear y si practicas algún deporte como ciclismo, patines, etc., lo puedes hacer con toda libertad. También, puedes visitar el Hipódromo* del norte, donde **(a)** _____ unos carros de los 60. Delante encuentras el famoso Mapa en Relieve y, muy cerca, el Jardín Botánico, un lugar muy interesante con miles de especies de plantas. **(b)** _____ muchos museos como el Museo Casa Mima, Museo de los Niños, Museo Ixchel del Traje indígena, entre otros. ¡**(c)** _____ algo para todas las personas!
_____
* Lugar donde hay carreras de caballos y carros

[**Responder**]

[Total: _____ / 10 puntos]

2. PRODUCCIÓN ESCRITA

(Mínimo, 50 palabras)

Eres parte del equipo de edición de la revista de tu ciudad / pueblo. Escribe un breve <u>folleto turístico</u>*.

Incluye:
- dónde está tu ciudad / pueblo
- cómo es (descripción general: es limpia, grande, etc.)
- qué servicios públicos tiene
- qué lugares interesantes hay para visitar

_____

*Puedes incluir ilustraciones

▶ EVALUACIÓN DE TU PRODUCCIÓN ESCRITA

- **Lengua** (___ / 4 puntos)
- Léxico: descripción de una ciudad / pueblo
- Gramática: artículo indeterminado / cuantificadores / *hay* / *estar*

- **Contenido** (___ / 4 puntos)
- Dónde está tu ciudad / pueblo
- Cómo es (descripción general: es limpia, grande, etc.)
- Qué servicios públicos tiene
- Qué lugares interesantes hay para visitar

- **Formato: folleto turístico** (___ / 2 puntos)
- ¿Es un texto atractivo? ¿Hay diferentes letras, ilustraciones, etc.?
- ¿Tiene título?

| Total: _____ / 10 puntos |

 3. PRODUCCIÓN Y COMPRENSIÓN ORAL (interacción)

(Mínimo, un minuto cada uno)

Con un compañero preparad un diálogo sobre vuestras ciudades favoritas.

Incluye:
- dónde está tu ciudad favorita
- cómo es
- qué servicios públicos tiene
- qué lugares interesantes hay

▶ EVALUACIÓN DE TU PRODUCCIÓN ORAL Y DE LA COMPRENSIÓN ORAL DE TU COMPAÑERO

- **Lengua** (___ / 4 puntos)
- Léxico: descripción de una ciudad
- Gramática: artículo indeterminado / cuantificadores / *hay* / *estar*

- **Contenido** (___ / 4 puntos)
- Dónde está tu ciudad favorita
- Cómo es
- Qué servicios públicos tiene
- Qué lugares interesantes hay

- **Expresión** (___ / 2 puntos)
- Hablas con fluidez
- Hablas con una buena pronunciación y entonación

- **Interacción** (___ / 10 puntos)
- Comprendes lo que dice tu compañero
- Respondes de forma coherente a lo que dice tu compañero

| Total: _____ / 20 puntos |

| **Total: _____ / 50 puntos** |

Mi progreso

Valora tu progreso después de esta unidad.

Mis habilidades	
- Hablar sobre ciudades, barrios y partes de la casa	
- Diseñar y presentar un proyecto de un barrio	

Mis conocimientos	
- Léxico de las partes de una ciudad, un barrio y una casa	
- Artículos indeterminados	
- Usos de *estar* y *hay*	
- La pronunciación de la *r*	
- Información sobre Guatemala y lugares de interés	

Soy más consciente:	
- De mi clase como lugar de cooperación	
- Del hábitat y la relación con las distintas culturas	
- De mi propia cultura	

 Bien   Adecuado   Mal

4 Hábitos

Actividades y horas

1 ¿Qué hora es?

13:00 *Es la una (en punto)*
16:25 Son las cuatro y veinticinco.
12:15 Son las doce y cuarto.
11:45 Son las doce menos cuarto.
19:20 Son las siete y veinte.
21:55 Son las diez menos cinco.
15:30 Son las tres y media.

2 ¿Qué haces normalmente a estas horas?

	Durante la semana	Los fines de semana
1 A las siete de la mañana	*Me levanto*	*Duermo*
2 A las diez de la mañana	Tengo clase	Duermo
3 Sobre las doce y media	Como	Como
4 De dos a cuatro	Tengo clase	juego el vóleibol
5 A las siete de la tarde	Juego el vóleibol	como
6 Sobre las nueve de la noche	Juego el vólcibol	Yo ducho
7 A las doce de la noche	Duermo	Duermo

3 Completa esta tabla con los verbos adecuados.

	levantarse	hacer yogo	jugar v-ue	vestirse	ir
yo	me levanto	hago	juego	me visto	voy
tú	te levantas	haces	juegas	te vistes	vas
él, ella, usted	se levanta	hace	juega	se viste	va
nosotros/-as	nos levantamos	hacemos	jugamos	nos vestimos	vamos
vosotros/-as	os levantáis	hacéis	jugáis	os vestís	vais
ellos/-as, ustedes	se levantan	hacen	juegan	se visten	van

4 Contesta a estas preguntas.

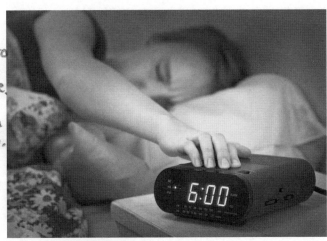

1 ¿A qué hora te levantas?
Me levanto a las siete menos cuarto

2 ¿A qué hora vas al instituto?
Voy al instituto a las siete y veinte.

3 ¿A qué hora vas a casa después del instituto?
Voy a casa después del instituto a las tres y media.

4 ¿A qué hora haces los deberes?
Hago los deberes a las cinco.

5 ¿A qué hora cenas?
Ceno a las seis.

6 ¿A qué hora te acuestas?
Me acuesto a las diez y media.

5 **Marca la respuesta correcta, con o sin pronombre.**

1 **Me desayuno** / **Desayuno** muy temprano.
2 Yo **me visto** / **visto** a mi hermano pequeño por las mañanas.
3 Mi abuela **se levanta** / **levanta** a las seis.
4 Mi madre **se acuesta** / **acuesta** sobre las once.
5 Mi padre **se ducha** / **ducha** al perro en el jardín.
6 Mi profesor de español **se llama** / **llama** Pedro González.
7 Yo **me lavo** / **lavo** los dientes tres veces al día.
8 **Me hago** / **Hago** los deberes por la noche.

Rutina diaria

6 **¿Cuándo hace las siguientes actividades Edurne, más tarde o más temprano que Mariam?**

1 Edurne se levanta a las siete y media y Mariam se levanta a las ocho menos cuarto.

_____

2 Edurne come en la cafetería a la una y media y Mariam, a la una.

_____

3 Edurne vuelve a casa a las cinco y media y Mariam, a las siete menos cuarto.

_____

4 Edurne hace los deberes sobre las ocho y media y Mariam, sobre las ocho.

_____

5 Edurne cena sobre las siete y media y Mariam, sobre las nueve.

_____
_____

7 🔘**64** **Escucha a esta persona que habla de los hábitos de su profesión. ¿Qué profesión tiene?**

_____

8 **Ordena estas acciones según las haces tú.**

me ducho ☐
me levanto ☐
desayuno ☐
me visto ☐
me lavo los dientes ☐
preparo la mochila ☐

9 🔘**65** **Escucha a Alberto, que habla sobre su rutina. Compara lo que escuchas con el siguiente texto. Tres cosas son diferentes, ¿cuáles?**

Normalmente me levanto a las siete, desayuno y, después, sobre las ocho, me lavo los dientes, me ducho y me visto. A las ocho y media voy al instituto en autobús. Allí tengo clases de nueve a tres. A las once y media tenemos el recreo, y almuerzo en la cafetería con mis compañeros de clase. A las tres y cuarto, aproximadamente, vuelvo a casa y como con mi madre. Después, hago los deberes y juego con el ordenador durante una hora. Luego, ceno con mi familia a las nueve y media. Me acuesto sobre las once y media. Tres días a la semana juego al fútbol de seis a siete y media, y los fines de semana normalmente tenemos un partido.

10 **Vuelve a leer el texto y clasifica los verbos en regulares e irregulares.**

REGULARES	IRREGULARES
	tengo

11 **Completa los días de la semana.**

lunes, _____, _____, jueves, _____, _____, domingo

12 Lee estas frases y ordénalas de más a menos según la frecuencia.

☐ a) Me ducho casi siempre después de desayunar.

☐ b) Como generalmente con mis amigos en el instituto.

☐ 1 c) Siempre voy al instituto en autobús.

☐ d) Dos veces a la semana hago deporte después de las clases.

☐ e) Normalmente hago los deberes antes de cenar.

☐ f) A veces me levanto tarde los fines de semana.

☐ g) Nunca me acuesto después de las doce.

☐ h) Una vez a la semana voy a la piscina.

13 Compara las actividades del fin de semana o de las vacaciones con tu rutina diaria. Después, escribe frases siguiendo el modelo.

DURANTE LA SEMANA	LOS FINES DE SEMANA / DURANTE LAS VACACIONES

estudiar   levantarse   ir al cine

Yo, durante la semana, me levanto siempre a las siete y media, pero los fines de semana y en vacaciones normalmente me levanto sobre las nueve o diez.

14 Escribe frases con actividades que se realizan en estas profesiones.

Jugador(a) de fútbol

Los jugadores corren muchos kilómetros todos los días.

Hombre / Mujer de negocios

Médico/-a

15 Completa el correo electrónico de Edgar con los siguientes verbos conjugados.

escuchar ● vestirse ● volver ● tener ● hacer
estar ● empezar ● preferir

Mensaje nuevo _ ↗ ×

Destinatarios **Abuelos**

Asunto **Hola**

Queridos abuelos:

¿Cómo están? Yo (1) _____ muy bien, pero mi vida es muy diferente desde que vivo en España.

Me levanto a las siete y media, me ducho, (2) _____ y desayuno en quince minutos porque a las ocho y cuarto tomo el micro del colegio (aquí lo llaman autobús). Las clases (3) _____ a las nueve y terminan a la una y media, mucho más temprano que en mi colegio en Perú… Tenemos un recreo de media hora, de once a once y media. Después, no (4) _____ a casa a comer, como en Arequipa; aquí como en el comedor con mis amigos (ya tengo muchos) y tenemos dos clases más por la tarde, de tres a cinco. Los lunes y los miércoles (5) _____ baloncesto (sí, (6) _____ el baloncesto al fútbol en este colegio; el entrenador es muy simpático) y los jueves tengo clase de guitarra (gracias otra vez por el regalo). Mamá me recoge con el carro y volvemos a casa a las siete menos cuarto; descanso un poco y (7) _____ los deberes. Sobre las nueve cenamos toda la familia y entonces voy a mi habitación y leo, chateo con mis amigos de Perú, (8) _____ música o veo alguna película. A las once y media me acuesto.

Bueno, me despido.

Muchos besos y hasta pronto,

Edgar

---

16 Lee las actividades que hace Edgar y completa las frases en primera persona según tu rutina diaria.

1 Se levanta durante la semana a las siete y media.
   Yo me levanto a _____ .

2 Se ducha antes de desayunar.
   _____ .

3 Desayuna en quince minutos.
   _____ .

4 Sus clases empiezan a las nueve.
   _____ .

5 Los lunes y miércoles juega al baloncesto.
   _____ .

6 Vuelve a casa a las siete menos cuarto.
   _____ .

7 Hace los deberes antes de cenar.
   _____ .

8 Cena sobre las nueve.
   _____ .

9 Se acuesta a las once y media.
   _____ .

17 Conjuga estos verbos irregulares.

Entender se conjuga como *empezar*

entender	
entiendo	

Dormir se conjuga como *volver*

dormir	
duermo	

Repetir se conjuga como *vestirse*

repetir	
repito	

Horarios

18 ¿Cuáles son tus asignaturas favoritas? ¿Las puedes clasificar de más a menos?

+
1 _____
2 _____
3 _____
4 _____
5 _____
6 _____
7 _____
8 _____
9 _____
-
10 _____

19 Completa el horario con las asignaturas que tienes y con las actividades que haces.

HORAS	lunes	martes	miércoles	jueves	viernes
RECREO					
COMIDA					
Actividades extraescolares					

20 (66) **El profesor hace tres cambios en el nuevo horario. Escucha y márcalos.**

HORAS	lunes	martes	miércoles	jueves	viernes
9:00-10:00	Ciencias	Lengua y Literatura	Lengua y Literatura	Ciencias	Educación Física
10:00-11:00	Matemáticas	Inglés	Matemáticas	Filosofía	Matemáticas
11:00-11:30	RECREO				
11:30-12:30	Filosofía	Geografía	Inglés	Geografía	Tecnología
12:30-14:30	COMIDA				
14:30-15:30	Tecnología	Arte	Geografía	Inglés	Arte
15:30-16:30	Educación Física	Ciencias	Educación Cívica	Tutoría	Lengua y Literatura
Actividades extraescolares					
17:00-19:00	Baloncesto		Baloncesto	Guitarra	

21 Hay diferentes tipos de inteligencia, ¿qué asignaturas relacionas con estas?

Inteligencia lingüística-verbal: *Lengua y Literatura,*

_____

Inteligencia lógica-matemática: _____

_____

Inteligencia espacial: _____

_____

Inteligencia musical: _____

_____

Inteligencia corporal cinestésica: _____

_____

Howard Gardner,
psicólogo e investigador
estadounidense, creador de la
teoría de las inteligencias
múltiples en 1983

22 Contesta a estas preguntas.

1 ¿A qué hora abren las tiendas en tu país?

_____ .

2 ¿A qué hora cierran los bancos?

_____ .

3 ¿A qué hora sale la gente del trabajo?

_____ .

4 ¿A qué hora empiezan los conciertos de música?

_____ .

5 ¿A qué hora terminan las clases en los colegios o institutos?

_____ .

6 ¿Cuánto dura el recreo en los colegios o institutos?

_____ .

7 ¿A qué hora sales de casa?

_____ .

8 ¿A qué hora llegas al colegio o al instituto?

_____ .

23 Lee el artículo y compara los horarios con los del país o países que conoces.

LOS HORARIOS EN LAS DISTINTAS CULTURAS

Los horarios de los países tienen normalmente una tradición que se debe al clima y a las costumbres.

◎ En los países del sur, normalmente, las tiendas abren y cierran más tarde que en el norte y mucha gente come en sus casas; también, las personas se van a la cama más tarde.

◎ En los países tropicales, el día y la noche son siempre iguales y los horarios no cambian. Pero en Europa hay una gran diferencia entre los horarios de invierno y los horarios de verano.

◎ Los partidos de fútbol, en los países con calor, se juegan más tarde; en los países donde normalmente nieva en invierno hacen una pausa de unos meses.

◎ En los países con calor, los conciertos empiezan muy tarde por la noche.

◎ En las ciudades, la pausa para comer es corta, pero en los pueblos o ciudades pequeñas es más grande porque las familias pueden ir a casa a comer.

Lengua y comunicación

Marca la respuesta correcta.

1 **Voy al instituto a ____.** (08:15)
   a) ☐ las ocho menos cuarto de la mañana
   b) ☐ las ocho y cuarto de la mañana
   c) ☐ las ocho y cuarto de la noche

2 **¿A qué hora desayunas?**
   a) ☐ Las siete y media.
   b) ☐ A las siete y media.
   c) ☐ Sobre siete y media.

3 **Como en la cafetería del instituto ____, sobre la una o una y media.**
   a) ☐ por la noche
   b) ☐ de madrugada
   c) ☐ al mediodía

4 **Pablo ____ en bicicleta al instituto.**
   a) ☐ voy
   b) ☐ vas
   c) ☐ va

5 **Mis padres y yo ____ sobre las siete y media.**
   a) ☐ desayunan
   b) ☐ desayuno
   c) ☐ desayunamos

6 **Durante la semana mis hermanos y yo ____ levantamos a las siete.**
   a) ☐ me
   b) ☐ se
   c) ☐ nos

7 **Siempre salgo de casa a las ocho ____.**
   a) ☐ en punto
   b) ☐ a punto
   c) ☐ y punto

8 **¿Te levantas a las seis y media? Te levantas muy ____.**
   a) ☐ tarde
   b) ☐ mañana
   c) ☐ temprano

9 **Voy a clase todos los días, excepto el fin de semana.**
   a) ☐ Voy a clase de lunes a jueves.
   b) ☐ Voy a clase de martes a sábado.
   c) ☐ Voy a clase de lunes a viernes.

10 **Normalmente, nosotros desayunamos a las siete y media ____.**
   a) ☐ de la mañana
   b) ☐ de la tarde
   c) ☐ de la noche

11 **Mi hermano ____ levanta muy tarde.**
   a) ☐ me
   b) ☐ te
   c) ☐ se

12 **Los sábados ____ con mis amigos.**
   a) ☐ hago
   b) ☐ tengo
   c) ☐ salgo

13 **El recreo es ____ diez y cuarto ____ diez y media.**
   a) ☐ de / a
   b) ☐ sobre / a
   c) ☐ por / a

14 **Las clases empiezan a las ocho y ____ a las tres.**
   a) ☐ cierran
   b) ☐ terminan
   c) ☐ abren

15 **El museo ____ a las diez de la mañana.**
   a) ☐ abre
   b) ☐ empieza
   c) ☐ vuelve

16 **Primero me ducho y después me ____.**
   a) ☐ visto
   b) ☐ salgo
   c) ☐ vuelvo

17 **Siempre voy al instituto en bicicleta y ____ a las ocho y media.**
   a) ☐ llega
   b) ☐ llegas
   c) ☐ llego

18 **Yo juego al fútbol los lunes y los miércoles: ____ a la semana.**
   a) ☐ una vez
   b) ☐ dos veces
   c) ☐ tres veces

19 **Desayuno con mis padres los lunes, los martes y los domingos. Desayuno con ellos ____.**
   a) ☐ a veces
   b) ☐ nunca
   c) ☐ siempre

20 **Mi padre trabaja de 22:00 a 06:00, trabaja ____ noche.**
   a) ☐ de
   b) ☐ a
   c) ☐ por

Total: _____ / 10 puntos

Destrezas

 1. COMPRENSIÓN ESCRITA

1 **Lee este artículo sobre el consumo de televisión y radio que hacen los niños, las niñas y los adolescentes peruanos y señala cuál es el objetivo de la noticia.** (__ / 2 puntos)

informar ☐   criticar ☐   promocionar ☐

2 **Relaciona los párrafos con la frase que mejor resume cada uno. Escribe la letra en el cuadro. (Nota: hay una frase más de las necesarias.)** (__ / 8 puntos)

Párrafo 1 ☐   Párrafo 3 ☐
Párrafo 2 ☐   Párrafo 4 ☐

a Hay una preferencia por los canales internacionales.
b La actividad más frecuente es ver televisión.
c Los niños peruanos ven mucha televisión antes de comer.
d Muchos niños y adolescentes ven la televisión antes de ir al colegio, en el almuerzo.
e La actividad de ver la televisión está en el tercer lugar, según el artículo.

TV en Perú:
casi diez mil niños y adolescentes revelan sus hábitos y opiniones sobre la televisión

LUNES, 13 DE OCTUBRE

(...)

[1] La primera constatación es que ver TV está entre las tres principales actividades, de lunes a viernes, que manifiestan realizar nuestros niños, niñas y adolescentes, junto a ir a clase (99,2 %) y estudiar o hacer tareas (97,9 %). Un 99,3 % de los encuestados señala que esa es una de sus actividades semanales. Los fines de semana el liderazgo observado se mantiene, aunque con variaciones.

[2] En relación a las horas dedicadas a cada actividad, de lunes a viernes, ver TV ocupa dos horas y veinticinco minutos de su tiempo; ir a clase, cinco horas y cuarenta y seis minutos; estudiar o hacer las tareas, una hora y cincuenta minutos; jugar, una hora y veinticuatro minutos; labores del hogar, una hora y siete minutos; escuchar la radio, una hora y veintinueve minutos; hacer deporte, una hora y veintidós minutos; navegar por internet, una hora y diecisiete minutos; videojuegos, una hora; hacer tareas, tres horas y veintiséis minutos. Lo que supone que ver la televisión es la tercera actividad que más tiempo consumen las generaciones más jóvenes del país.

[3] Durante el almuerzo, ver televisión es la principal actividad que con mayor frecuencia realizan (47 %), frente a otras como conversar (35,1 %), escuchar radio (6 %) y otras.

[4] Otra constatación importante es que un 68,8% prefiere ver canales internacionales, frente a un 31,1% que prefiere los nacionales.
(...)

Extraído de https://www.facebook.com/Pacayhua

Total: _____ / 10 puntos

2. PRODUCCIÓN ESCRITA

(Mínimo, 50 palabras)

Un amigo viene a pasar una semana contigo y quiere saber más sobre tu rutina diaria. Escribe un <u>correo electrónico</u> sobre lo siguiente.

Incluye:

- a qué hora te levantas
- a qué hora vas al instituto y qué actividades realizas
- qué haces por la tarde después del instituto
- a qué hora te acuestas

▶ EVALUACIÓN DE TU PRODUCCIÓN ESCRITA

- **Lengua** (___ / 4 puntos)
- Léxico: rutina diaria
- Gramática: presente de verbos irregulares / verbos reflexivos

- **Contenido** (___ / 4 puntos)
- A qué hora te levantas
- A qué hora vas al instituto y qué actividades realizas
- Qué haces por la tarde después del instituto
- A qué hora te acuestas

- **Formato: correo electrónico** (___ / 2 puntos)
- ¿Hay saludo?
- ¿Hay despedida?

Total: _____ / 10 puntos

 ## 3. PRODUCCIÓN Y COMPRENSIÓN ORAL (interacción)

(Mínimo, un minuto cada uno)

Con un compañero, prepara un diálogo sobre vuestras vidas los fines de semana.

Incluye:

- a qué hora te levantas y te acuestas
- a qué horas desayunas, comes y cenas
- qué actividades realizas
- con qué frecuencia realizas las actividades

▶ EVALUACIÓN DE TU PRODUCCIÓN ORAL Y DE LA COMPRENSIÓN ORAL DE TU COMPAÑERO

- **Lengua** (___ / 4 puntos)
- Léxico: horas, hábitos, actividades
- Gramática: presente de verbos irregulares / verbos reflexivos / conectores temporales / expresiones de frecuencia

- **Contenido** (___ / 4 puntos)
- A qué hora te levantas y te acuestas
- A qué horas desayunas, comes y cenas
- Qué actividades realizas
- Con qué frecuencia realizas las actividades

- **Expresión** (___ / 2 puntos)
- Hablas con fluidez
- Hablas con una buena pronunciación y entonación

- **Interacción** (___ / 10 puntos)
- Comprendes lo que dice tu compañero
- Respondes de forma coherente a lo que dice tu compañero

Total: _____ / 20 puntos

Total: _____ / 50 puntos

Mi progreso

Valora tu progreso después de esta unidad.

Mis habilidades	

- Hablar sobre las rutinas diarias
- Entender y escribir un correo electrónico y una entrada de blog

Mis conocimientos	

- Léxico de las horas, las profesiones, los días de la semana y las asignaturas
- Verbos reflexivos y verbos irregulares del presente
- Expresiones de tiempo y frecuencia y conectores temporales
- Letras que no se pronuncian
- Información sobre Perú y sus personajes famosos

Soy más consciente	

- De mi rutina diaria y mis hábitos
- Del respeto que tengo por los hábitos de mis compañeros
- De hábitos en distintas culturas

 Bien   Adecuado   Mal

5 Competición

Deportes

1 **¿Cuáles de estos deportes no se juegan con un balón o pelota?**

- ciclismo
- natación
- escalada
- atletismo
- vela
- submarinismo
- voleibol
- baloncesto
- fútbol
- tenis
- esquí
- *windsurf*

2 **Escribe deportes que van con el verbo *jugar* y deportes que van con el verbo *practicar*. Algunos pueden ir con los dos verbos.**

Jugar	Practicar
al voleibol	*la natación*

3 **Escribe los verbos que corresponden a los siguientes deportes.**

1 el esquí — *esquiar*
2 la natación _____
3 el *jogging* _____
4 la escalada _____
5 el submarinismo _____
6 el ciclismo _____
7 la equitación _____
8 el kayak _____

4 **Escribe los deportes del ejercicio 1 que se juegan en los siguientes lugares.**

En una piscina	
En un campo	
En una cancha	
En una pista	
Otros	

5 **Tres de estos deportes no son olímpicos, ¿sabes cuáles son? Coméntalo con tu compañero.**

atletismo • bádminton • ciclismo • escalada
tenis de mesa • submarinismo • *windsurf*
equitación • waterpolo • judo • vela

- *Yo creo que el bádminton no es olímpico…*
- *Pues yo creo que sí…*

6 **Escribe con letras los números de la Copa Mundial de Fútbol de Brasil 2014.**

171 goles anotados por Brasil, los mismos que en Francia en **1998**

25 000 policías, soldados y agentes de seguridad en la final de Río

8 finales de Alemania, un récord

10 tarjetas rojas y **187** amarillas

35 600 000 de tuits enviados durante la semifinal Alemania-Brasil (7-1)

2000 goles en la historia de Alemania

11 000 000 de dólares invertidos por Brasil para organizar el Mundial

8 _____
10 _____
171 _____
187 _____
1998 _____
2000 _____
25 000 _____
11 000 000 _____
35 600 000 _____

7 **67 Escucha y escribe los números.**

23 974 _____
1 200 000 _____
583 348 _____
739 _____
240 934 _____
2015 _____

8 ¿Cuáles de estas actividades puedes practicar y cuáles no cerca de tu ciudad o de tu casa? Escribe frases.

nadar ● bucear ● correr ● ir en bicicleta ● esquiar ● remar

Puedo nadar en la piscina de mi barrio.

Gustos

9 Lee los gustos de estas dos chicas y escribe tres cosas que les gustan a las dos.

Me gusta mucho la música latina, especialmente la salsa. Juego al fútbol en el equipo de mi barrio y también practico el tenis los fines de semana. Me gusta mucho el cine, las películas de terror son mis favoritas, y me encantan los concursos de la televisión. Me gusta mucho cocinar para mi familia, especialmente comida mexicana.

MARÍA FERNANDA

Me gusta mucho ir al cine con mis amigos los fines de semana y también ir de compras. Voy a clases de violín y me encanta la música clásica. No me gusta nada jugar al fútbol, juego al baloncesto en mi instituto. Me gusta mucho ver los concursos de televisión, especialmente los de cocina, porque me gusta mucho cocinar.

ADELA

A las dos les gusta _____ .

10 Escribe tres actividades que te gusta hacer en tu tiempo libre y tres que no te gusta hacer.

Me gusta	
No me gusta	

11 El verbo *encantar* funciona como *gustar*. Primero, completa el cuadro. Después, escribe tres cosas que te encantan.

A mí		
	te	
A él		
A ella		
A usted		
	nos	encanta / encantan
	nos	
	os	
	os	
A ellos		
A ellas		
A ustedes		

1 _____
2 _____
3 _____

12 ¿Cuál es la opción correcta: *gusta* o *gustan*? Marca la respuesta correcta.

1 A mí me **gusta / gustan** mucho jugar al tenis con mis amigos.
2 A mis padres les **gusta / gustan** hacer yoga.
3 A nosotros no nos **gusta / gustan** los deportes de aventura.
4 ¿A ti te **gusta / gustan** la natación?
5 A mis amigos les **gusta / gustan** hacer vela.
6 A mí no me **gusta / gustan** los deportes de equipo.
7 ¿A vosotros os **gusta / gustan** la nueva piscina?
8 A mi hermana le **gusta / gustan** las competiciones de esquí.

13 Reacciona con *a mí sí / a mí no / a mí también / a mí tampoco,* según tus gustos.

1 A mí me encanta nadar en el mar.

2 A nosotros nos gusta esquiar en invierno.

3 A mí no me gustan los deportes de competición.

4 A mí hermano le gusta ver el tenis por televisión.

5 A mis amigos les gusta ir en bicicleta al colegio.

6 A mí me gusta correr por la mañana antes de ir al instituto.

14 (68) Escucha estas frases y reacciona con *a mí sí / a mí no / a mí también / a mí tampoco.*

1 _____   5 _____
2 _____   6 _____
3 _____   7 _____
4 _____   8 _____

Concursos

15 Completa estas frases con los siguientes verbos. ¡Cuidado, algunos verbos van conjugados!

> perder ● empatar ● competir ● concursar
> ganar ● preguntar ● responder ● participar

1 Si quieres _____ en el concurso, es necesario mandar un correo electrónico con tus datos personales.
2 No puedes _____ a tu pareja. Tienes que contestar tú solo.
3 Tienes que practicar mucho para _____ el concurso.
4 _____ el equipo con menos puntos.
5 Si queréis _____, tenéis que seguir todas las reglas.
6 Los concursantes _____ si terminan al mismo tiempo.
7 Para pasar la primera prueba del concurso hay que _____ a una pregunta correctamente.
8 El último día solo _____ los finalistas de los concursos anteriores.

16 ¿Tienes estas características? Date una puntuación del 1 al 10 (10 es el máximo). ¿Crees que puedes ser un buen concursante?

TEST

- Tengo buena memoria.   1 2 3 4 5 6 7 8 9 10
- Tengo buenos conocimientos de cultura general.   1 2 3 4 5 6 7 8 9 10
- Tengo experiencia en concursos.   1 2 3 4 5 6 7 8 9 10
- Soy simpático.   1 2 3 4 5 6 7 8 9 10
- Soy valiente.   1 2 3 4 5 6 7 8 9 10
- Soy competitivo.   1 2 3 4 5 6 7 8 9 10
- Soy inteligente.   1 2 3 4 5 6 7 8 9 10
- Soy abierto.   1 2 3 4 5 6 7 8 9 10

17 ¿Qué es obligatorio o necesario para los siguientes concursos? Escribe las frases en tu cuaderno. Recuerda utilizar *tener que* + infinitivo, *poder* + infinitivo o *es necesario / obligatorio / importante* + infinitivo.

Concurso de belleza   Concurso cultural
Concurso de música   Concurso deportivo

18 Con un compañero, escoged solo las reglas para la clase de español que os gustan.

☐ 1 Tienes que hablar español.
☐ 2 No puedes utilizar el diccionario.
☐ 3 Tienes que hacer los deberes todos los días.
☐ 4 No puedes preguntar cómo se dice una palabra en tu lengua.
☐ 5 No puedes hablar con los compañeros.
☐ 6 Puedes cometer errores y no es un problema.
☐ 7 Tienes que saludar al entrar en clase.
☐ 8 Tienes que ser puntual.
☐ 9 Puedes beber agua y comer si tienes hambre.
☐ 10 Tienes que dejar la clase y los materiales ordenados al final de la clase.
☐ 11 Puedes levantarte de la silla si necesitas moverte.
☐ 12 Tienes que tener tus materiales de clase preparados.
☐ 13 Tienes que respetar a todos tus compañeros y a tu profesor.
☐ 14 Puedes hacer siempre preguntas.

19 ¿Puedes ahora añadir cinco reglas más que son importantes para ti, para la clase de español o para otra asignatura?

• _____
• _____
• _____
• _____
• _____

20 Completa la tabla de estos tres verbos irregulares. Ten en cuenta que *perder* se conjuga como *empezar* (e > ie) y *competir,* como *vestirse* (e > i).

	perder	jugar	competir
yo		juego	
tú	pierdes		
él, ella, usted			compite
nosotros/-as		jugamos	
vosotros/-as			competís
ellos/-as, ustedes	pierden		

21 Busca en la unidad seis palabras que se escriben con *g*.

1 _____   4 _____

2 _____   5 _____

3 _____   6 _____

Y otras seis palabras que se escriben con *j*.

7 _____   10 _____

8 _____   11 _____

9 _____   12 _____

22 (69) Lee y escucha estas frases. Subraya los <u>sonidos fuertes</u> de la *g* / *j*.

1 Mis amigos y yo jugamos al fútbol todos los jueves.

2 En el trabajo de mi madre hay mucha gente joven.

3 Puedes colocar el cojín rojo debajo del espejo.

4 A mi abuelo le gusta viajar con sus hijos.

5 Generalmente, escojo bien a mis amigos.

23 Ahora, con un compañero, leed las frases en voz alta y ayudaros con la corrección.

24 Lee estos extractos de textos sobre deportes y concursos. Después, relaciónalos con las siguientes tipologías. ¿Qué te ayuda a reconocer qué tipo de textos son?

Texto informativo ☐   Conversación ☐

Folleto turístico ☐   Artículo de opinión ☐

Entrada de foro ☐

❶

COCINA

Temas variados | Preguntas frecuentes | Calendario | Comunidad | Acciones del Foro

ELIGE A TU COCINERO

Tapiata 2014

Hola a todos:

El jueves es la final del concurso de cocina. ¡Me encanta este programa! Puedes aprender muchos trucos y recetas, pero es verdad que es demasiado competitivo… ¿Queréis votar al mejor cocinero? Empiezo yo: para mí, el cocinero de San José es el mejor.

❷

Los Juegos Olímpicos son la competición deportiva más importante del mundo. Participan más de doscientos países en veintiséis deportes. Existen los Juegos Olímpicos de verano y los Juegos Olímpicos de invierno, y también los Juegos Paralímpicos para atletas con discapacidades corporales, mentales o sensoriales. El objetivo de los Juegos Olímpicos es unir a los países a través de la competición.

❸

No come, duerme menos de siete horas, todo el día bailando… Me parece excesivo todo este ejercicio para su cuerpo.

Pero es que es un concurso muy importante y ella está entre las finalistas…

Sí, sí, pero…, ¿y si no gana? ¿Y su frustración?

❹

LOS CONCURSOS DE BELLEZA

Creo que esos concursos de belleza deberían desaparecer. Es una forma clara de sexismo y de culto al cuerpo. ¿Y la mente, la inteligencia? ¿Dónde está?

❺

Monteverde COSTA RICA

El paraíso de la tirolina

¿Te gustan los deportes de riesgo? ¿Piensas que eres valiente?

Entonces, la tirolina es tu deporte: es muy divertido y también un deporte extremo para estar en forma. Uno de los mejores lugares para practicar la tirolina es Monteverde, en Costa Rica: combina aventura y la impresionante naturaleza del Bosque Nuboso de Monteverde. Los cables son muy largos, más de setenta metros, y más de 140 metros de alto. El trayecto dura aproximadamente tres horas, con una distancia de casi tres kilómetros.

Pide más información en tirolinamonteverde@monteverde.com

25 Lee este pequeño artículo de opinión de la revista de un instituto y después completa las frases con *competición* o *colaboración*.

¿COMPETICIÓN O COLABORACIÓN?

En mi opinión, competición es lo contrario de colaboración. En la competición se lucha *contra* los otros y en la colaboración se lucha *con* los otros. Creo que en la competición hay un objetivo individual, que es conseguir un prestigio, un premio, un reconocimiento. En la colaboración, sin embargo, hay un objetivo común que TODOS quieren y pueden conseguir.

La competición existe en la naturaleza, entre todos los organismos. Competimos para sobrevivir. También en el mundo de los negocios las compañías compiten entre sí. A mí me parece que la competición es natural y necesaria en el ser humano, aunque es verdad que esta puede mejorar al individuo, pero también puede hacerle mucho daño.

Por otro lado, creo que la colaboración es la base de la sociedad y que las personas trabajan por los otros y no contra los otros. En educación, por ejemplo, los especialistas hablan del aprendizaje cooperativo, que según algunos psicólogos es la mejor manera de aprender. El lingüista Vigotsky dice: «Si quieres aprender, comparte».

En el campo de los deportes, por ejemplo, la mayoría son competitivos. Competimos contra el otro equipo, contra uno mismo o, en algunos casos, contra la naturaleza (en deportes como escalada y *rafting*, entre otros). Cuando hacemos deporte, expulsamos una hormona llamada endorfina, que puede ser adictiva; esto también le ocurre al público que observa una competición deportiva. Por eso, la competición gusta y puede ser una adicción.

Creo que la colaboración, y no la competición, tiene que ser la base de la educación.

1 En la _____ se lucha contra los otros.

2 La _____ con los otros estudiantes es muy importante para aprender una lengua.

3 Es necesaria la _____ para sobrevivir en la naturaleza. Solo los más fuertes ganan.

4 En la _____ las personas trabajan por los otros.

5 La _____ puede hacer mucho daño.

6 La _____ puede ser una adicción.

7 La _____ es la base de la sociedad.

26 🔊 Completa este *podcast* sobre el fútbol con las siguientes palabras. Después, escucha y comprueba.

Mundo ● equipos ● competiciones ● favoritos ● deportes ● *la Roja* ● Copa ● jugadores

El fútbol es uno de los (1) _____ más practicados en todo el mundo. Existen muchas (2) _____ de fútbol, pero la más importante es la (3) _____ del Mundo. También se llaman *los mundiales de fútbol* y se celebran cada cuatro años desde 1930. Estos duran aproximadamente un mes. Participan treinta y dos (4) _____.

De los países latinos, Brasil, Argentina, Uruguay, Colombia, Costa Rica y España son siempre (5) _____. La selección de fútbol española, llamada (6) _____ por el color de su uniforme, tiene una Copa del (7) _____.

En España hay (8)_____ muy famosos, como Iniesta o Casillas.

Lengua y comunicación

Marca la respuesta correcta.

1 Yo ____ atletismo los martes y jueves.
- a) ☐ juego al
- b) ☐ practico
- c) ☐ entreno

2 Practico todos los días el *jogging* y ____ muchos kilómetros.
- a) ☐ corro
- b) ☐ buceo
- c) ☐ nado

3 Montar a caballo significa practicar ____.
- a) ☐ la natación
- b) ☐ la equitación
- c) ☐ el submarinismo

4 Practico el piragüismo todas las semanas y tengo que ____ muchas horas.
- a) ☐ correr
- b) ☐ esquiar
- c) ☐ remar

5 Puedes practicar el submarinismo en ____.
- a) ☐ una piscina
- b) ☐ una cancha
- c) ☐ una pista

6 Cuarenta y noventa son ____.
- a) ☐ ciento veinte
- b) ☐ ciento treinta
- c) ☐ ciento cuarenta

7 Un año tiene ____ días.
- a) ☐ doscientos sesenta y cinco
- b) ☐ trescientos setenta y cinco
- c) ☐ trescientos sesenta y cinco

8 A todos mis compañeros de clase ____ los deportes de aventura.
- a) ☐ les gusta
- b) ☐ le gustan
- c) ☐ les gustan

9 A mi madre y a mí ____ gusta ir en moto.
- a) ☐ nos
- b) ☐ me
- c) ☐ les

10 A Beatriz ____ gustan mucho las matemáticas.
- a) ☐ se
- b) ☐ le
- c) ☐ les

11 ¿A ti te gusta la escalada?
- a) ☐ Sí, te encanta.
- b) ☐ Sí, me encanta.
- c) ☐ Sí, le encanta.

12 A mí no me gusta jugar al voleibol. ¿Y a ti?
- a) ☐ A mí no.
- b) ☐ A mí también.
- c) ☐ A mí sí.

13 En un concurso de música es necesario ____ bien.
- a) ☐ cocinar
- b) ☐ bucear
- c) ☐ cantar

14 En el concurso no ____ hablar con tu pareja.
- a) ☐ puedes
- b) ☐ podéis
- c) ☐ podemos

15 La pareja que ____ el concurso, recibe un premio.
- a) ☐ gana
- b) ☐ empata
- c) ☐ pierde

16 Para participar en el concurso es necesario ____ una inscripción.
- a) ☐ de hacer
- b) ☐ que hacer
- c) ☐ hacer

17 ¿Vosotros ____ esta noche?
- a) ☐ competimos
- b) ☐ competís
- c) ☐ compiten

18 Para ser concursante tienes ____ tener más de dieciséis años.
- a) ☐ de
- b) ☐ que
- c) ☐ ø

19 Los concursantes que ____ esta semana, no pueden llegar a la final.
- a) ☐ pierden
- b) ☐ pierdes
- c) ☐ pierde

20 ¿A ustedes no ____ los deportes?
- a) ☐ les gusta
- c) ☐ os gustan
- c) ☐ les gustan

Total: _____ / de 10 puntos

Destrezas

 ## 1. COMPRENSIÓN ESCRITA

1 Lee el texto *La historia de superación de Daniel Stix, el protagonista del anuncio de Cola-Cao* y observa la fotografía: ¿a qué hacen referencia? Selecciona la opción correcta. (___ / 2 puntos)

- Una entrevista en la televisión y un blog ☐
- Una entrevista en la radio y un libro ☐
- Una encuesta en la radio y un libro ☐
- Una presentación y un foro ☐

2 Lee el párrafo 1 y busca en el texto. (___ / 6 puntos)

1 La palabra que significa *actor*. _____
2 La palabra que significa *publicidad*. _____
3 La palabra que significa *distintos*. _____

3 Lee los párrafos 2 y 3. Marca con una cruz (X) la frase correcta. (___ / 2 puntos)

1 A Daniel le encanta el deporte, pero no lo practica mucho. ☐
2 Daniel quiere practicar deportes porque le encanta, y mucha gente lo ayuda. ☐
3 A Daniel le gusta el deporte, pero solo practica dos: esquí y bicicleta de montaña ☐
4 Daniel no disfruta del deporte ☐

▶ 1:23 ———●——————— 8:30 🔊 ⧉

La historia de superación de Daniel Stix, el protagonista del anuncio de Cola-Cao

- El deporte le ha servido de motor, y lo cuenta en *Con ruedas y a lo loco*
- «La vida es cuestión de coraje y de mucha valentía»

MADRID 01.10.2014

[1] Seguro que su nombre y, sobre todo, su cara, les suena por ser el protagonista de un anuncio de Cola-Cao* en el que habla de los diferentes deportes que practica en silla de ruedas: esquí, natación, *kitesurf* y bicicleta de montaña. Prácticamente no hay deporte que se le resista (…).

[2] «Desde siempre me ha encantado el deporte y estar activo, y gracias a muchas fundaciones y a mucha gente que ayuda a los que queremos practicar deporte en silla de ruedas he sido capaz de tantas cosas», ha explicado Daniel Stix en *Las mañanas de RNE***.

[3] Ahora todas sus experiencias las plasma en el libro *Con ruedas y a lo loco,* en el que el mensaje principal que pretende transmitir es que en la vida «hay que ir más allá de las dificultades, no pensar en las barreras, hacer lo que te gusta y disfrutar con ello». Por eso el subtítulo es así de potente: «Si te caes siete veces, levántate ocho». (…) A sus 17 años tiene las cosas muy claras: «Al final es cuestión de coraje y mucha valentía».

---

* Marca de cacao en polvo
** Radio Nacional de España

Extraído de http://www.rtve.es

Total: _____ / 10 puntos

2. PRODUCCIÓN ESCRITA

(Mínimo, 50 palabras)

Participas en un foro de deportes. Escribe una <u>entrada en el foro</u>.

Incluye:
- qué deporte(s) te gusta(n)
- qué deporte(s) practicas
- tu deporte favorito
- tu deportista favorito

▶ EVALUACIÓN DE TU PRODUCCIÓN ESCRITA

- **Lengua** (___ / 4 puntos)
  - Léxico: deportes
  - Gramática: presente / verbo *gustar*

- **Contenido** (___ / 4 puntos)
  - Qué deporte(s) te gusta(n)
  - Qué deporte(s) practicas
  - Tu deporte favorito
  - Tu deportista favorito

- **Formato: entrada de foro** (___ / 2 puntos)
  - ¿Está tu nombre?
  - ¿El estilo es informal?

Total: _____ / 10 puntos

 3. PRODUCCIÓN ORAL (expresión)

(Mínimo, un minuto)

Habla de tus concursos de televisión favoritos.

Incluye:
- qué concursos te gustan
- a qué hora y qué día de la semana los ves
- describe el concurso
- explica cuáles son las reglas más importantes

▶ EVALUACIÓN DE TU PRODUCCIÓN ORAL

- **Lengua** (___ / 4 puntos)
  - Léxico: concursos, horas, días de la semana
  - Gramática: *tener que / poder / es* + adjetivo + infinitivo

- **Contenido** (___ / 4 puntos)
  - Qué concursos te gustan
  - A qué hora y qué día de la semana los ves
  - Describe el concurso
  - Explica cuáles son las reglas más importantes

- **Expresión** (___ / 2 puntos)
  - Hablas con fluidez
  - Hablas con una buena pronunciación y entonación

Total: _____ / 10 puntos

 4. COMPRENSIÓN ORAL

(71) **Escucha a Javier y Manuela, que hablan de sus gustos y de las actividades que practican. Marca con una cruz quién dice estas frases.**

	Manuela	Javier
1 Le gusta el tenis.		
2 Practica los martes y los jueves.		
3 Juega con el equipo del colegio.		
4 Toca la guitarra eléctrica.		
5 Quiere ir a un concurso de televisión.		

Total: _____ / 10 puntos

Total: _____ / 50 puntos

Mi progreso

Valora tu progreso después de esta unidad.

Mis habilidades

- Hablar, entender, escuchar y escribir sobre deportes, gustos y concursos
- Entender y escribir una entrada en un foro y un artículo de una revista

Mis conocimientos

- Léxico de los deportes, los números y los concursos
- Verbos *gustar* y *encantar*
- Verbos *tener (que)* y *poder*
- Diferencia entre *g* y *j*
- Información sobre Costa Rica y el ecoturismo

Soy más consciente

- De la competición a través del deporte y los concursos
- Del significado de la colaboración y el triunfo
- De lo que significa la competición

 Bien   Adecuado   Mal

6 Nutrición

Comidas y bebidas

1 Escribe dos nombres de alimentos en cada grupo. Puedes buscar en el diccionario o en internet. Después, compáralos con los de tu compañero.

Lácteos

_____

_____

Fruta

_____

_____

Cereales

_____

_____

Embutido

_____

_____

Verduras y legumbres

_____

_____

Pescado

_____

_____

Carne

_____

_____

Frutos secos

_____

_____

2 ¿Cuál de estas actividades te gusta más y cuál te gusta menos? Escribe también lo que más y lo que menos le gusta a tu compañero.

¡Lo que más me gusta es cocinar!

comer en casa ● probar comida nueva ● cocinar
comer en un restaurante ● preparar el desayuno
tomar un café ● ir a comprar la comida ● lavar los platos

1 Lo que más me gusta es _____
_____ .

2 Lo que menos me gusta es _____
_____ .

3 Lo que más le gusta a _____ es
_____ .

4 Lo que menos le gusta a _____ es
_____ .

3 Clasifica los siguientes alimentos. Puedes mirar la pirámide de alimentación de la página 71 del libro del alumno.

caramelos ● mariscos ● agua ● aceite de oliva ● legumbres
frutos secos ● embutidos ● huevos ● helados ● pan ● queso

SANOS	
POCO SANOS	

4 Escribe qué desayunas, comes, meriendas y cenas si quieres comer de una manera «sana».

Desayuno: _____

Como: _____

Meriendo: _____

Ceno: _____

5 Elige una opción. Compara tus frases con las de tu compañero.

1 Como pescado **más / menos** de tres veces a la semana.

2 Como verduras **más / menos** de una vez a la semana.

3 Como pasta **más / menos** de una vez a la semana.

4 Como helado **más / menos** de dos veces a la semana.

5 Como huevos **más / menos** de una vez a la semana.

6 Bebo agua **más / menos** de cinco veces al día.

6 Responde a las preguntas.

1 ¿Cuántas veces a la semana tomas leche? _____

2 ¿Cuántas veces a la semana comes carne? _____

3 ¿Cuántas veces al día bebes zumos de frutas? _____

4 ¿Cuántas veces al día comes pan? _____

5 ¿Cuántas veces a la semana comes fruta? _____

6 ¿Cuándo comes arroz? _____

7 ¿Cuántas veces a la semana comes patatas? _____

8 ¿Cuándo tomas café? _____

Hábitos alimenticios

7 ¿Conoces estas comidas? ¿De qué países son típicas? Escribe frases.

México ● Perú ● Argentina ● Italia ● España ● ~~Japón~~ ● Marruecos ● Inglaterra

1 El *sushi se come en Japón*.

2 La *pizza* _____.

3 El ceviche _____.

4 Las empanadas criollas _____.

5 El *roastbeef* _____.

6 Los burritos _____.

7 El cuscús _____.

8 Los churros _____.

8 ¿Conoces la cocina peruana? Lee el texto. Una de las siguientes informaciones es falsa, ¿sabes cuál?

1 La cocina peruana tiene influencias de América, Europa, África y Asia.

2 En la costa tienen más de dos mil sopas diferentes.

3 En Perú hay más de 250 postres típicos.

4 En Perú se come más carne que pescado.

5 En Perú se preparan muchos platos con arroz y patatas.

6 La cocina peruana se conoce cada día más en el mundo.

LA COCINA PERUANA

La cocina peruana es una de las más ricas del mundo. Es el resultado de la fusión de la cocina tradicional peruana/precolombina con la cocina española y con la influencia de la inmigración africana, francesa, china, japonesa e italiana. Una gastronomía de cuatro continentes en un solo país, que ofrece una enorme variedad de platos típicos peruanos en constante evolución. En la costa peruana, por ejemplo, existen más de dos mil sopas diferentes y en el país hay más de 250 postres tradicionales. En Perú se comen muchos platos con arroz, patatas, tomates y especialmente pescado, y uno de los ingredientes básicos es el ají (también llamado chile). Las personas que visitan Perú por primera vez se sorprenden cuando descubren la riqueza de la cocina peruana. Pero no solo los que visitan Perú tienen la oportunidad de probar sus exquisitos platos; cada día existen más restaurantes especializados en la gastronomía peruana en diversas ciudades del mundo.

9 ¿Qué se come o se bebe en tu país? Marca las frases correctas.

1 Se come mucho arroz. ☐
2 Se come mucho pescado. ☐
3 Se toman muchos productos lácteos. ☐
4 Se bebe mucha leche. ☐
5 Se cocina con aceite. ☐
6 Se come mucho pan. ☐
7 Se beben muchos zumos. ☐
8 Se come mucha carne. ☐
9 Se come mucha pasta. ☐
10 Se comen muchas verduras. ☐

10 ¿Recuerdas qué ingredientes se necesitan para hacer un gazpacho? Completa el texto con las siguientes palabras.

tres cucharadas ● un diente ● un cuarto de kilo ● un kilo
un trozo ● un vaso ● una cucharada

FLORINDA 25 marzo ●12.24h

¿Alguien sabe qué ingredientes necesito para hacer un gazpacho para cuatro personas? Esta noche tengo invitados en casa y quiero preparar un gazpacho de primer plato.

1 respuesta

MEGACHEF 25 marzo ●13.20h

Hola, Florinda. Para preparar un gazpacho para cuatro personas necesitas (1) _____ de tomates (es la base de este plato), un pimiento y (2) _____ de pepinos, (3) _____ de cebolla y también de pan, (4) _____ de ajo, (5) _____ de aceite de oliva, otras tantas de vinagre y (6) _____ pequeña de sal. ¡Ah!, y otra cosa muy importante, (7) _____ de agua.

11 Combina las siguientes palabras con los verbos. Hay muchas posibilidades.

las patatas ● las cebollas ● los huevos ● la verdura ● el pan
el embutido ● la fruta ● la carne ● el pescado

Cortar	Lavar	Pelar	Batir	Freír

12 ¿Sabes cómo se hace la tortilla española? Completa la receta con el pronombre impersonal *se* y uno de los siguientes verbos.

freír ● ~~pelar~~ ● batir ● cortar ● añadir
picar ● echar ● meter ● pasar

TORTILLA DE PATATAS

Ingredientes (para 4 personas):
- 4 huevos
- 5 patatas
- 1 cebolla
- sal
- aceite de oliva

Primero (1) *se pelan* las patatas y (2) _____ en trozos pequeños. Después, (3) _____ en una sartén con aceite de oliva. Al mismo tiempo, (4) _____ los huevos con un poco de sal en un bol. (5) _____ la cebolla en trozos pequeños y (6) _____ los trozos de cebolla a la sartén donde están las patatas. Cuando las patatas y la cebolla están fritas (unos veinte minutos a fuego lento), (7) _____ en el bol con el huevo batido. Después, (8) _____ la mezcla del huevo, las patatas y la cebolla a la sartén. Unos minutos después, con un plato grande, le damos la vuelta. Volvemos a dejar la mezcla en la sartén unos minutos. Finalmente, (9) _____ la tortilla a un plato y ¡ya está lista para comer!

13 72 Ahora, escucha la receta y comprueba.

Comer fuera

14 Clasifica los siguientes alimentos en la tabla.

Bebida	Fruta	Verdura	Carne	Pescado

15 ¿Qué es? Lee las descripciones y escribe al lado a qué comida o bebida se refieren.

paella ● ensalada ● zumo ● café con leche ● pizza ● helado

1 Es una comida que se hace al horno y que lleva muchas cosas, principalmente *mozzarella*. _____

2 Es un plato que se hace con arroz, lleva pescado y también puede llevar carne. _____

3 Es un plato que se hace con diferentes verduras. Normalmente lleva tomate, lechuga y muchas otras cosas. _____

4 Es un postre que se come normalmente en verano. Se toma muy frío. _____

5 Es una bebida que se hace con fruta. _____

6 Es una bebida que se toma en el desayuno o también después de comer. _____

16 Todos estos platos son típicos de España. Busca información sobre ellos y escribe qué son o qué llevan.

1 Calamares a la romana: _____

2 Fabada: _____

3 Cocido: _____

4 Tortilla: _____

5 Torrijas: _____

6 Arroz a la cubana: _____

17 Completa el menú con las palabras que faltan.

sopa • flan • de temporada • de la casa • al horno
asados • verdura • croquetas • con patatas • arroz

MENÚ DEL DÍA 11 €

Primer Plato

(1) __________ de pescado
Ensalada (2) __________
(3) __________ a la cubana
(4) __________ a la plancha

Segundo plato

Bistec con pimientos (5) __________
Dorada (6) __________
Pollo (7) __________
(8) __________ de bacalao

Postre

(9) __________ de la casa
Yogur
Helado
Fruta (10) __________

Pan, vino o agua y café incluidos.

18 ¿Cuál es el postre que más te gusta y el que menos?

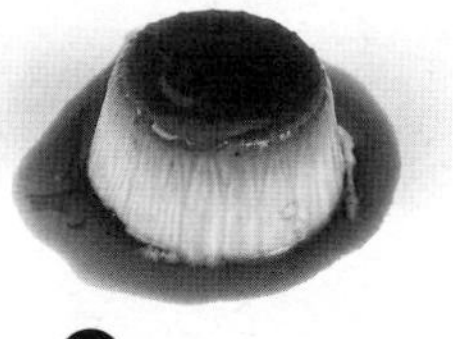
1 el flan

2 el helado

3 el arroz con leche

4 la macedonia de frutas

5 el yogur

6 el pastel de chocolate

7 los frutos secos

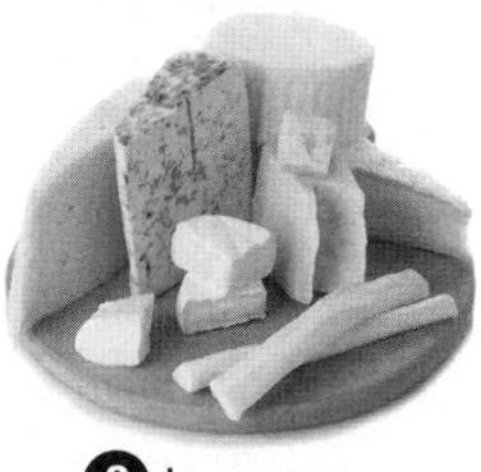
8 los quesos

El postre que más me gusta es / son __________.
El postre que menos me gusta es / son __________.

19 (73) Completa las frases con los verbos que faltan. Después, escucha y comprueba.

trae • lleva • quiero • pone • preparan • hacemos • es

1 • ¿Qué __________ la dorada?
■ Un pescado.
2 • ¿Qué __________ la ensalada?
■ Lechuga, tomate, aceitunas, frutos secos…
3 Me __________ la cuenta, por favor.
4 De primero __________ la sopa.
5 ¿Me __________ un té, por favor?
6 • El pescado, ¿cómo lo __________?
■ Lo __________ al horno.

20 ¿De qué hablan?

1 Lo tomo siempre con hielo.
a) la fruta b) los helados c) el café
2 Las hago siempre al horno.
a) los tomates b) las patatas c) la carne
3 Los tomo por la mañana.
a) el desayuno b) las naranjas c) los cereales
4 La como normalmente con tomates.
a) la ensalada b) el pan c) los zumos
5 Los hago siempre fritos.
a) las verduras b) los huevos c) el arroz
6 La como siempre muy hecha.
a) el té b) la carne c) el pescado

21 Responde a las preguntas como en el ejemplo.

1 ¿Cómo tomas el café? *Lo tomo con leche.*
2 ¿Cómo tomas la leche? __________
3 ¿Cómo comes los huevos? __________
4 ¿Cómo tomas el agua? __________
5 ¿Cómo comes el pan? __________
6 ¿Cómo comes las verduras? __________
7 ¿Cómo comes el pollo? __________
8 ¿Cómo tomas las patatas? __________

22 En parejas, escribid una comida o una bebida que empiece por las siguientes letras. Gana la pareja que tiene más palabras.

A __________	I __________	R __________
B __________	J __________	S __________
C __________	L __________	T __________
D __________	M __________	U __________
E __________	N __________	V __________
F __________	O __________	Z __________
G __________	P __________	
H __________	Q __________	

Lengua y comunicación

Marca la respuesta correcta.

1 Cuando nos levantamos por la mañana, ____.
a) ☐ merendamos
b) ☐ cenamos
c) ☐ desayunamos

2 Soy vegetariano, no como carne y tampoco como ____.
a) ☐ fruta
b) ☐ pescado
c) ☐ legumbres

3 Por la mañana ____ que más me gusta son los cereales.
a) ☐ la
b) ☐ los
c) ☐ lo

4 Como fruta ____ dos y cuatro veces al día.
a) ☐ entre
b) ☐ más
c) ☐ menos

5 Bebo agua ____ seis veces al día.
a) ☐ más que
b) ☐ más
c) ☐ más de

6 En España ____ mucha fruta y también verdura.
a) ☐ se come
b) ☐ se comen
c) ☐ come

7 Un ingrediente importante para hacer gazpacho es ____ de pan.
a) ☐ un trozo
b) ☐ una cucharada
c) ☐ un diente

8 Para hacer una tortilla de patatas, primero ____ los huevos.
a) ☐ se pican
b) ☐ se baten
c) ☐ se pelan

9 Después ____ los huevos con las patatas.
a) ☐ se quitan
b) ☐ se mezclan
c) ☐ se añaden

10 ● ¿Qué desea?
■ De primero ____ una ensalada.
a) ☐ quiero
b) ☐ llevo
c) ☐ como

11 ● Perdone, ¿qué ____ el bacalao?
■ Un pescado.
a) ☐ prepara
b) ☐ lleva
c) ☐ es

12 ● Pues para mí, de segundo, el bistec con pimientos y patatas.
■ ¿ ____ quiere muy hecho o poco hecho?
a) ☐ Los
b) ☐ Lo
c) ☐ Ø

13 Y la dorada, ¿cómo ____ preparan?
a) ☐ la
b) ☐ las
c) ☐ lo

14 En este restautrante hacemos la dorada ____ horno.
a) ☐ al
b) ☐ el
c) ☐ a

15 ¡Camarero! ¿Me ____ otra botella de agua, por favor?
a) ☐ pone
b) ☐ lleva
c) ☐ quiero

16 Perdone, por favor, ¿me ____ la cuenta?
a) ☐ lleva
b) ☐ pone
c) ☐ trae

17 Yo siempre como la carne muy ____.
a) ☐ horno
b) ☐ hecha
c) ☐ plancha

18 A mí me gusta el café ____ azúcar.
a) ☐ solo y sin
b) ☐ solo y al
c) ☐ con hielo e

19 En China se come mucho pescado ____ vapor.
a) ☐ con
b) ☐ de
c) ☐ al

20 Yo desayuno pan ____ mermelada.
a) ☐ con mantequilla de
b) ☐ mantequilla con
c) ☐ con mantequilla y

Total: _____ / de 10 puntos

Destrezas

 1. COMPRENSIÓN ESCRITA

1 Lee la receta y escribe debajo de la fotografía qué tipo de plato es. Elige entre las siguientes opciones. (___ / 2 puntos)

BEBIDA   **TAPA**   **POSTRE**

2 ¿Cómo se llama el conjunto de alimentos que se necesitan para preparar un plato? Escribe el nombre en el espacio que hay debajo del autor de la receta. (___ / 2 puntos)

3 ¿Cómo se preparan las tostadas de aguacate y anchoas? Lee el texto y elige los verbos adecuados. (___ / 6 puntos)

TOSTADAS DE AGUACATE Y ANCHOAS

● Autor: **Fernando Romero**

1 barra de pan
2 aguacates
6-12 anchoas
3 cebollas
3 tomates
aceite de oliva

Preparación

(1) Se meten / Se pelan / Se echan los aguacates, las cebollas y los tomates y (2) se corta / se echa / se bate todo en trozos pequeños. (3) Se corta / Se pela / Se mete el pan en rebanadas finas y, después, se hacen tostadas. (4) Se mete / Se corta / Se pone sobre el pan un poco de aguacate, cebolla y tomate y encima (5) se añaden / se meten / se baten las anchoas. Al final, (6) se pica / se echa / se mezcla un poco de aceite por encima.

● Tipo de plato: _____
● N.º de personas: **6**

Total: _____ / 10 puntos

2. PRODUCCIÓN ESCRITA

(Mínimo, 50 palabras)

Participas en un concurso de recetas originales. Escribe una <u>receta de cocina</u>.

Incluye:
- los ingredientes
- la preparación
- por qué te gusta
- por qué es original

▶ EVALUACIÓN DE TU PRODUCCIÓN ESCRITA

- **Lengua** (___ / 4 puntos)
- Léxico: comidas, medidas, cantidades y verbos para cocinar
- Gramática: presente / verbo *gustar* / *se* impersonal

- **Contenido** (___ / 4 puntos)
- Los ingredientes
- La preparación
- Por qué te gusta
- Por qué es original

- **Formato: receta de cocina** (___ / 2 puntos)
- ¿Tiene nombre la receta?
- ¿Hay diferentes partes en la receta?

Total: _____ / 10 puntos

3. PRODUCCIÓN Y COMPRENSIÓN ORAL (interacción)

(Mínimo, un minuto cada uno)

Con un compañero, prepara un diálogo en un restaurante español. Uno es el camarero y el otro es el cliente.

Incluye:
- saludar
- preguntar e informar sobre algún plato
- pedir / tomar nota de la bebida, el primer plato y el segundo plato
- pedir / tomar nota del postre y la cuenta

▶ EVALUACIÓN DE TU PRODUCCIÓN ORAL Y DE LA COMPRENSIÓN ORAL DE TU COMPAÑERO

- **Lengua** (___ / 4 puntos)
- Léxico: diversos platos y lenguaje de restaurante
- Gramática: los pronombres de OD y el verbo *querer*

- **Contenido** (___ / 4 puntos)
- Saludar
- Preguntar e informar sobre algún plato
- Pedir / Tomar nota de la bebida, el primer plato y el segundo plato
- Pedir / Tomar nota del postre y la cuenta

- **Expresión** (___ / 2 puntos)
- Hablas con fluidez
- Hablas con una buena pronunciación y entonación

- **Interacción** (___ / 10 puntos)
- Comprendes lo que dice tu compañero
- Respondes de forma coherente a lo que dice tu compañero

Total: _____ / 20 puntos

Total: _____ / 50 puntos

Mi progreso

Valora tu progreso después de esta unidad.

Mis habilidades
- Hablar, entender, escuchar y escribir sobre comidas, bebidas y hábitos alimenticios
- Entender y escribir una receta y pedir en un restaurante

Mis conocimientos
- Léxico de comidas, bebidas, hábitos alimenticios y recetas
- La frecuencia y la impersonalidad
- Los pronombres de objeto directo
- Las letras *ch* y *ll*
- Información sobre España y su cocina

Soy más consciente
- De mi dieta
- De la importancia de una dieta sana
- De la comida en otras culturas

 Bien　　 Adecuado　　 Mal

7 Diversión

Hacer planes

1 Relaciona un elemento de cada columna para hablar de planes para el fin de semana.

1 ver	a con los amigos
2 jugar a	b un concierto
3 salir	c una película
4 ir a	d merengue
5 hacer	e una revista
6 leer	f deporte
7 bailar	g las cartas

2 (74) Completa la siguiente conversación con estos verbos. Después, escucha y comprueba.

creo ● hacemos ● compro ● gusta ● tiene
organizamos ● puedo ● buscamos

● ¿Por qué no (1) _____ una fiesta el próximo viernes?

■ No, no, el viernes no, que mucha gente (2) _____ partidos o entrenamientos. Mejor el sábado.

● Vale, pues el sábado, ¿a las siete?

▲ Sí, yo (3) _____ que a las siete está bien.

■ Por mí, perfecto. Entonces la (4) _____ en el garaje de mi casa. Tenemos permiso, chicos.

▲ ¡Genial! Yo (5) _____ las bebidas y algo de picar.

● Yo (6) _____ ir al supermercado contigo.

■ Y yo me encargo de la música. ¡Ah!, una idea…, ¿y si (7) _____ un tema?

▲ ¿Cómo un tema?

■ Sí, por ejemplo *La guerra de las galaxias*, personajes famosos, la época *hippy*…

● Me (8) _____ la idea. ¿Podemos hacer los años ochenta?

▲ Sí, sí, ¡qué divertido!

■ Bueno, pues…, ¡listo!

3 Acepta o rechaza estas propuestas.

1 ¿Por qué no hacemos juntos el trabajo mañana?

_____

2 ¿Y si vamos de compras el sábado?

_____

3 Podemos quedar el viernes para ir a la pizzería.

_____

4 ¿Qué te parece si compramos un libro a Teresa de regalo de cumpleaños?

_____

5 ¿Por qué no vemos una película de terror?

_____

6 ¿Qué te parece si hacemos una fiesta este fin de semana?

_____

4 Escribe un mensaje de Facebook a un compañero con propuestas para el fin de semana. Después, responde a tu compañero aceptando o rechazando.

5 ¿Singular o plural? Elige la opción correcta.

1 A Daniel y a mí nos **apetece / apetecen** mucho unas hamburguesas.

2 A mis amigos les **gusta / gustan** la idea de hacer una excursión al volcán.

3 ¿Qué te **parece / parecen** los nuevos amigos de Lola?

4 ¡Me **encanta / encantan** los conciertos de *hip hop*!

5 A mí me **parece / parecen** muy bien comprar los regalos hoy.

6 ¿Os **gusta / gustan** las bicicletas de montaña?

7 A Lorenzo le **interesa / interesan** mucho el cine.

8 No me **apetece / apetecen** ver un partido de voleibol, ¡prefiero jugar!

6 Mira la agenda de Jordi. Escribe sus planes para el fin de semana.

VIERNES
- Teatro con Luisa (21:00)

SÁBADO
- Competición tenis (11:00)
- Fiesta en casa de Berto (22:00)

DOMINGO
- Terminar el proyecto de Matemáticas
- Comida en casa de la abuela

1 El viernes por la noche Jordi va a ir _____
_____.

2 El sábado a las once _____
_____.

3 El sábado por la noche _____
_____.

4 El domingo, durante el día, _____
_____.

5 El domingo al mediodía _____
_____.

7 Pregunta a tu compañero por sus planes este fin de semana y anótalos. Después, escribe frases.

VIERNES	SÁBADO	DOMINGO
Jugar al balon-cesto (17:00)		

El viernes por la tarde va a jugar al baloncesto.

_____
_____
_____
_____
_____
_____

8 Escribe cuáles son tus planes. ¿Qué vas a hacer...?

Mañana _____
_____.

Pasado mañana _____

La semana que viene _____
_____.

El próximo año _____
_____.

Invitar

9 Relaciona y forma frases.

1 Si hace buen tiempo, … ☐
2 Si tengo un examen el lunes, … ☐
3 Si voy a una fiesta de un amigo, … ☐
4 Si tengo dinero, … ☐
5 Si quiero comprarme ropa nueva, … ☐
6 Si tengo problemas con una asignatura, … ☐

a llevo un pequeño regalo.
b podemos ir a la piscina.
c me quedo en casa para estudiar.
d pregunto a mi profesor.
e me compro música y libros.
f llamo a una amiga para ir al centro comercial.

10 Completa las frases con los pronombres correctos.

nosotras ● te ● yo ● vosotras ● os ● le ● nos ● me (x2)

● Chicas, a Lola (1) _____ apetece ir de compras el sábado. ¿Queréis venir con (2) _____?

■ (3) _____ tengo este fin de semana un viaje con mis padres. ¡Lo siento, no puedo ir!

▲ A mí (4) _____ encantaría ir, pero tengo que estudiar.

● ¿Y el sábado por la noche, Alicia? A ti (5) _____ gustan las películas de suspense, ¿no? Tengo una muy buena en casa.

▲ Vale, (6) _____ parece muy bien. ¿A qué hora quedamos?

● Podemos quedar a las ocho. ¡Ah!, por cierto, a Lola y a mí (7) _____ apetece mucho hacer una fiesta con (8) _____. ¿Qué (9) _____ parece si la hacemos el sábado que viene?

▲ Por mí, ¡estupendo!

■ Sí, ¡genial!

11 Ahora señala cuáles de estos verbos que aparecen en el texto anterior funcionan como *gustar*.

apetecer ☐   parecer ☐   encantar ☐
quedar ☐   poder ☐   tener ☐

12 Clasifica las frases en la tabla: escribe el número de frase donde corresponda y después añade una frase nueva en cada fila.

1 Podemos encontrarnos delante del cine a las cuatro.
2 El sábado, para la excursión, nos encontramos en la parada de autobús a las ocho.
3 Me encantaría ir a tu fiesta, pero es que el fin de semana vamos a ir a casa de los abuelos.
4 ¿Y si vemos una peli de terror? Tengo una nueva.
5 Me parece una idea fenomenal. ¿A qué hora quedamos?
6 Lo siento mucho, de verdad, pero tengo examen de Biología el lunes y tengo que estudiar.
7 ¿Te apetece ir conmigo y con Sofía de compras mañana?
8 Vale, estupendo. ¿Dónde quedamos?
9 Todos en mi casa el sábado por la tarde sobre las tres. Después cogemos el autobús.
10 ¿Por qué no compramos el regalo entre todos?

	Número frase	Nueva frase
Invitar		
Rechazar la invitación		
Aceptar la invitación		
Quedar		
Hacer propuestas		

13 Escribe los tres tipos de películas que te gustan más y los tres que te gustan menos.

Películas románticas | Películas de suspense | Películas de terror / miedo | Películas de ciencia ficción | Películas de acción

Películas históricas | Películas de aventuras | Películas sociales, críticas | Películas de humor

Las que me gustan más	
Las que me gustan menos	

14 Lee las reseñas y di a qué película corresponde cada frase. Puede haber varias opciones.

1 El protagonista es un chico joven con problemas. ☐
2 El problema en la relación es el físico del hombre. ☐
3 La película tiene un mensaje positivo para los jóvenes. ☐
4 Trata temas de la familia. ☐
5 El protagonista trabaja de actor. ☐
6 La película es de humor. ☐

«QUINCE AÑOS Y UN DÍA», de Gracia Querejeta (española)

Es la historia de un adolescente conflictivo, con muchos problemas, sobre todo con su madre. Cuando es expulsado del colegio, se va a vivir una temporada a casa de su abuelo, un militar jubilado que vive en la costa de la Luz. La película es una mezcla de suspense, humor y drama que trata temas como la amistad y la familia.

«CORAZÓN DE LEÓN», de Marcos Carnevale (argentina)

Es una comedia crítica. Un hombre y una mujer se conocen porque uno de ellos pierde el celular. Se gustan, pero hay un problema: él es mucho más bajo que ella. Este hecho es un inconveniente por los prejuicios de la sociedad, que cree que la mujer siempre quiere tener a su lado a un hombre alto.

«MATEO», de María Gamboa (colombiana)

Mateo es un joven de 16 años que cobra dinero a comerciantes de Barrancabermeja (Colombia) para su tío, un jefe criminal. Un día entra en un grupo de teatro para contar las actividades políticas de sus miembros a su tío. Es una película realista, los actores no son profesionales, sino habitantes de la zona. La directora comenta que el tema es la dignidad y que también quiere demostrar cómo el arte puede abrir los ojos a los jóvenes para no entrar en conflictos armados. «Mateo es un drama: es el reflejo del proceso colectivo del país en este momento».

Dar opiniones

15 **Escribe tu opinión sobre los siguientes temas. Utiliza** *Creo que...*, *Pienso que...* **y** *Me parece que...*

1 Comer rápido: _____

Creo que comer rápido es malo para la salud.

2 Hacer exámenes: _____

3 Utilizar el móvil en clase: _____

4 Beber café: _____

5 Leer cómics: _____

6 Hacer meditación: _____

16 **Señala las cinco actividades que te parecen mejor para combatir el estrés. Después, comenta con tu compañero.**

1 Comer sentado, acompañado y despacio ☐
2 Hacer yoga ☐
3 Escuchar música ☐
4 Salir con amigos ☐
5 Leer ☐
6 Ver películas ☐
7 Dormir bien ☐
8 Hacer muchas pausas en el estudio o trabajo ☐
9 Hacer deporte ☐
10 Reírse mucho ☐

17 **¿Qué haces tú para combatir el estrés? Escribe un pequeño texto.**

_____
_____
_____
_____
_____
_____
_____
_____
_____
_____
_____
_____
_____

18 **Completa estas palabras con** *c* **o** *z*.

1 quin__e
2 __ine
3 me__clar
4 __iencia ficción
5 a__tor
6 utili__ar
7 ha__er
8 cuatro__ientos
9 organi__ación
10 a__tividad
11 con__ierto
12 recha__ar

19 🔊75 **Escucha estas palabras y colócalas, según su sonido, /k/ o /z/, en la columna adecuada.**

/k/	/z/

20 Lee este texto y di si estas frases son verdaderas (V) o falsas (F).

1 La risa es social. ☐
2 La risa tiene un efecto en el cuerpo. ☐
3 Tienes que tomar una medicina para reír más. ☐
4 La risa produce nerviosismo. ☐
5 La risa ayuda a personas enfermas. ☐
6 La risoterapia se utiliza solo con problemas psicológicos. ☐

LA RISA

¿Cuántas veces al día te ríes?
¿Qué te hace reír? ¿Con quién te ríes?

Normalmente, una persona no se ríe cuando está sola. Te ríes cuando estás en compañía de otras personas y hablas de cosas divertidas; cuando cuentas chistes, ves películas cómicas o lees libros divertidos.

La risa puede ayudar también a reducir el estrés. Cuando nos reímos, relajamos el cuerpo porque, en primer lugar, movemos más de cuatrocientos músculos. Además, segregamos endorfinas que se extienden por todo el cuerpo y funcionan como una medicina. La risa reduce los nervios y la ansiedad y, por lo tanto, el estrés. Es una gran terapia contra la depresión.

Hoy en día existe una terapia, llamada risoterapia, que se utiliza para curar enfermedades no solo psicológicas. Hay también muchas organizaciones que visitan hospitales e intentan hacer reír, o al menos sonreír, a los pacientes.

«Quien de todo se ríe,
ese es el que bien vive.»

(refrán castellano)

21 Completa esta tabla.

verbo	sustantivo	adjetivo
divertirse		
	el aburrimiento	
		descansado

22 Escribe parejas de contrarios.

aburrido • barato • sedentario • solo • caro
activo • divertido • acompañado

aburrido ≠ divertido _____

_____

23 Lee los siguientes diálogos y señala si B muestra acuerdo total (T), acuerdo parcial (P) o desacuerdo (D).

1 A Estoy harto de tanto trabajar. Yo creo que también es importante divertirse, ¿no?
B Pues sí, tienes razón, pero creo que todo es cuestión de organizarse. ☐
2 A Cuando lees, entras en un mundo nuevo y olvidas tus preocupaciones…
B Estoy de acuerdo contigo, todo eso ayuda. ☐
3 A ¿No estás toda la noche con el ordenador? Me parece que no duermes bien.
B Es verdad, duermo pocas horas y juego mucho con el ordenador. ☐
4 A Tienes que empezar a ser menos serio, a reírte mucho más.
B Tienes razón. ☐
5 A Eres tan inteligente…
B Pues yo creo que no. Inteligente no, organizada. ☐

24 ¿Con cuáles de estas afirmaciones estás de acuerdo y con cuáles no? Comenta con tu compañero.

1 Hay cosas que son gratis y muy divertidas.
2 Hay muchos tipos de diversión.
3 La diversión es necesaria para poder trabajar.
4 Es necesario realizar pequeñas actividades, también en el trabajo.
5 Cuando nos divertimos, el tiempo pasa más deprisa.

25 🔊76 Escucha este *podcast* sobre distintos ritmos del Caribe y completa las frases.

1 La bachata trata temas de _____ .
2 El chachachá se baila en _____ .
3 El merengue es típico de _____ .
4 La salsa es una mezcla de _____ y *jazz*.
5 El mambo comienza en los años _____ .

Lengua y comunicación

Marca la respuesta correcta.

1 La semana que ____ vamos a ir a un concierto.
- a) ☐ próxima
- b) ☐ viene
- c) ☐ pasada

2 Me gusta la idea ____ pasear por el Malecón.
- a) ☐ en
- b) ☐ de
- c) ☐ a

3 La diversión ____ necesaria para vivir.
- a) ☐ le
- b) ☐ es
- c) ☐ se

4 A Luis ____ apetece mucho ir al cine.
- a) ☐ le
- b) ☐ se
- c) ☐ les

5 ¿Qué ____ parece a tus padres si nos quedamos a dormir en tu casa?
- a) ☐ le
- b) ☐ se
- c) ☐ les

6 Hay chicos y chicas que llevan una vida muy ____. ¡Es necesario moverse!
- a) ☐ divertida
- b) ☐ sedentaria
- c) ☐ creativa

7 No tenemos que pagar nada porque es ____.
- a) ☐ gratis
- b) ☐ barato
- c) ☐ caro

8 Chus, ¿____ venir a mi fiesta de cumpleaños?
- a) ☐ quiero
- b) ☐ quieres
- c) ☐ quieren

9 Y ____ la noche podemos ir a bailar.
- a) ☐ de
- b) ☐ Ø
- c) ☐ por

10 Yo prefiero ____ ir a la hamburguesería en autobús.
- a) ☐ de
- b) ☐ Ø
- c) ☐ por

11 No tengo ganas ____ comer más *pizza*.
- a) ☐ de
- b) ☐ Ø
- c) ☐ por

12 En este museo hay una ____ de pintura moderna.
- a) ☐ exposición
- b) ☐ excursión
- c) ☐ invitación

13 Si te invitan a una fiesta, puedes aceptar o ____ la invitación.
- a) ☐ preferir
- b) ☐ apetecer
- c) ☐ rechazar

14 Podemos ____ en mi casa a las cuatro.
- a) ☐ invitar
- b) ☐ quedar
- c) ☐ apetecer

15 ¿____ martes hay películas en versión original?
- a) ☐ Al
- b) ☐ Los
- c) ☐ En

16 Estoy ____ acuerdo contigo: la película es muy buena.
- a) ☐ en
- b) ☐ Ø
- c) ☐ de

17 En algunos países se dice *celular* y en España se dice ____.
- a) ☐ cine
- b) ☐ móvil
- c) ☐ televisión

18 Las películas de amor son películas ____.
- a) ☐ románticas
- b) ☐ de suspense
- c) ☐ de ciencia ficción

19 El argumento es ____ de la película.
- a) ☐ la historia
- b) ☐ el tema
- c) ☐ el país

20 La risa y la música son dos recursos para ____ el estrés.
- a) ☐ tener
- b) ☐ aumentar
- c) ☐ reducir

Total: _____ / 10 puntos

Destrezas

1. COMPRENSIÓN ESCRITA

1 **Mira esta página web de la República Dominicana: ¿a quién va dirigida? (___ / 2 puntos)**

_____

2 **Lee la información y marca (X) si las siguientes frases son verdaderas (V) o falsas (F). Justifica tu respuesta con información del texto. (___ / 8 puntos)**

	V	F
1 Hay mucha diversión para grandes y pequeños. (Párrafo 1)	☐	☐
Justificación: _____		
2 Los hoteles y *resorts* tienen zonas para actividades de ocio. (Párrafo 2)	☐	☐
Justificación: _____		
3 El acuario, el zoológico y el jardín botánico están en Puerto Plata. (Párrafo 3)	☐	☐
Justificación: _____		
4 Puedes utilizar el *segway* si tienes un bebé. (Párrafo 4)	☐	☐
Justificación: _____		

República Dominicana
Lo tiene todo

INICIO   DÓNDE IR   QUÉ HACER   ALOJAMIENTO   GALERÍA

ACTIVIDADES EN FAMILIA

[1] Disfrutar al máximo de unas vacaciones en familia es una gran oportunidad (…) que brinda la República Dominicana como destino turístico. La oferta es amplia y variada, y abarca múltiples atracciones para adultos y para niños, tanto en la capital como en las zonas turísticas, y también en otras ciudades del país.

[2] Dentro de las opciones hay una gran cantidad de hoteles y *resorts* orientados a proporcionar diversión a toda la familia, ya que cuentan con instalaciones para la práctica de numerosas actividades recreativas y deportivas, además de sus programas de entretenimiento: clases de baile con música en vivo, la práctica de deportes como el voleibol de playa y piscina, tenis y *ping-pong*, bicicleta, aeróbicos en la piscina, yoga, *stretching*, tai-chi, *snorkeling, boogie boards,* kayak, clases de *scuba diving* y muchos más (…). Y para los más pequeños están los clubes para niños o con *kids clubs* con actividades educativas y de diversión.

[3] (…) En la ciudad de Santo Domingo hay varias opciones para la familia, como el Museo Trampolín, la biblioteca infantil y juvenil República Dominicana, el acuario nacional, el zoológico nacional, el jardín botánico, los parques Mirador Sur y Mirador Norte y el parque infantil Las Canquiñas.

[4] En Puerto Plata están Ocean World Adventure Park, Columbus Water Park y Fun City Action Park, este último especializado en *go karts*. (…) En Punta Cana también se encuentran varias opciones para compartir en familia: Manatí Park, Animal Adventure y Dolphin Island Park, Zipline Adventures, Marinarium y Segway Tour. El *segway* es un singular medio de transporte, de muy fácil manejo, que funciona con baterías y es una opción excelente para familias con niños de 7 años en adelante.

Total: _____ / 10 puntos

2. PRODUCCIÓN ESCRITA

(Mínimo, 50 palabras)

Has visto una película interesante. Escribe una breve <u>reseña</u> para la revista de tu instituto.

Incluye:

- nombre, tipo de película y país de origen
- nombre del director y de los actores
- argumento
- si te gusta o no te gusta la película

▶ EVALUACIÓN DE TU PRODUCCIÓN ESCRITA

- **Lengua** (___ / 4 puntos)
  - Léxico: el cine
  - Gramática: presente / verbo *gustar* / *si* + presente, presente / verbos valorativos

- **Contenido** (___ / 4 puntos)
  - Nombre, tipo de película y país de origen
  - Nombre del director y de los actores
  - Argumento
  - Si te gusta o no te gusta la película

- **Formato: reseña** (___ / 2 puntos)
  - ¿Hay título?
  - ¿Las partes están separadas en párrafos?

Total: _____ / 10 puntos

 ## 3. PRODUCCIÓN Y COMPRENSIÓN ORAL (interacción)

(Mínimo, un minuto cada uno)

Prepara un diálogo con un compañero. Vais a recibir la visita de un amigo común que ya no vive en la ciudad. Queréis organizar un plan para pasar el fin de semana juntos.

Incluye:

- hacer propuestas sobre varias actividades
- aceptar alguna propuesta
- rechazar alguna propuesta
- sugerir una propuesta alternativa y concluir el plan

▶ EVALUACIÓN DE TU PRODUCCIÓN ORAL Y DE LA COMPRENSIÓN ORAL DE TU COMPAÑERO

- **Lengua** (___ / 4 puntos)
  - Léxico: actividades
  - Gramática: *preferir* y *apetecer* / marcadores de tiempo

- **Contenido** (___ / 4 puntos)
  - Hacer propuestas sobre actividades
  - Aceptar alguna propuesta
  - Rechazar alguna propuesta
  - Sugerir una propuesta alternativa y concluir el plan

- **Expresión** (___ / 2 puntos)
  - Hablas con fluidez
  - Hablas con una buena pronunciación y entonación

- **Interacción** (___ / 10 puntos)
  - Comprendes lo que dice tu compañero
  - Respondes de forma coherente a lo que dice tu compañero

Total: _____ / 20 puntos

Total: _____ / 50 puntos

Mi progreso

Valora tu progreso después de esta unidad.

Mis habilidades	
- Hablar y entender sobre planes, invitaciones y opiniones	
- Entender y escribir un correo electrónico	

Mis conocimientos	
- Invitaciones, planes, opiniones	
- Verbo *preferir*, expresar condición	
- Expresar acuerdo y desacuerdo	
- Las letras *c* y *z*	
- Información sobre Cuba y la República Dominicana y la música	

Soy más consciente	
- De mis actividades de ocio	
- De la importancia de navegar por la red con eficacia	
- De la diversión en las distintas culturas	

 Bien   Adecuado   Mal

8 Clima

El tiempo

1 **¿Qué tiempo hace? Indica la opción correcta. Puede haber más de una opción.**

A
1 Hace viento ☐
2 Está nublado ☐
3 Hace sol ☐

B
1 Hace buen tiempo ☐
2 Hace frío ☐
3 Hay niebla ☐

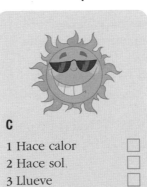

C
1 Hace calor ☐
2 Hace sol ☐
3 Llueve ☐

D
1 Nieva ☐
2 Está nublado ☐
3 Hace viento ☐

E
1 Llueve ☐
2 Hace mal tiempo ☐
3 Hace sol ☐

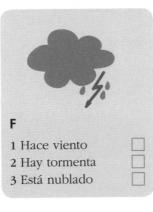

F
1 Hace viento ☐
2 Hay tormenta ☐
3 Está nublado ☐

G
1 Hace buen tiempo ☐
2 Hace mal tiempo ☐
3 Hace calor ☐

H
1 Hace sol ☐
2 Hace calor ☐
3 Nieva ☐

2 **¿Qué tiempo hace en estas ciudades en las distintas estaciones? Completa las frases. Busca en internet si necesitas ayuda.**

1 En enero _____ en Buenos Aires.
2 En Varsovia _____ en los meses de invierno.
3 En diciembre _____ en Santiago de Chile.
4 En los meses de junio y julio _____ en Tokio.

5 En Caracas _____ en mayo.
6 En Berlín _____ durante los meses de invierno.
7 Durante los meses de verano _____ en Oslo.
8 En Montevideo _____ en agosto.

3 (77) **Completa la previsión del tiempo de la provincia de Córdoba, en Argentina, con los siguientes conectores. Después, escucha y comprueba.**

---

además ● y (x2) ● pero ● aunque

La previsión para hoy

Esta mañana en el norte de la provincia hay tormentas (1) _____ está nublado, (2) _____ por la tarde va a hacer sol (3) _____ va a aumentar la temperatura. En el centro de la provincia hoy hace sol y, (4) _____, va a hacer mucho calor. (5) _____ ahora hay niebla en el sur de la provincia, al mediodía va a hacer sol. Como vemos, en Córdoba hoy tenemos un tiempo variado.

4 **Forma frases con los siguientes conectores.**

aunque • pero • además • y • también

1 En el hemisferio sur es invierno en julio _y_ verano en enero.

2 Me encanta Colombia. _____, me gusta mucho el clima que tiene.

3 La República Dominicana tiene una gran biodiversidad y _____ un clima perfecto durante todo el año.

4 En la Patagonia, en julio y en agosto hace mucho frío y nieva, _____ yo nunca esquío en esos meses.

5 En el norte de España, _____ en invierno hace frío, hay gente que se baña en la playa.

5 **Mira el mapa de la previsión del tiempo en la provincia de Córdoba, en España, y escribe el texto. Utiliza el texto del ejercicio 3 como ayuda.**

_____

_____

_____

_____

_____

_____

_____

El clima en nuestras vidas

6 **¿Qué haces o cómo te sientes según el clima? Completa las frases.**

1 Cuando hace sol, _____.

2 Cuando llueve, _____.

3 Cuando hace frío, _____.

4 Cuando hace viento, _____.

5 Cuando hace mucho calor, _____.

6 Cuando hay tormenta, _____.

7 Cuando nieva, _____.

8 Cuando está nublado, _____.

7 **Escribe el nombre de ciudades o lugares con los siguientes climas. Puedes buscar información en internet.**

1 Clima tropical
_____

2 Clima seco
_____

3 Clima cálido
_____

4 Clima frío
_____

5 Clima húmedo
_____

8 Mira los datos que nos proporciona un blog sobre el clima y la personalidad.
¿Estás de acuerdo con todo? Comenta con tu compañero o escribe una breve opinión.

- *Sí, estoy de acuerdo porque a mí me gusta la primavera y el color naranja y el amarillo.*
  Soy extrovertida…
- *Yo no estoy de acuerdo, a mí también me gusta la primavera, pero ¡soy introvertida!*

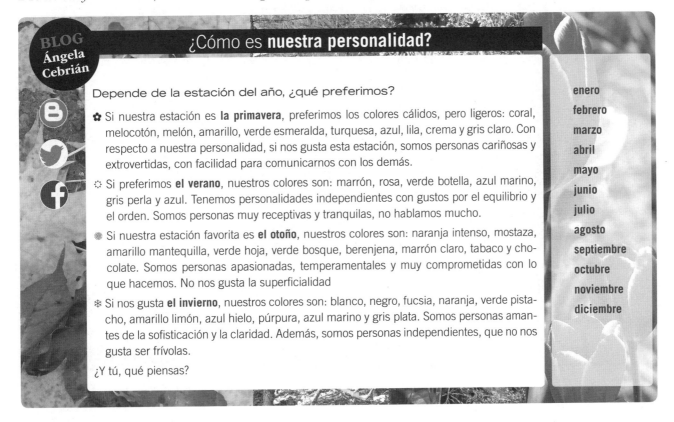

BLOG Ángela Cebrián

¿Cómo es **nuestra personalidad**?

Depende de la estación del año, ¿qué preferimos?

✿ Si nuestra estación es **la primavera**, preferimos los colores cálidos, pero ligeros: coral, melocotón, melón, amarillo, verde esmeralda, turquesa, azul, lila, crema y gris claro. Con respecto a nuestra personalidad, si nos gusta esta estación, somos personas cariñosas y extrovertidas, con facilidad para comunicarnos con los demás.

☼ Si preferimos **el verano**, nuestros colores son: marrón, rosa, verde botella, azul marino, gris perla y azul. Tenemos personalidades independientes con gustos por el equilibrio y el orden. Somos personas muy receptivas y tranquilas, no hablamos mucho.

❀ Si nuestra estación favorita es **el otoño**, nuestros colores son: naranja intenso, mostaza, amarillo mantequilla, verde hoja, verde bosque, berenjena, marrón claro, tabaco y chocolate. Somos personas apasionadas, temperamentales y muy comprometidas con lo que hacemos. No nos gusta la superficialidad

❄ Si nos gusta **el invierno**, nuestros colores son: blanco, negro, fucsia, naranja, verde pistacho, amarillo limón, azul hielo, púrpura, azul marino y gris plata. Somos personas amantes de la sofisticación y la claridad. Además, somos personas independientes, que no nos gusta ser frívolas.

¿Y tú, qué piensas?

enero
febrero
marzo
abril
mayo
junio
julio
agosto
septiembre
octubre
noviembre
diciembre

9 Para tomar nota del nuevo vocabulario del texto anterior, completa el mapa mental con
los nombres de colores y adjetivos que definen nuestra personalidad para cada estación.

10 Vuelve a leer el blog del ejercicio 8 y escribe un comentario a la especialista
con tu opinión sobre el tema.

El clima perfecto

11 **Escribe frases sobre dos ciudades utilizando los siguientes comparativos. Hay varias posibilidades. Busca información en internet si es necesario.**

más … que ● menos … que ● tan … como ● tanto … como ● el mismo

Tierra del Fuego (Argentina)

Mallorca (España)

Buenos Aires (Argentina)

Santa Fe (Argentina)

Ibiza (España)

Madrid (España)

1 (poblada) *Tierra del Fuego está menos poblada que Santa Fe.*

2 (clima) _____

3 (tráfico) _____

Río de Janeiro (Brasil)

Brasilia (Brasil)

4 (turística) _____

Formentera (España)

Punta del Este (Uruguay)

5 (tranquila) _____

12 *¿Tú o vos?* **Escribe el pronombre que corresponde según el verbo.**

1 ● ¿_____ eres español?
  ■ Sí, soy español, de Madrid.
2 ● ¿_____ podés ayudar a Cecilia con los deberes?
  ■ Claro, ¡ningún problema!
3 ● _____ vives cerca del hospital, ¿verdad?
  ■ Sí, sí, muy cerca.
4 ● ¿_____ hablás alemán?
  ■ No, yo hablo italiano. ¡No hablo nada de alemán!
5 ● ¿_____ sos de Córdoba?
  ■ No, soy de Mendoza.
6 ● ¿_____ te llamas José Antonio, como tu padre?
  ■ No, solo José.

13 🔊78 **Escucha esta breve conversación de dos chicos. ¿Son argentinos o españoles? ¿Cómo lo sabes? Trabaja con tu compañero y toma nota para justificar tu respuesta.**

14 Mira las fotos. Todas estas cosas se dicen de forma diferente en España y Argentina. Señala qué dice un argentino (A) y qué un español (E). ¿Hay también diferencias en tu lengua según los distintos países o regiones donde se habla?

A
Manejar el auto ☐
Conducir el coche ☐

B
Fresas con nata ☐
Frutillas con crema ☐

C
Una falda estrecha ☐
Una pollera ajustada ☐

D
Coger el autobús ☐
Tomar el colectivo ☐

15 Lee el poema *Cultivo una rosa blanca,* **de José Martí, y subraya las palabras que relacionas con esta unidad.**

CULTIVO UNA ROSA BLANCA

Cultivo una rosa blanca
en junio como en enero
para el amigo sincero
que me da su mano franca.

Y para el cruel que me arranca
el corazón con que vivo,
cardo ni ortiga cultivo;
cultivo la rosa blanca.

16 ¿Qué significado tiene el título del poema anterior? ¿Por qué «una rosa blanca»?

17 Completa el crucigrama con palabras de la unidad.

HORIZONTALES
1 Clima característico de Argentina.
2 Color que caracteriza la naturaleza, la selva, los bosques…
3 Hay cuatro cada año.
4 Sinónimo de *región*.

VERTICALES
5 Estación en la que hace frío.
6 En verano hace sol y hace _____.
7 *Tú* en Argentina.

18 🔊79 **Lee y escucha la información sobre Argentina y escribe los números.**

La República Argentina es un país independiente desde (1) _____. Tiene unos (2) _____ millones de habitantes y está dividida en (3) _____ provincias y una ciudad autónoma: Buenos Aires. Tiene una longitud de casi (4) _____ kilómetros entre el extremo norte y el extremo sur. La superficie continental es de (5) _____ km², es el segundo país más grande en extensión de América del Sur después de Brasil. La montaña más alta del territorio argentino es el pico del Aconcagua, a (6) _____ metros de altura.

Lengua y comunicación

Marca la respuesta correcta.

1 Hoy _____ nublado en Barcelona.
- a) ☐ está
- b) ☐ hace
- c) ☐ hay

2 ¿Qué tiempo _____ en Londres en enero?
- a) ☐ es
- b) ☐ hace
- c) ☐ está

3 El _____ es el color de la esperanza en la cultura hispánica.
- a) ☐ verde
- b) ☐ gris
- c) ☐ amarilla

4 _____ hace mucho frío, hoy no va a nevar en esta región.
- a) ☐ Pero
- b) ☐ Además
- c) ☐ Aunque

5 En el sur de Argentina hace mal tiempo en invierno. _____, hace mucho viento.
- a) ☐ Además
- b) ☐ Pero
- c) ☐ Aunque

6 Hoy _____ a 35º, hace mucho calor.
- a) ☐ estamos
- b) ☐ somos
- c) ☐ hace

7 Me gusta mucho el color _____ oscuro.
- a) ☐ negro
- b) ☐ azul
- c) ☐ blanco

8 Esta ciudad de la costa es _____ turística que la capital del país.
- a) ☐ más
- b) ☐ tan
- c) ☐ tanta

9 En Pinamar no hay _____ restaurantes como en Mar del Plata.
- a) ☐ más
- b) ☐ menos
- c) ☐ tantos

10 Las provincias de Río Negro y Chubut tienen _____ clima.
- a) ☐ la misma
- b) ☐ el mismo
- c) ☐ lo mismo

11 ¿Vos _____ viajar a Mendoza el próximo verano?
- a) ☐ podés
- b) ☐ puede
- c) ☐ puedes

12 La ciudad de Rosario está más cerca de Buenos Aires _____ la ciudad de Córdoba.
- a) ☐ que
- b) ☐ de
- c) ☐ a

13 Hoy hace _____ tiempo en Valencia.
- a) ☐ buen
- b) ☐ bueno
- c) ☐ malo

14 Hay mucha _____ en la calle. ¡No puedo ver nada!
- a) ☐ sol
- b) ☐ niebla
- c) ☐ nublado

15 Mi estación favorita es el _____ porque hace mucho calor.
- a) ☐ otoño
- b) ☐ invierno
- c) ☐ verano

16 Los ingleses viven en zonas de clima más _____ en Argentina.
- a) ☐ fría
- b) ☐ frío
- c) ☐ fríos

17 En el sur de Argentina, en la Patagonia, nieva _____ todo el año.
- a) ☐ mucho
- b) ☐ mucha
- c) ☐ muchos

18 No _____, no necesitas paraguas.
- a) ☐ nieva
- b) ☐ llueve
- c) ☐ hace sol

19 La gente en países de climas tropicales es más _____.
- a) ☐ pesimista
- b) ☐ alegres
- c) ☐ alegre

20 En el sur de España hace _____ frío que en el norte.
- a) ☐ tanto
- b) ☐ menos
- c) ☐ tan

Total: _____ / 10 puntos

Destrezas

 1. COMPRENSIÓN ESCRITA

1 Lee la infografía sobre el clima en Argentina. Solo una frase es correcta. Marca la frase con una X. (___ / 2 puntos)

1 Argentina tiene cinco tipos de clima. ☐
2 El clima de Argentina es templado en todo el país. ☐
3 Hay una gran diversidad de climas en Argentina. ☐
4 La Patagonia se caracteriza por su clima cálido. ☐

2 Lee *Clima cálido* y *Clima templado*. ¿Con qué climas relacionas estos dos mapas? (___ / 2 puntos)

1 Clima _____   2 Clima _____

3 Lee *Clima árido* y *Clima frío* y elige una palabra para cada espacio. Solo se puede utilizar cada palabra una vez. (Hay 2 palabras más de las necesarias). (___ / 6 puntos)

verano ● aunque ● árido ● y ● país ● cuatro ● tanto ● invierno

CLIMA EN ARGENTINA

La región continental argentina presenta una amplia variedad de climas, que van desde el tropical hasta el frío en el sur, con diversos climas templados entre uno y otro extremo.

CLIMA ÁRIDO. Este tipo de clima se extiende del noroeste al sureste del país, y presenta (1) _____ variedades según la altura y la latitud:

- **Árido de alta montaña**. La amplitud térmica es muy grande, (2) _____ en la dimensión diaria como en la anual, y se producen heladas todo el año.
- **Árido de sierras y campos.** La temperatura media anual es de alrededor de 18 °C. La amplitud térmica es mayor entre el día y la noche que entre el verano y el (3) _____.
- (4) _____ **de estepa** (norte de la Patagonia). Temperatura media menor de 15 °C. Heladas frecuentes y precipitaciones muy escasas.
- **Árido frío** (sur de la Patagonia). Temperatura media cercana a los 10 °C. Precipitaciones inferiores a los 300 mm al año.

CLIMA CÁLIDO. Este tipo de clima se presenta en el noreste del territorio argentino. Los vientos dominantes provienen del norte, noreste y este.

CLIMA TEMPLADO. En el centro del país. Por la cantidad y la distribución de las precipitaciones, se distinguen dos tipos: al este, el templado húmedo, y al oeste, una ancha faja de transición hacia el clima árido*. La temperatura media es de 15 °C.

* muy seco

CLIMA FRÍO. En la región sudoeste del (5) _____. Se caracteriza por presentar una temperatura media de alrededor de los 7 °C, (6) _____ varía con la altura.

Extraído de http://www.argentour.com

Total: _____ / 10 puntos

2. PRODUCCIÓN ESCRITA

(Mínimo, 50 palabras)

Escribe un <u>artículo informativo</u> sobre el clima en tu país para la revista de tu centro educativo.

Incluye:

- una introducción sobre el clima de tu país (un párrafo)
- tipos de climas (un párrafo)
- regiones (un párrafo)

▶ EVALUACIÓN DE TU PRODUCCIÓN ESCRITA

- **Lengua** (___ / 4 puntos)
- Léxico: el clima
- Gramática: conectores / comparativos

- **Contenido** (___ / 4 puntos)
- Introducción
- Tipos de clima
- Regiones
- Conclusión

- **Formato: artículo informativo** (___ / 2 puntos)
- ¿Hay título?
- ¿Tiene diferentes párrafos?

Total: _____ / 10 puntos

 3. PRODUCCIÓN ORAL (expresión)

(Mínimo, un minuto)

Con un mapa de tu país, explica el tiempo para el día de hoy.

Incluye:

- diversos tipos de fenómenos atmosféricos
- lugares donde ocurren estos fenómenos

▶ EVALUACIÓN DE TU PRODUCCIÓN ORAL

- **Lengua** (___ / 4 puntos)
- Léxico: el tiempo y los puntos cardinales
- Gramática: presente de indicativo de verbos impersonales

- **Contenido** (___ / 4 puntos)
- Diversos tipos de fenómenos atmosféricos
- Lugares donde ocurren esos fenómenos

- **Expresión** (___ / 2 puntos)
- Hablas con fluidez
- Tienes una buena pronunciación y entonación

Total: _____ / 10 puntos

 4. COMPRENSIÓN ORAL

80 Escucha a Chema y Mariña hablando de las actividades que van a realizar mañana.

1 ¿Qué quieren hacer? (___ / 2 puntos)

_____.

_____.

2 Ahora, completa. (___ / 8 puntos)
- Si hace buen tiempo, _____

_____.

- Si llueve, _____

_____.

- Si está nublado, _____

_____.

- Si hace frío, _____

_____.

Total: _____ / 10 puntos

Total: _____ / 50 puntos

Mi progreso

Valora tu progreso después de esta unidad.

Mis habilidades	
- Hablar, entender y escribir sobre el clima y la influencia del clima en nuestras vidas.	
- Entender y escribir un artículo informativo.	

Mis conocimientos	
- Léxico del tiempo, los colores, el clima	
- Comparativos	
- El voseo	
- La pronunciación de las letras *y* / *ll*	
- Información sobre Argentina y su clima	

Soy más consciente	
- Del tiempo, el clima y su influencia en nuestras vidas	
- Del respeto a distintos puntos de vista	
- Del efecto del clima en la cultura	

 Bien   Adecuado   Mal

186 ciento ochenta y seis

9 Viajes

Saber viajar

1 **¿En qué tipo de vacaciones se hacen las siguientes cosas? Hay varias posibilidades.**

visitar museos • descansar • hacer deportes de riesgo
bucear • tomar el sol • caminar por la selva • bailar
ir a una sauna • visitar templos religiosos • leer un libro
correr • pasear • dormir la siesta • comer en un restaurante

VACACIONES...

culturales

de playa

de aventura

de salud

deportivas

2 **¿Qué quieres hacer próximamente? Completa las frases y después pregunta a tu compañero qué quiere hacer.**

- Este año _____
_____ .

- Este mes _____
_____ .

- Este fin de semana _____
_____ .

- Esta semana _____
_____ .

- Esta noche _____
_____ .

● *¿Qué quieres hacer este año?*
■ *Quiero ir de vacaciones a España.*

3 **¿En qué lugares te puedes bañar y en cuáles no?**

lago • volcán • desierto • río • isla • playa
catarata • montaña • bosque • valle

TE PUEDES BAÑAR	NO TE PUEDES BAÑAR
En un lago	

4 **Completa la tabla.**

	saber	conocer
yo		conozco
tú	sabes	
él, ella, usted		conoce
nosotros/-as	sabemos	
vosotros/-as		conocéis
ellos/-as, ustedes	saben	

5 ¿Qué saben hacer estas personas?

1 un socorrista

2 un taxista

3 un músico

4 una cantante

sabe nadar

5 una traductora

6 una profesora

7 un poeta

8 una cocinera

6 (81) Completa con los verbos *saber* o *conocer*. Después, escucha y comprueba.

A • ¿Y tú, qué ciudades españolas (1) _____?
   ▪ Yo solo (2) _____ Barcelona, ¿y ustedes?
   • Nosotros (3) _____ Madrid, Barcelona, Bilbao…

B • Mario, ¿(4) _____ hablar ruso? Es que tenemos un amigo de Moscú de visita y no (5) _____ hablar inglés ni español.
   ▪ Bueno, (6) _____ decir algunas palabras porque (7) _____ a un chico ruso del instituto.

C • Señor Martínez, ¿(8) _____ cuándo llegan sus hijos de vacaciones?
   ▪ Pues no estoy seguro…, (9) _____ que llegan hoy, pero no estoy seguro de la hora…

D • Vamos a jugar al tenis con Marina.
   ▪ ¿Marina? No (10) _____ quién es.
   • ¿No la (11) _____? Es mi prima.
   ▪ Pues no, no la (12) _____.

7 Construye frases en tu cuaderno como la del ejemplo.

1 hablar ruso / hablar árabe *No sé hablar ruso ni árabe.*
2 patinar / esquiar
3 tocar la guitarra / tocar el piano
4 ir en moto / ir en bicicleta
5 bailar / cantar
6 cocinar / conducir
7 nadar / jugar al fútbol
8 ir en monopatín / hacer *windsurf*

8 Lee el siguiente foro sobre costumbres mexicanas, ¿hay alguna costumbre parecida en tu país? Subráyala.

danuki99
13 mar 2015 (17:35)

COSTUMBRES MEXICANAS
Hola a todos:
Me interesan mucho las costumbres mexicanas. Y quiero crear un espacio para comentar todas las tradiciones de México. ¿Alguien de México puede aportar información? Por ejemplo, ¿alguien puede explicar qué es el Día de Muertos?
🗨 13 comentarios

anabella
13 marzo 2015 (20:15)

Re. 1# ¡Hola! Aquí tienes un poco de información sobre el Día de Muertos:
La muerte es fundamental en la vida de los mexicanos; es una fiesta que tiene su origen en las culturas prehispánicas y que se celebra el 1 y 2 de noviembre. Las familias construyen altares decorados con velas, flores, sal y papel picado y con ofrendas como alimentos, bebidas o los objetos favoritos de los muertos.
Otra costumbre son las serenatas. Normalmente, se regala una serenata (una o varias canciones, eso depende de si tienes más o menos dinero) con mariachi, pero también puede ser con un trío o cualquier otra agrupación. La idea es mostrarle a una persona especial el amor que le tienes. Actualmente no son tan habituales como antes.
🗨 120 comentarios

supercuate
14 marzo 2015 (10:22)

Re. 2# ¿Sabes qué son las fiestas decembrinas? Durante el mes de diciembre en México hay muchas celebraciones. Entre el 16 y el 24 tenemos las tradicionales posadas, que representan el viaje de la Virgen María y San José hasta Belén. Durante esas noches los vecinos, familiares o amigos se reúnen para cenar y beber el típico ponche. El día 24 es la cena familiar de Nochebuena y se dan los regalos. El 25 se celebra la Navidad, también con mucha comida. El 31 de diciembre se celebra la noche de Año Nuevo con una cena y se tiran fuegos artificiales. Mucha gente tiene la costumbre de usar un calzón amarillo para atraer dinero, o de color rojo para encontrar el amor. Y la gente que quiere viajar mucho ese año, sale a la calle con una maleta y da una vuelta a la manzana o al edificio.
🗨 55 comentarios

9 Ahora, imagina que tienes que explicarle a alguien que no entiende el español en qué consisten las siguientes tradiciones mexicanas. Descríbelas en tu idioma.

El Día de Muertos

Las serenatas

Las posadas

El Año Nuevo

10 Relaciona las palabras de las dos columnas. Hay más de una posibilidad.

1 señalar a alguien	a de alguien
2 quitarse	b con la mano
3 tocar la cabeza	c con el dedo
4 taparse la boca	d con la mano derecha
5 saludar o comer	e los zapatos

11 Escribe cómo son estos hábitos en tu país.

de buena educación ● de mala educación ● habitual

En mi país:

1 Es _____ señalar a alguien con el dedo.

2 Es _____ cubrirse la boca cuando sonríes.

3 Es _____ tocar la cabeza de alguien.

4 Es _____ no quitarse los zapatos en casa de alguien.

5 Es _____ saludar con la mano izquierda.

12 ¿Qué otros hábitos son de mala educación en tu país?

Descubrir

13 Mira el plano de México D. F. y completa las frases. Tú estás en la esquina de la calle Corregidora con la calle Academia.

detrás ● a la derecha (x2) ● entre ● todo recto (x2)
a la izquierda (x2) ● al lado

1 ● Disculpe, ¿el Templo Mayor está cerca?
 ■ Sí, por la calle Academia, la tercera calle (1) _____ _____ y después (2) _____.

2 ● Perdone, ¿sabe dónde está la Academia de San Carlos?
 ■ Sí, (3) _____ por la calle Academia, y está después de la primera calle (4) _____.

3 ● Perdone, ¿el Palacio Nacional?
 ■ Está aquí (5) _____.
 ● ¿Y el Zócalo?
 ■ ¡Está (6) _____ del Palacio Nacional!

4 ● Perdona, ¿el Museo de Luis Cuevas?
 ■ Sí, está (7) _____ la calle de la Moneda y República de Guatemala.

5 ● Perdone, ¿hay una iglesia por aquí cerca?
 ■ Sí, Nuestra Señora de Balvanera. Por la calle Corregidora, la primera calle (8) _____ y después, la segunda calle (9) _____.

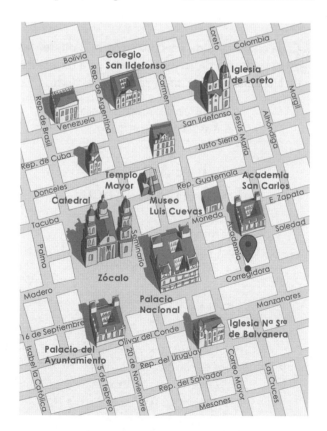

14 Completa con números ordinales.

1 Vivo en el (7.º) _____ piso.

2 El museo está en la (4.ª) _____ calle a la derecha.

3 Es la (2.ª) _____ vez que voy a México.

4 Esta es la (5.ª) _____ iglesia que visitamos en el D. F.

5 Yo vivo en el (4.º) _____ piso y mis tíos en el (6.º) _____.

6 Esta es la (9.ª) _____ unidad del libro.

15 Marca la opción correcta.

1 ¿Vives en el **primer / primero** piso?

2 Tengo tres hermanos y yo soy el **tercer / tercero**.

3 Este es el **tercer / tercero** viaje que hago este año.

4 Soy el **primer / primero** de la clase.

5 Pablo es el **primer / primero** novio de mi hermana.

6 No es el **primer / primero** museo que visito.

16 ¿Qué significan las siguientes abreviaturas? Escríbelas.

1 C/ _____

2 Avda. _____

3 Pza. _____

4 n.º _____

5 1.ᵉʳ _____

6 2.ª _____

7 dcha. _____

8 izda. _____

9 tel. _____

10 C. P. _____

17 Cada ciudad y cada país tienen formas diferentes de escribir una dirección. Observa esta tarjeta de un ciudadano mexicano y completa el texto.

Colonia ● teléfono ● Avenida ● número
departamento ● código postal

José Antonio
Lamberta del Bosque

Av. Insurgentes 1646 depto. 17
Col. del Valle C. P. 03980 México, D. F.
Tel. +52 (55) 5888.9080

José Antonio Lamberta del Bosque vive en la (1) _____ Insurgentes, en el (2) _____ 1646, (3) _____ 17 en la (4) _____ del Valle. El (5) _____ es el 03980 de México D. F. El número 55 indica que es un (6) _____ del D. F.

18 Completa las siguientes expresiones con sus respectivos verbos.

tomar ● hacer ● conocer ● ponerse ● cambiar
transgredir ● liberarse ● romper

1 _____ la estructura política y social

2 _____ de ataduras

3 _____ turismo

4 _____ distancia

5 _____ de primera mano

6 _____ a prueba

7 _____ la perspectiva

8 _____ con la rutina

19 ¿Por qué estudias español? Completa las frases.

ESTUDIAR ESPAÑOL ES _____

_____

_____.

ESTUDIO ESPAÑOL PARA _____

_____.

ESTUDIO ESPAÑOL POR _____

_____.

ESTUDIO ESPAÑOL PORQUE _____

_____

Experiencias

20 Completa la tabla del pretérito perfecto.

	haber	+ participio
yo		
tú	has	
él, ella, usted	_____	habl_____ (hablar)
nosotros/-as	hemos	+ beb_____ (beber)
vosotros/-as		ven_____ (venir)
ellos/-as, ustedes	han	

21 Escribe los participios de los siguientes verbos (no todos son irregulares).

1 ver _____

2 dormir _____

3 descubrir _____

4 hacer _____

5 jugar _____

6 trabajar _____

7 decir _____

8 poner _____

9 saber _____

10 abrir _____

11 morir _____

12 conocer _____

13 romper _____

14 volver _____

15 ir _____

16 nadar _____

22 Completa las frases con estos marcadores temporales en función de cuándo lo has hecho.

> este mes ● esta semana ● este fin de semana
> este año ● este lunes ● esta mañana ● hoy

1 He escrito un trabajo _____.
2 He visto la televisión _____.
3 He hecho los deberes _____.
4 He ido de vacaciones _____.
5 He comprado algo _____.
6 He dormido poco _____.
7 He ido al cine o al teatro _____.
8 He salido con mis amigos _____.
9 He estudiado mucho _____.
10 He desayunado _____.

23 Completa las frases con los verbos en pretérito perfecto.

● Hola, Laura, ¿qué tal el viaje por México?
■ Muy bien. (1) _____ (ser) un viaje fantástico. México es maravilloso y (2) _____ (conocer) al chico ideal.
● ¡Qué bien! ¿Y cómo se llama?
■ Carlos Daniel. Es un chico muy guapo y muy interesante. (3) _____ (viajar) por todo el mundo, (4) _____ (estar) en España muchas veces…
● ¡Qué suerte! ¿Y estudia? ¿Trabaja?
■ (5) _____ (tener) muchos trabajos, (6) _____ (hacer) varias películas…
● ¿Como actor?
■ ¡No! Como director…
● ¡No!
■ Y (7) _____ (escribir) cuatro libros… y (8) _____ (ganar) dos veces un premio de literatura.
● Pero ¿cuántos años tiene?
■ ¡Veinte!
● ¿Seguro que (9) _____ (hacer) todo eso?
■ Bueno, eso es lo que me (10) _____ (decir)…

24 Completa las listas con alojamientos y medios de transporte. Puedes buscar las palabras en un diccionario o en internet. ¿Quién tiene la lista más larga?

ALOJAMIENTOS	FORMAS DE VIAJAR
un hotel	en tren

25 Escribe los siguientes adjetivos en femenino.

1 abierto _____
2 conformista _____
3 interesante _____
4 tradicional _____
5 valiente _____
6 solitario _____
7 irresponsable _____
8 aventurero _____
9 sensible _____
10 sociable _____
11 reservado _____
12 independiente _____

26 Escribe un adjetivo contrario.

1 cobarde *valiente*
2 inconformista _____
3 responsable _____
4 moderno _____
5 inflexible _____
6 cerrado _____
7 dependiente _____
8 solitario _____

27 Todos hemos hecho alguna tontería en nuestra vida. Pregunta a dos compañeros si han hecho estas cosas alguna vez. Utiliza la segunda persona del plural para preguntar (vosotros).

1 Enviar un mensaje de texto a la persona equivocada.
2 Salir con la etiqueta de la ropa nueva a la calle.
3 Confundir la sal con el azúcar en una comida.
4 Dormirse en clase.
5 Cerrar la puerta y dejar las llaves dentro.
6 Ir a comprar y no llevar dinero.
7 Entrar en un baño público del sexo opuesto.
8 Saludar a alguien en la calle por equivocación.

● *¿Habéis enviado un mensaje de texto a la persona equivocada alguna vez?*
■ *Yo nunca, ¿y tú?*
▲ *Yo lo he hecho muchas veces…*

Lengua y comunicación

Marca la respuesta correcta.

1 Marcelo, ¿_____ venir este fin de semana a la playa?
- a) ☐ quiero
- b) ☐ quiere
- c) ☐ quieres

2 No me gusta montar _____ bicicleta.
- a) ☐ con
- b) ☐ de
- c) ☐ en

3 Chicos, ¿vosotros _____ cómo se llama la nueva profesora?
- a) ☐ sabes
- b) ☐ sabéis
- c) ☐ conocéis

4 Yo no _____ patinar ni esquiar.
- a) ☐ sé
- b) ☐ conozco
- c) ☐ sabe

5 Yo no _____ preparar la comida porque tengo que estudiar.
- a) ☐ sé
- b) ☐ puedo
- c) ☐ conozco

6 ¿Qué ciudades de México _____ ustedes?
- a) ☐ saben
- b) ☐ conocéis
- c) ☐ conocen

7 En mi país hay _____ muy altas.
- a) ☐ montañas
- b) ☐ valles
- c) ☐ islas

8 En mi cultura es de mala educación señalar con el dedo _____ alguien.
- a) ☐ de
- b) ☐ Ø
- c) ☐ a

9 ● ¿El Templo Mayor?
■ Está aquí _____ lado, _____ la catedral.
- a) ☐ al / detrás
- b) ☐ al / detrás de
- c) ☐ a / detrás de

10 La calle 16 de Septiembre está _____ esta calle.
- a) ☐ el final de
- b) ☐ al final
- c) ☐ al final de

11 Si vivo en el primer piso y en la segunda puerta, vivo en el _____.
- a) ☐ 2.ª 1.ª
- b) ☐ 1.º 2.º
- c) ☐ 1.º 2.ª

12 Nosotros _____ en México este año.
- a) ☐ hemos ido
- b) ☐ habéis estado
- c) ☐ hemos estado

13 ¿Has _____ a Fermín? No sé dónde está.
- a) ☐ visto
- b) ☐ dicho
- c) ☐ vuelto

14 ¿De dónde vienes? Son las diez de la noche, ¿qué _____ hoy?
- a) ☐ has hecho
- b) ☐ haces
- c) ☐ vas a hacer

15 ¿Vosotros _____ estudiado mucho para el examen?
- a) ☐ han
- b) ☐ has
- c) ☐ habéis

16 No me gustan los hoteles, prefiero _____ un apartamento.
- a) ☐ dormir
- b) ☐ alquilar
- c) ☐ recorrer

17 Javier ha viajado _____ todo el país.
- a) ☐ para
- b) ☐ por
- c) ☐ en

18 Sabe muchas cosas sobre México porque _____ muchas veces a ese país.
- a) ☐ ha aprendido
- b) ☐ ha viajado
- c) ☐ ha vivido

19 No _____ en México.
- a) ☐ he nunca estado
- b) ☐ nunca he estado
- c) ☐ he estado nunca

20 A Marcos le gusta mucho conocer gente nueva, es muy _____.
- a) ☐ independiente
- b) ☐ sociable
- c) ☐ sensible

Total: _____ / 10 puntos

Destrezas

 ### 1. COMPRENSIÓN ESCRITA

1 **Lee el texto. ¿Qué tipo de texto es? Marca (X) la opción correcta.** (___ / 2 puntos)

1 ☐ Un informe sobre México
2 ☐ Un foro sobre México
3 ☐ Un folleto turístico sobre México
4 ☐ Un blog sobre México

2 **Haz una primera lectura del texto y marca (X) cuál de las tres frases es la correcta.** (___ / 2 puntos)

1 ☐ A una persona no le ha gustado el país.
2 ☐ A las cuatro personas les ha gustado el país.
3 ☐ Una persona dice que no es un país recomendable para ir con niños.

3 **Lee las opiniones de los viajeros. ¿Con qué adjetivo(s) se define el viaje en los cuatro casos? Escribe solo uno.** (___ / 2 puntos)

ÁLVARO: _____ JUAN: _____

SILVIA: _____ SARA: _____

4 **Escribe el nombre de las personas que tienen estas opiniones. Nota: hay una frase más de las necesarias.** (___ / 4 puntos)

1 Me ha gustado todo de México. _____

2 Un viaje atractivo, con gente amable y bien organizado. _____

3 Un viaje lleno de arte y entretenimiento. _____

4 México es un país diverso y cercano. _____

5 Una oferta perfecta para adultos y niños. _____

MI VIAJE A MEDIDA A MÉXICO

OPINIONES DE LOS VIAJEROS 💬

 📌 La opinión de Álvaro 🖊 (abril 2014)
Un viaje increíble, muy recomendable, con una oferta de atractivos turísticos muy variada, desde yacimientos arqueológicos, paisajes y naturaleza, hasta historia, música, costumbres y gastronomía… Un placer para los sentidos. Un país para disfrutar de la amabilidad de sus gentes compartiendo una misma lengua, aunque con matices.
☻**¿Lo mejor?:** Viaje organizado y guiado, sin preocupaciones, con hoteles con encanto.

 📌 La opinión de Silvia 🖊 (abril 2014)
Ha sido un viaje inolvidable para toda la familia. Un viaje perfecto para todos: adultos y niños de 4 y 10 años.
☻**¿Lo mejor?:** Nadar con delfines, hacer *snorkel*, ir de pesca, ir en submarino, ver animales en su entorno natural, ruinas arqueológicas, ciudades coloniales, contacto con la gente y paisajes caribeños increíbles... No se puede pedir más.

 📌 La opinión de Juan 🖊 (octubre 2013)
Ha sido un viaje muy bonito de veinte días, recorriendo la capital, las ciudades coloniales de alrededor (Cuernavaca, Taxco, Cholula, Puebla, San Miguel de Allende, Querétaro, Guanajuato), los estados del sur, como Oaxaca (con las ruinas de Monte Albán) y Chiapas (con el cañón del Sumidero, San Cristóbal de las Casas, Palenque y las Cascadas de Agua Azul)..., y conociendo la península de Yucatán (con sus ciudades arqueológicas de Uxmal, Chichen Itzá..., y su preciosa capital, Mérida). Lo más impactante, la diversidad étnica. Se vive en la calle, con puestos de comida por todos lados, a todas horas… La vitalidad de la Ciudad de México, la tranquilidad de las pequeñas poblaciones, la permanencia de sus tradiciones, el color de la comida y su preparación...
☻**¿Lo mejor?:** El conocimiento de una cultura tan cercana y, a la vez, tan diferente.

 📌 La opinión de Sara 🖊 (agosto 2013)
Hemos conocido varias zonas de México, con sus distintos climas y sus características diferentes. Momentos favoritos: todos. Los guías, los transportes, las visitas…, todo correcto. ¡Un viaje ideal!
☻**¿Lo mejor?:** La ruta ha sido muy completa.

Total: _____ / 10 puntos

2. PRODUCCIÓN ESCRITA

(Mínimo, 50 palabras)

Imagina que has viajado a un país hispanohablante. Escribe un <u>blog</u> sobre tu experiencia.

Incluye:

- qué lugares has visitado en el país
- dónde has dormido y cómo has viajado
- qué has hecho
- qué te ha gustado más

▶ EVALUACIÓN DE TU PRODUCCIÓN ESCRITA

- **Lengua** (____ / 4 puntos)
- Léxico: alojamientos, medios de transporte y verbos relacionados con los viajes
- Gramática: pretérito perfecto / marcadores temporales

- **Contenido** (____ / 4 puntos)
- Qué lugares has visitado en el país
- Dónde has dormido y cómo has viajado
- Qué has hecho
- Qué te ha gustado más

- **Formato: blog** (____ / 2 puntos)
- ¿Le has puesto un título?
- ¿Has incluido tu nombre?

Total: _____ / 10 puntos

3. PRODUCCIÓN Y COMPRENSIÓN ORAL (interacción)

(Mínimo, un minuto cada uno)

Con un compañero, prepara un diálogo sobre las vacaciones.

Incluye:

- dónde has estado
- dónde has dormido
- qué has hecho
- qué te ha gustado más

▶ EVALUACIÓN DE TU PRODUCCIÓN ORAL Y DE LA COMPRENSIÓN ORAL DE TU COMPAÑERO

- **Lengua** (____ / 4 puntos)
- Léxico: descripción de lugares y actividades
- Gramática: pretérito perfecto

- **Contenido** (____ / 4 puntos)
- Qué lugares has visitado en el país
- Dónde has dormido
- Qué has hecho
- Qué te ha gustado más

- **Expresión** (____ / 2 puntos)
- Hablas con fluidez
- Hablas con una buena pronunciación y entonación

- **Interacción** (____ / 10 puntos)
- Comprendes lo que dice tu compañero
- Respondes de forma coherente a lo que dice tu compañero

Total: _____ / 20 puntos

Total: _____ / 50 puntos

Mi progreso

Valora tu progreso después de esta unidad.

Mis habilidades	
- Hablar y escribir sobre viajes, experiencias y hábitos culturales	
- Preguntar y dar direcciones	
- Escribir un correo electrónico y un blog	

Mis conocimientos	
- Léxico de viajes, geografía, accidentes geográficos, direcciones	
- Verbos *saber* y *conocer*	
- Pretérito perfecto y marcadores temporales	
- Abreviaturas	
- Información sobre México y sus lugares turísticos	

Soy más consciente	
- Del valor de los viajes	
- De la importancia de la organización de grupos	
- Del respeto a las distintas culturas	

 Bien   Adecuado   Mal

LIBRO DEL ALUMNO

0 ¡Hola!

Saludos y despedidas

1 A (1)

1 Hola, buenos días. Me llamo Marta. Soy la profesora de español.

2 ● Hola, me llamo Daniel, ¿qué tal?
■ Bien, ¿y tú?

3 ● ¡Adiós, hasta mañana!
■ ¡Adiós!

2 (2)

1 Hola, ¿qué tal? 2 Hola, me llamo Mario, ¿y tú?
3 Hola, buenos días. 4 ¡Adiós, hasta mañana!

El alfabeto

1 (3)

A-Antigua (Guatemala)	N-Neuquén (Argentina)
B-Bogotá (Colombia)	Ñ-Ñemby (Paraguay)
C-Caracas (Venezuela)	O-Oviedo (España)
D-Durazno (Uruguay)	P-Panamá (Panamá)
E-El Escorial (España)	Q-Quito (Ecuador)
F-Formentera (España)	R-Rocha (Uruguay)
G-Guadalajara (México)	S-San Salvador (El Salvador)
H-Heredia (Costa Rica)	T-Tegucigalpa (Honduras)
I-Iquitos (Perú)	U-Uyuni (Bolivia)
J-Jarabacoa (República Dominicana)	V-Valparaíso (Chile)
K-Kino (México)	W-Wanda (Argentina)
L-La Habana (Cuba)	X-Xico (México)
M-Managua (Nicaragua)	Y-Yauco (Puerto Rico)
	Z-Zaragoza (España)

3 A (4)

1 t-a-x-i; 2 h-o-t-e-l; 3 r-e-s-t-a-u-r-a-n-t-e;
4 b-a-r; 5 p-l-a-y-a; 6 a-m-i-g-o; 7 m-u-s-e-o;
8 E-s-p-a-ñ-a

Números

1 (5)

cero; uno; dos; tres; cuatro; cinco; seis; siete; ocho; nueve; diez; once; doce; trece; catorce; quince; dieciséis; diecisiete; dieciocho; diecinueve; veinte

El español internacional

1 B (6)

1 sombrero; 2 fiesta; 3 tapas; 4 playa; 5 turista; 6 fútbol; 7 tacos; 8 amigos; 9 siesta; 10 flamenco; 11 poncho; 12 tomates

1 Identidad

La clase

1 A (7)

a la puerta; b los libros; c el cuaderno; d el bolígrafo; e la goma; f los lápices de colores; g las mochilas; h el mapa; i la pizarra; j el ordenador; k la silla; l los rotuladores; m el reloj; n la mesa; ñ el sacapuntas

2 A (8)

A: Hola, ¿cómo estás?
E: Muy bien, ¿y tú?
A: Bien, gracias.
E: ¿Cómo te llamas?
A: Alejandro, ¿y tú?
E: Soy Erika.

A: Erika, bienvenida a la clase de español.
E: ¡Gracias!

2 C (9)

● Buenos días, ¿es usted Antonio López?
■ Sí, soy yo. ¿Y usted es la señora Sandra Martínez?
● Sí, ¿cómo está, señor López?
■ Bien, gracias, ¿y usted?
● Muy bien. Bienvenido al instituto.

Datos personales

2 A y B (10)

veinte; veintiuno; veintidós; veintitrés; veinticuatro; veinticinco; veintiséis; veintisiete; veintiocho; veintinueve; treinta; treinta y uno; treinta y dos; treinta y tres; treinta y cuatro; treinta y cinco; treinta y seis; treinta y siete; treinta y ocho; treinta y nueve; cuarenta; cincuenta; sesenta; setenta; ochenta; noventa; noventa y nueve; cien

2 C (11)

a Hoy es el cumpleaños del famoso futbolista Alfonso Martínez: ¡32 años! b El 77 es el número premiado de la Lotería Nacional. c El aeropuerto del Prat, en Barcelona, cumple hoy 100 años. d En la liga de baloncesto: Valencia, 91; Canarias, 84. e El próximo 23 de abril es el Día del Libro en toda España.

Presentaciones

2 B (12)

1 ¿Cómo te llamas? 2 ¿Cuántos años tienes?
3 ¿Dónde vives? 4 ¿De dónde eres? 5 ¿Qué idiomas hablas? 6 ¿Cuándo es tu cumpleaños?

2 C (13)

¿Eres inglés? / ¿Hablas español? / ¿Vives en Chile?

2 D (14)

1 ¿Qué idiomas hablas? 2 ¿Eres alemán? 3 ¿Cuándo es tu cumpleaños? 4 ¿Hablas chino? 5 ¿Dónde vives? 6 ¿Estudias Bachillerato?

2 Relaciones

Mi familia y mis amigos

1 B (15)

1 Son hermanos y ¡son mis primos favoritos! 2 Son mis abuelos, los padres de mi padre. 3 Es la madre de Álex y Martina, mi tía. 4 Es el hermano de mi padre, mi tío.

3 (16)

1 Lara: ¿Quién es el de la foto?
Daniela: Este es mi hermano Carlos.
2 Daniela: Esas son las chicas del grupo de rock Eléctrica.
Lara: ¡Qué guay!
3 Daniela: ¿Cuál es tu madre?
Lara: Aquella, en la puerta del cine.

Aspecto físico

4 (17)

1 Es una señora alta.

2 Tiene los ojos azules.

3 Es atractiva.

4 Mario es alto.

Ecuador

2 (18)

Ecuador es un país muy diverso. Tiene distintos climas, ecosistemas y paisajes. También su gente tiene diferentes costumbres, tradiciones y características. En la costa, la gente es más sociable, simpática y generosa. En la sierra, muy amable, pero más tímida. En el oriente, la gente tiene características muy variadas. La ubicación geográfica del país, en el ecuador de la Tierra, tiene influencia en el carácter de sus habitantes, pero todos son muy solidarios y cordiales.

3 Hábitat

Una ciudad

5 A (19)

1 Salamanca es una ciudad ideal para pasar unas vacaciones porque es una ciudad muy antigua y muy bonita. ¡Además, la comida es excelente! ¡Qué tapas!
2 Yo vivo en Salamanca y es la mejor ciudad para vivir porque es pequeña, pero tiene de todo. Tiene mucho ambiente, porque hay muchos estudiantes y hay muchos lugares para salir.
3 Salamanca para mí es una ciudad muy interesante para estudiar porque tiene una universidad muy importante y hay estudiantes de todas partes de España y del mundo.

Una casa

3 B (20)

Juanjo: ¿Y qué tal en tu nuevo piso en Barcelona?
Lidia: Muy bien. No es muy grande, tiene una habitación, pero para mí es perfecto. Mi lugar preferido es el salón.
Juanjo: Ah, ¿sí? ¿Es grande?
Lidia: Es muy grande y tiene una chimenea antigua.
Juanjo: ¡Una chimenea! ¿Y tienes un buen sofá?
Lidia: Sí, es un sofá moderno y muy grande.
Juanjo: Para ver la tele.
Lidia: No, no tengo tele. El sofá es para dormir y leer.
Juanjo: Y para estar con los amigos, ¿no?
Lidia: ¡Claro!
Juanjo: Oye, ¿y la bicicleta dónde la tienes?
Lidia: Bueno… la bicicleta está en el salón, al lado de la chimenea. ¡Es muy decorativa!

4 B (21)

1 Uruguay; 2 Toronto; 3 Caracas; 4 Guadalajara; 5 Monterrey; 6 Rosario; 7 Ecuador; 8 Roma; 9 Sarajevo; 10 Andorra; 11 Noruega; 12 París; 13 Rusia; 14 Irán; 15 Marruecos; 16 Nigeria

4 Hábitos

Actividades y horas

2 B (22)

Yo, cuando tengo clase, me levanto a las siete, me ducho y me visto. Después desayuno sobre las siete y media, café con leche y cereales, y me lavo los dientes. A las ocho voy al instituto en bicicleta. Allí tengo clase de ocho y media a una y de dos a cuatro. Al mediodía como en la cafetería del instituto con mis compañeros. Por la tarde, dos días a la semana, juego al baloncesto, de cinco a siete. Después, voy a casa y hago los deberes en mi habitación. Luego ceno con mi familia sobre las nueve y me acuesto aproximadamente a las once.

TRANSCRIPCIONES

Rutina diaria

1 A ㉓

Marisol: ¿Y te levantas a las seis y media? ¿Por qué tan temprano?

Antonio: Pues porque vivo muy lejos del instituto y el autobús pasa a las siete y media por mi casa.

Marisol: ¡Ah! Pues mi madre trabaja cerca del instituto y voy en coche con ella. Normalmente me levanto a las siete y media y vamos al instituto a las ocho.

Antonio: Ah, yo voy a las siete y media. En nuestro instituto comemos a la una, ¿y vosotros?

Marisol: Primero comen los pequeños y luego comemos nosotros, a las dos.

Antonio: ¿A las dos? ¡Qué tarde! ¿A qué hora salís?

Marisol: Las clases en el instituto terminan a las cinco y cuarto, pero yo vuelvo a casa a las seis y media.

Antonio: ¿Termináis a las cinco y cuarto? Pues mis clases terminan a las tres y media… Y yo vuelvo siempre a casa a las cuatro, como un bocadillo y después, sobre las cinco, hago los deberes.

Marisol: ¡Qué suerte! Yo hago los deberes sobre las ocho, y siempre tengo muchos deberes. Y normalmente me acuesto a las once y media.

Antonio: Yo me acuesto mucho más temprano, a las diez y media, porque tengo que levantarme muy pronto…

Horarios

1 C ㉔

Tecnología; Geografía; Química; Historia; Arequipa; Inglés; guitarra; Arte; Lengua; horario; colegio; hacer; Diego; quince

4 A ㉕

1 ● Yo, durante la semana nunca voy a casa de mis amigos. Viven demasiado lejos…
  ■ Yo, a veces, porque mis amigos viven en mi barrio…
2 ● Siempre me levanto pronto los sábados, tengo entrenamiento de baloncesto.
  ■ Ay, yo no, los fines de semana me levanto muy tarde.
3 ● Durante la semana hago los deberes después de cenar, pero el fin de semana los hago por la mañana, el domingo.
  ■ Yo también: siempre el domingo por la mañana.
4 ● Yo casi siempre voy al instituto en bicicleta.
  ■ Yo, casi nunca… Vivo muy lejos, pero a veces sí voy en bicicleta.
5 ● Casi siempre cenamos toda la familia juntos.
  ■ Nosotros también.

5 Competición

Deportes

2 A y B ㉖

Profesor: Hola, chicos. Es el primer día de Educación Física y quiero saber qué deportes practicáis, cuándo y dónde. A ver, empezamos por… Amaya Ramos.

Amaya: Yo juego al fútbol los martes, los jueves y los sábados en el polideportivo de mi barrio.

Profesor: Bien. ¿Y tú, Diego?

Diego: A mí me gusta hacer *jogging*, bueno, correr por el parque. Corro casi todos los días por la mañana.

Profesor: Dicen que tú eres el campeón de la clase, ¿no, Javier?

Javier: Bueno, un poco, je, je. Tengo clases de tenis, de seis a ocho, todos los lunes y jueves en el club de

tenis y los sábados tengo partidos de competición.

Profesor: Bueno, Beatriz. ¿Cuál es tu deporte?

Beatriz: Pues yo practico atletismo en el instituto. Entrenamos los lunes y miércoles después de las clases y muchos fines de semana viajamos a otras ciudades para competir con otros institutos.

3 C ㉗

Las espectaculares cifras de los Juegos Olímpicos de Londres 2012:
- 25 récords olímpicos
- 204 delegaciones olímpicas
- 4700 medallas
- 10 863 atletas: 6040 hombres y 4823 mujeres
- 2 000 000 de espectadores en pistas y estadios deportivos
- 900 000 000 de espectadores en la ceremonia de inauguración por televisión

Gustos

2 A y B ㉘

1 ● A mí no me gusta mucho nadar en la piscina.
  ■ Pues a mí sí. Me gusta mucho la piscina, pero solo cuando no hay mucha gente.
2 ● A mis amigos y a mí nos encanta jugar al fútbol los fines de semana.
  ■ Sí, a nosotros también. ¿Dónde jugáis?
3 ● El yoga es muy aburrido. No me gusta, la verdad.
  ■ A mí tampoco. No me gusta nada, pero a mi hermana le encanta.
4 ● A mí me gustan mucho los deportes de equipo, especialmente el baloncesto.
  ■ Pues a mí no. Me gustan los deportes individuales.
5 ● A mi papá le encanta el golf. A mí no me gusta nada.
  ■ Pues a mí sí me gusta.
6 ● Muchos fines de semana voy a la montaña con el club. Me encanta la escalada.
  ■ A mí no me gusta nada. ¡Qué horror! La escalada no me gusta nada.

2 C ㉙

1 A mí no me gusta mucho nadar en la piscina. 2 A mis amigos y a mí nos encanta jugar al fútbol los fines de semana. 3 El yoga es muy aburrido. No me gusta, la verdad. 4 A mí me gustan mucho los deportes de equipo, especialmente el baloncesto. 5 A mi papá le encanta el golf. A mí no me gusta nada. 6 Muchos fines de semana voy a la montaña con el club. Me encanta la escalada.

Concursos

2 A ㉚

Presentador: Hoy tenemos en nuestro estudio a Javier Brenes, ganador del concurso *Tu público*. ¡Hola, Javier! Enhorabuena por el premio. Ahora ya eres cantante profesional, ¿no?

Javier: ¡Gracias! Sí, estoy muy contento porque tengo dos conciertos para el mes de julio y, bueno, soy famoso.

Presentador: Con nosotros tenemos a muchos chicos y chicas que escuchan en este momento la nueva edición de *Tu público*. ¿Puedes contarnos cuáles son los requisitos para participar y, por supuesto, para ganar el concurso?

Javier: Bueno, pues lo primero que tienes que hacer es la inscripción, que puede ser por internet. Además, tienes que tener más de dieciséis años y vivir

en el país. Claro, también es necesario cantar, bailar o tocar un instrumento.

Presentador: ¿Y eso es todo? ·

Javier: Bueno, personalmente, también creo que es muy importante ser abierto, simpático y, bueno, un poco guapo también.

Presentador: ¿Algún requisito más?

Javier: Sí, después de una selección, vas a televisión y, eso sí, tienes que ganar cada semana…

Presentador: Bueno, chicos, pues ya sabéis, solo tenéis que tener talento musical, hacer la inscripción y ¡a ganar! Gracias, Javier, y mucha suerte.

Javier: Muchas gracias a vosotros.

4 B ㉛

Presentadora: Buenas tardes, hoy tenemos con nosotros a la pareja finalista en nuestro concurso *Palabras*.

Marina: ¡Hola!

Julio: ¡Buenas tardes!

Presentadora: Bueno, creo que no es necesario presentaros porque ya lleváis cinco semanas con nosotros…, pero para los telespectadores que ven el programa por primera vez: Marina y Julio, son amigos, tienen 18 años y viven en Ávila.

Marina: Sí, a ver si tenemos suerte hoy…

Presentadora: Pues aquí va la primera pregunta. Tenéis un minuto para decir nombres de deportes que se juegan en equipo. ¡Tiempo!

Julio: Fútbol.

Marina: Baloncesto.

Julio: Voleibol.

Marina: Ciclismo.

Julia: Tenis.

Marina: Fútbol.

Presentadora: Ay, lo siento, pero la respuesta *fútbol* está repetida. Son cinco respuestas a 10 euros…: ¡cincuenta euros! Vamos con la siguiente pareja…

5 ㉜

1 cojín; 2 gafas; 3 espejo; 4 segundo; 5 antiguo; 6 guitarra; 7 hijo; 8 ningún; 9 gordo; 10 joven; 11 jueves; 12 ganar; 13 trabajo; 14 general; 15 conseguir; 16 debajo

6 Nutrición

Comidas y bebidas

1 B ㉝

1 la verdura; 2 la fruta; 3 el arroz; 4 los cereales; 5 el embutido; 6 el agua; 7 el pan; 8 los huevos; 9 los frutos secos; 10 las legumbres; 11 la leche; 12 el zumo; 13 las patatas; 14 el pescado; 15 la carne; 16 el helado; 17 el pastel; 18 la pasta

Hábitos alimenticios

1 A ㉞

● Hoy tenemos a tres invitados. Cada uno de un país diferente. Tenemos a Elena, de España, a Carla; de Argentina; y a Luis Fernando, de México. Vamos a hablar de la comida y la bebida típica de sus países. Elena, ¿qué se come y qué se bebe en España?

■ La comida en España es muy variada. En España se come carne, pero también se come mucho pescado. España produce mucho pescado, pero importa también mucho por las cantidades de pescado que comemos. También se come mucha fruta y mucha verdura. Se comen muchas ensaladas, por ejemplo. ¡Ah!, y también se comen muchas tapas.

● ¿Y qué se bebe?

■ Bueno, con la comida se bebe normalmente agua, pero los adultos también beben vino…

● Carla, ¿qué se come y qué se bebe en Argentina?

▲ ¿En Argentina? Carne, se come mucha carne. Tenemos la mejor carne del mundo. Y por la influencia italiana, se come mucha pasta también.

● ¿Y qué se bebe?

▲ Lo que más se bebe es el mate, es la bebida nacional. Es como el café o el té, ¡pero diferente!

● Luis Fernando, ¿qué se come y qué se bebe en México?

▲ Se comen muchas tortillas de maíz; se comen burritos o enchiladas de pollo o carne y verduras. Los frijoles se comen con todo. La comida mexicana es muy famosa y es excelente.

● ¿Y qué se bebe?

▲ Se beben muchos jugos de fruta.

3 A y B (35)

■ Carmen, hoy quiero hacer un gazpacho. ¿Tú sabes cómo se hace?

● Sí, claro.

■ Pues dime qué ingredientes necesito y voy ahora mismo al supermercado a comprarlos.

● Mira, el ingrediente principal son los tomates.

■ ¿Cuántos? ¿Un kilo?

● Sí, un kilo. Después, compra un pimiento y una cebolla. También necesitas aceite y vinagre.

■ Muy bien. En casa tengo aceite y vinagre.

● ¡Y sal!

■ Sí, sí, también tengo sal.

● También le puedes poner un trozo de pan.

■ Muy bien, creo que tengo pan. ¿Y algo más?

● No, nada más. Bueno, sí, un diente de ajo.

■ Vale, tengo ajo en casa. Entonces solo tengo que comprar los tomates…, un kilo, y la cebolla. ¡Qué plato más barato!

● ¿Tienes pimientos?

■ Ay, no, es verdad, tengo que comprar también pimientos.

Comer fuera

1 B y C (36)

Camarero: Hola, ¿qué desean para comer?

Bernardo: Yo, de primero, quiero la sopa de pescado.

Lucía: Perdone, ¿qué lleva la ensalada?

Camarero: Lleva lechuga, tomates, maíz, frutos secos y naranja.

Lucía: Pues yo quiero una ensalada.

Camarero: ¿Y de segundo?

Bernardo: ¿Cómo preparan la dorada?

Camarero: La hacemos al horno.

Bernardo: Pues para mí la dorada.

Lucía: Y para mí, de segundo, el bistec con pimientos asados.

Camarero: ¿Lo quiere muy hecho o poco hecho?

Lucía: Lo quiero muy hecho.

Camarero: ¿Y de postre?

Bernardo: ¿La macedonia lleva melocotón?

Camarero: Sí, lleva melocotón, manzana, plátano, fresas…

Bernardo: Umm, soy alérgico al melocotón… Entonces un flan de la casa.

Lucía: Y yo también.

Camarero: ¿Y para beber?

Bernardo: Yo, un agua con gas.

Lucía: Yo, un agua sin gas.

1 D (37)

Bernardo: ¡Camarero! ¿Me pone un café, por favor?

Camarero: ¿Solo?

Bernardo: No, con hielo.

Camarero: Ahora mismo. ¿Y para usted?

Lucía: A mí un té con limón.

Bernardo: ¡Ah! Y me trae la cuenta también, por favor.

5 B (38)

1 pollo; 2 ceviche; 3 churros; 4 chorizo; 5 mantequilla; 6 enchilada; 7 bocadillo; 8 cebolla; 9 paella; 10 leche; 11 chocolate; 12 gazpacho.

7 Diversión

Hacer planes

1 B (39)

Rodrigo: Tengo varias ideas para este fin de semana. ¿Qué les parece si el sábado paseamos por el Malecón? Es un lugar muy especial.

Cristina: Pero… ¿qué es el Malecón?

Rodrigo: Es un paseo al lado del mar donde siempre hay mucha gente joven.

Álex: A mí me gusta la idea, tengo muchas ganas de pasear…

Cristina: Sí, a mí también me parece bien ir al Malecón.

Rodrigo: ¿Y si vamos a bailar por la noche? Hay dos conciertos el sábado, uno de salsa y otro de *hip hop*.

Álex: Yo prefiero el de salsa; es más cubano, ¿no?

Cristina: Sí, a mí también me apetece más el concierto de salsa.

Rodrigo: De acuerdo, pues llamo a unos amigos y vamos al concierto.

Álex: ¡Estupendo!

Cristina: Sí, sí, me apetece mucho…

Álex: ¿Y el domingo?

Rodrigo: ¿Por qué no vamos a la exposición de Mario David por la mañana? Es un artista cubano muy interesante…

Cristina: No sé, las exposiciones me parecen aburridas. Yo prefiero pasear por el centro de La Habana.

Rodrigo: Bueno, por la mañana podemos ir a la exposición y por la tarde vamos de paseo. Y por la noche, podemos salir a cenar.

Álex: Me gusta la idea, pero podemos cenar en casa y después salimos.

Rodrigo: OK, ya está. Tenemos el fin de semana organizado.

Invitar

1 B (40)

Raúl: ¿Dígame?

María Elena: Hola, Raúl, ¿cómo estás? ¿Quieres ir al cine esta tarde? Es que quiero ver una película de terror y mis amigas no quieren verla.

Raúl: ¿María Elena? Hola, hola… Sí, sí, de acuerdo. ¡Estoy en tu casa en quince minutos!

María Elena: Muy bien, pues nos vemos ahora. Te espero en la puerta de mi casa…

Dar opiniones

1 A y B (41)

Carlos: Qué estrés tengo con tantos exámenes, estoy harto de tanto estudiar. Yo creo que también es importante divertirse, ¿no?

Sara: Pues sí, tienes razón, pero creo que todo es cuestión de organizarse…

Carlos: Pero es que es imposible con todo el trabajo que tenemos. Estoy estresado, muy estresado y no puedo más. ¡Y me aburro de tanto estudiar!

Sara: A ver, Carlos, estoy de acuerdo contigo en que tenemos mucho trabajo, pero me parece que tienes que aprender a relajarte. Mira, yo, cuando tengo estrés, cuando estudio, siempre hago descansos y, por ejemplo, escucho música. Es necesario olvidar los problemas, todos los proyectos y exámenes y ¡no estresarse! Otras veces, lo mejor para relajarse es un buen libro. Cuando lees, entras en un mundo nuevo y olvidas tus preocupaciones…

Carlos: Estoy de acuerdo contigo, todo eso ayuda, pero es que estoy siempre cansado…

Sara: Pero… ¿no estás toda la noche con el ordenador? Me parece que no duermes bien.

Carlos: Es verdad, duermo pocas horas y juego mucho con el ordenador. Es que me relaja…

Sara: De verdad, Carlos, si te organizas bien, tienes tiempo para divertirte también. Yo salgo mucho los fines de semana y también tengo tiempo para ver películas, jugar en el ordenador y dormir bien. Además, pienso que tienes que empezar a ser menos serio, a reírte mucho más, hasta de ti mismo. La risa es lo mejor contra el estrés.

Carlos: Sara, tienes razón, tengo que aprender… Pero es que, Sara, eres tan inteligente…

Sara: Pues yo creo que no. Inteligente no, organizada.

2 A (42)

1 correo; 2 utilizar; 3 necesitar; 4 zapato; 5 dominicana; 6 social; 7 cubano; 8 zumo; 9 excursión; 10 apetecer.

2 B (43)

concierto; razón; centro; cine; zapato; hacer; decir; cena; gracias; zona

8 Clima

El tiempo

1 C (44)

Vamos con la previsión del tiempo del día de hoy en algunas capitales del mundo.

Mal tiempo hoy en Londres. Está nublado y hace frío.

En Moscú nieva y hace mucho frío. ¡Hace muy mal tiempo en la capital y en todo el país!

Hoy en Bangkok llueve y hay tormentas previstas todo el día.

En Lima hoy tienen un día muy bonito. Hace sol y no hace nada de viento.

2 B (45)

Y ahora, la previsión del tiempo en Argentina hoy. Aunque por la tarde va a hacer sol, en el norte del país llueve y hay tormentas en este momento. En el centro hace buen tiempo, pero está nublado en las regiones del oeste. Además, hay niebla en estas regiones. En la Patagonia, en el sur del país, hay tormentas en Río Negro y también en Chubut. En Santa Cruz está nublado y hace sol en Tierra del Fuego.

TRANSCRIPCIONES

El clima perfecto

1 B y C (46)

Yanina: ¿Entonces, dónde vamos, Antonio? Mar del Plata es más turística que Pinamar y ¡me encantan sus playas!

Antonio: No, Yanina, a mí me gusta más Pinamar, es una ciudad menos ruidosa y más exclusiva que Mar del Plata…

Yanina: Pero Pinamar es más cara y hay menos hoteles que en Mar del Plata.

Antonio: Ya, pero en Pinamar puedes estar más tranquilo y puedes descansar con una naturaleza sin contaminación, en playas limpias… Además, es mejor porque está más cerca de Buenos Aires que Mar del Plata.

Yanina: Sí, pero Mar del Plata tiene más medios de transporte, vos podés llegar en avión; a Pinamar no podés volar.

Antonio: Eso es cierto, el transporte para ir a Pinamar es peor…, pero vamos a ir en coche, ¿no?

Yanina: Sí, ya sé…, claro que vamos a ir en auto…

Antonio: Si llueve, ¡hay tantas cosas interesantes en Pinamar!

Yanina: Sí, ¡tantos lugares interesantes como en Mar del Plata…, si llueve!

Antonio: La comida es muy buena en Pinamar…

Yanina: Tan buena como en Mar del Plata, ¡tienen la misma gastronomía! Vamos Antonio, ¡Mar del Plata es más barata que Pinamar! Las dos tienen el mismo clima, perfecto para disfrutar el verano. ¡Vamos a Mar del Plata ya!

3 (47)

1 Mar del Plata es más turística que Pinamar y ¡me encantan sus playas! **2** No, Yanina, a mí me gusta más Pinamar. **3** Ya, pero en Pinamar puedes estar más tranquilo y puedes descansar con una naturaleza sin contaminación, en playas limpias. **4** Sí, ya sé. **5** Si llueve, ¡hay tantas cosas interesantes en Pinamar! **6** Sí, ¡tantos lugares interesantes como en Mar del Plata…, si llueve!

4 (48)

1 Vamos en yate. **2** A mí no me gusta nada la lluvia. **3** ¿Dónde está la llave de tu casa? **4** Esta es la calle que busco. **5** Yésica va a mi clase de francés. **6** Yo me llamo Daniela, ¿y vos?

Argentina

1 B (49)

Argentina está en América del Sur y limita con Chile, Bolivia, Paraguay, Brasil y Uruguay. Tiene unos 40 millones de habitantes y su capital es la ciudad de Buenos Aires. El idioma oficial es el español y tiene 25 lenguas indígenas, las más habladas son el guaraní, el quechua y el aimara.

3 (50)

● En el programa de hoy entrevistamos a Santiago Biasi, el autor del libro *El clima y su influencia en nuestras vidas*. Buenos días y bienvenido.

■ Buenos días, muchas gracias por invitarme.

● Señor Biasi, en su libro defiende que la inmigración y el clima en Argentina tienen relación. Es un tema muy interesante. ¿Qué relación tiene la geografía y el clima con la inmigración?

■ Las características de las diversas regiones de Argentina atraen a los inmigrantes que vienen de distintos países, principalmente de Italia, España, Siria, Líbano, Alemania e Inglaterra, entre muchos otros. Estas características les recuerdan a sus países de origen.

● ¿Y cómo influyen esas características?

■ Por ejemplo, los italianos van principalmente a las regiones del centro, que son regiones de clima templado, con diversidad de paisajes y zonas agrícolas y ganaderas, en particular, en La Pampa argentina…

● ¿Y los españoles?

■ Los españoles viven en las regiones del oeste, en provincias como Mendoza o San Juan, donde hace calor y hay viñedos y olivares.

● ¿Y los árabes?

■ Los sirios y libaneses prefieren climas más extremos, más cálidos, y paisajes más desérticos, como el norte de Argentina.

● ¿Y dónde se encuentran los inmigrantes alemanes?

■ Los alemanes, como los ingleses, generalmente viven en el sur, donde nieva y hace más frío.

● ¿En la Patagonia?

■ Sí, es muy curioso. En esta región vive una comunidad de Gales muy importante que conserva su lengua.

● Muy interesante. Muchísimas gracias, señor Biasi.

9 Viajes

Saber viajar

1 B y C (51)

Yago: Tenemos que decidir a dónde vamos de vacaciones. Yo quiero ir a la playa… Podemos ir a Acapulco. Dicen que está muy bien.

Yolanda: Acapulco… No sé…, yo no conozco Guadalajara, por ejemplo. Seguro que es una ciudad interesante. Y no quiero ir a un lugar con playa, yo prefiero ir a una ciudad.

Yago: Pero yo quiero ir a una playa de México… No conozco las playas mexicanas. Además, Guadalajara la conozco. Podemos ir al Caribe… No conozco el Caribe…

Yolanda: Es que yo quiero ir a un lugar con historia. No quiero estar con miles de turistas tomando el sol. Solo conocemos los sitios que están cerca del D. F.: Puebla, Cuernavaca…

Yago: Ya…, por eso. Solo conocemos ciudades sin playa…

Yolanda: ¡Qué difícil! Hay tantos lugares en México…

Yago: ¡Ya lo tengo! ¿Vamos a Playa del Carmen?

Yolanda: ¿Playa del Carmen? Yo no quiero ir a Playa del Carmen, es demasiado turístico.

Yago: Pero está en la Riviera Maya y las ruinas mayas están muy cerca y podemos visitarlas…

Yolanda: Ay, no sé…

Yago: Siempre hago lo que tú dices y esta vez no puedes decir que no. Allí tenemos todo lo que tú quieres y lo que yo quiero. Podemos pasar unos días en la playa y otros días podemos ir de excursión. Podemos alquilar un coche. ¡Yo conduzco!

Yolanda: Bueno…, no es mala idea. No sé…, lo quiero pensar un poco. Mañana te doy una respuesta.

Descubrir

2 (52)

A ● Perdone, ¿sabe dónde está el Templo Mayor?
  ■ Sí, todo derecho, al final de esta calle.

B ● Perdone, ¿el Templo Mayor?
  ■ La segunda a la izquierda. Está entre el antiguo colegio de San Ildefonso y la catedral.

C ● Disculpe, ¿el Templo Mayor está cerca?
  ■ Sí, sí, está aquí al lado, detrás de la catedral.

D ● Disculpe, ¿hay un templo azteca por aquí?
  ■ Sí, el Templo Mayor. La segunda calle a la derecha.
  ● Muchas gracias.

Experiencias

3 A y B (53)

● Hola, Laura, ¿qué tal el viaje por México?

■ Muy bien. Ha sido un viaje fantástico. México es maravilloso y he conocido al chico ideal.

● ¡Qué bien! ¿Y cómo se llama?

■ Carlos Daniel. Es un chico muy guapo y muy interesante. Ha viajado por todo el mundo, ha estado en España muchas veces…

● ¡Qué suerte! ¿Y estudia? ¿Trabaja?

■ Ha tenido muchos trabajos, ha hecho varias películas…

● ¿Como actor?

■ ¡No! Como director…

● ¡No!

■ Y ha escrito cuatro libros…, y ha ganado dos veces un premio de literatura.

● Pero ¿cuántos años tiene?

■ ¡Veinte!

● ¿Seguro que ha hecho todo eso?

■ Bueno, eso es lo que me ha dicho…

CUADERNO DE EJERCICIOS

1 Identidad

La clase

3 (54)

1 c-u-a-d-e-r-n-o-s; **2** r-o-t-u-l-a-d-o-r; **3** m-o-c-h-i-l-a; **4** r-e-l-o-j-e-s; **5** p-i-z-a-r-r-a; **6** b-o-l-í-g-r-a-f-o

9 (55)

1

● ¿Hola?

■ ¡Buenos días! ¿Es usted Aurelio Montes?

● Sí, soy yo.

■ ¡Feliz cumpleaños, señor Montes!

● Muchas gracias.

■ Señor Montes, ¿de dónde es usted?

● Soy argentino, de Buenos Aires.

■ ¿Y cuántos años cumple hoy?

● ¡Muchos, señorita, muchos! ¡Ochenta y cinco!

■ ¿Ochenta y cinco?

● Exacto.

■ ¡Muchas felicidades!

2

● ¿Diga?

■ ¡Feliz cumpleaños!

● Muchas gracias.

■ ¿Eres María?

● Sí, me llamo María.

■ María, ¿de dónde eres?

● Soy española, de Toledo.

■ ¿Y cuántos años cumples hoy?

- Quince.
- ¡Muchas felicidades!
- ¡Muchas gracias!

Datos personales

21 (56)

a 72; **b** 83; **c** 25; **d** 37; **e** 99; **f** 74; **g** 25; **h** 44

Presentaciones

24 (57)

1 ¿De dónde eres? **2** ¿Vives en Londres? **3** ¿Cuál es tu apellido? **4** ¿Hablas chino? **5** ¿Dónde vives? **6** ¿Qué idiomas hablas? **7** ¿Cuándo es tu cumpleaños? **8** ¿Cuántos años tienes? **9** ¿Eres estudiante de Medicina? **10** ¿Tienes 20 años?

2 Relaciones

Mi familia y mis amigos

10 (58)

Lola: ¿Es grande tu familia, María Isabel?
María Isabel: ¡Muy grande! Somos seis hermanos: dos hermanas y cuatro hermanos.
Lola: ¡Seis hermanos!
María Isabel: ¡Sí! ¿Y sabes cuántos primos tengo?
Lola: ¿Cuántos?
María Isabel: Veinticuatro por parte de madre y quince por parte de padre.
Lola: ¡Tienes una familia muy grande!

Aspecto físico

12 (59)

Se llama Arturo Villavicencio. Es de Ecuador. Vive en Quito. Es de estatura mediana. Tiene los ojos castaños y el pelo gris. Lleva gafas. Es una persona famosa en Ecuador.

Carácter

20 y 21 (60)

Alejandro: ¿Qué tal con Sofía?
Santiago: Muy bien, ¡es muy guay y muy, muy guapa!
Alejandro: Ah, ¿sí? ¿Cómo es?
Santiago: Tiene el pelo largo y rizado y los ojos azules.
Alejandro: ¿Y es muy alta?
Santiago: Bueno… Es de estatura mediana.
Alejandro: ¿Y qué más?
Santiago: Pues lleva gafas.
Alejandro: ¿Y de carácter, qué tal? ¿Es muy tímida?
Santiago: No, no es tímida, es muy divertida…
Alejandro: ¿Y en el instituto?
Santiago: Es muy inteligente, y también bastante trabajadora…
Alejandro: Tienes razón. ¡Es una chica muy guay!

Autoevaluación

4 (61)

Mi familia es bastante grande. Vivo con mi madre y su nuevo marido y tengo dos hermanos, una hermana y un hermano. También tengo una hermanastra, la hija de mi padre y su nueva mujer. Tengo también dos abuelas y un abuelo. Mi madre tiene tres hermanas y mi padre cuatro hermanos. Todos están casados, así que tengo muchos primos y primas. También tengo una mascota, mi perro, que se llama Bruno.

3 Hábitat

Un barrio

16 (62)

Bienvenidos al concurso *¿Conoces este país?*. Hoy vamos a descubrir qué cosas sabemos de Guatemala. Tenemos cuatro preguntas para ti.
Pregunta número 1: ¿Dónde está Guatemala?
A. En Sudamérica.
B. En Norteamérica.
C. En Centroamérica.
Pregunta número 2: ¿De qué país está muy cerca Guatemala?
A. De Honduras.
B. De Venezuela.
C. De Puerto Rico.
Pregunta número 3: ¿Dónde está el Parque Arqueológico de Tikal?
A. En el centro de Guatemala.
B. En el norte de Guatemala.
C. En el sur de Guatemala.
Pregunta número 4: ¿Qué hay en la ciudad de Chichicastenango?
A. Un lago.
B. Un mercado de artesanía.
C. Una playa muy grande.
Y esto es todo por hoy. Podéis enviar vuestras respuestas a nuestro programa…

17 (63)

Hola, buenas tardes y bienvenidos a nuestro concurso *¿Conoces este país?* Hoy vamos a conocer las respuestas a nuestro concurso y también vamos a saber quién es el ganador.
Pregunta número 1: ¿Dónde está Guatemala? La respuesta correcta es… ¡en Centroamérica!
Siguiente pregunta, la número 2: ¿De qué país está muy cerca Guatemala? Y la respuesta es… ¡de Honduras!
Pregunta número 3: ¿Dónde está el Parque Arqueológico de Tikal? Y la respuesta correcta es… ¡en el norte de Guatemala!
Y ahora la pregunta número 4: ¿Qué hay en la ciudad de Chichicastenango? ¡Sí!, la respuesta correcta es… ¡un mercado de artesanía!
Y el ganador de nuestro concurso es…

4 Hábitos

Rutina diaria

7 (64)

- No trabajo todos los días.
- A veces trabajo muchas horas y otras veces pocas horas.
- Viajo mucho.
- Normalmente me levanto tarde porque trabajo por las noches.
- Nunca llevo uniforme.
- Siempre escucho música y tengo clases de baile.
- Tengo un club de fans.
- A veces voy a la televisión o a la radio.
- Soy una persona muy famosa.
- Hago muchos conciertos.
- Toco el piano y la guitarra.

9 (65)

Normalmente me levanto a las siete y media, desayuno y, después, sobre las ocho, me lavo los dientes, me ducho y me visto. A las ocho y media voy al instituto en autobús. Allí tengo clases de nueve a tres. A las once y media tenemos el recreo, y almuerzo en la cafetería con mis compañeros de clase. A las tres y cuarto, aproximadamente, vuelvo a casa y como con mi hermano. Después, hago los deberes y juego con el ordenador durante una hora. Luego, ceno con mi familia a las nueve y media. Me acuesto sobre las once y media. Tres días a la semana juego al tenis de seis a siete y media, y los fines de semana normalmente tenemos un partido.

Horarios

20 (66)

¡Atención, chicos! Hay tres cambios en el horario. Por favor, escuchad.
El lunes no hay Tecnología de dos y media a tres y media. Ahora la Tecnología es el martes a la misma hora y el Arte, entonces, es el lunes a las dos y media.
El martes no hay clase de Inglés a las diez, la clase es a las tres y media, y la clase de Ciencias la cambiamos a las diez de la mañana.
El viernes se cambia la Educación Física a las tres y media por la Lengua y Literatura que es a las nueve.

5 Competición

Deportes

7 (67)

veintitrés mil novecientos setenta y cuatro; un millón doscientos mil; quinientos ochenta y tres mil trescientos cuarenta y ocho; setecientos treinta y nueve; doscientos cuarenta mil novecientos treinta y cuatro; dos mil quince

Gustos

14 (68)

1 A mi hermano le encantan los deportes de riesgo. **2** No me gusta jugar al tenis. **3** Me encantan los concursos de música. **4** Me gusta nadar en el instituto. **5** A mí me encanta jugar al fútbol. **6** Me gusta practicar el atletismo en el polideportivo de mi barrio. **7** Me gusta ver los concursos de cocina de la televisión. **8** No me gusta la música clásica.

Concursos

22 (69)

1 Mis amigos y yo jugamos al fútbol todos los jueves. **2** En el trabajo de mi madre hay mucha gente joven. **3** Puedes colocar el cojín rojo debajo del espejo. **4** A mi abuelo le gusta viajar con sus hijos. **5** Generalmente, escojo bien a mis amigos.

26 (70)

El fútbol es uno de los deportes más practicados en todo el mundo. Existen muchas competiciones de fútbol, pero la más importante es la Copa del Mundo. También se llaman *los mundiales de fútbol* y se celebran cada cuatro años desde 1930. Estos duran aproximadamente un mes. Participan treinta y dos equipos.
De los países latinos, Brasil, Argentina, Uruguay, Colombia, Costa Rica y España son siempre favoritos. La selección de fútbol española, llamada *la Roja* por el color de su uniforme, tiene una Copa del Mundo.

En España hay jugadores muy famosos, como Iniesta o Casillas.

Autoevaluación

4 (71)

Manuela: A mí me encanta jugar al fútbol. Sí, ya sé que muchas personas piensan que es un deporte de chicos…

Javier: No, no, yo pienso que algunas chicas son muy buenas… A mí también me gusta el fútbol, pero verlo en la televisión. Mis deportes favoritos son el tenis y el esquí.

Manuela: ¿Y cuándo los practicas?

Javier: El tenis, los martes y jueves después de las clases, en el club de tenis de mi barrio; y el esquí, bueno, normalmente voy con mi familia una semana en las vacaciones de Navidad. ¿Y tú?

Manuela: Pues yo juego al fútbol con el equipo del colegio, los lunes y miércoles, pero dos sábados por la mañana al mes tenemos partidos de competición con otros institutos.

Javier: ¿Y qué otras cosas te gustan?

Manuela: Tocar la guitarra, pero nada de clásico, ¿eh? Solo *rock*. Tengo una guitarra eléctrica y voy a clases un día por semana.

Javier: Yo también toco la guitarra, pero no es eléctrica. Oye, un día tenemos que quedar y tocar juntos.

Manuela: Vale, claro que sí. ¡Ah!, y me gusta mucho ver series de televisión.

Javier: Sí, a mí también, pero me encantan los concursos de música. Mi sueño es presentarme a un concurso y hacerme muy muy famoso…

Manuela: No, no, no; yo solo toco para mí, no puedo tocar en público.

6 Nutrición

Hábitos alimenticios

13 (72)

Primero se pelan las patatas y se cortan en trozos pequeños. Después, se fríen en una sartén con aceite de oliva. Al mismo tiempo, se baten los huevos con un poco de sal en un bol. Se pica la cebolla en trozos pequeños y se añaden los trozos de cebolla a la sartén donde están las patatas. Cuando las patatas y la cebolla están fritas (unos 20 minutos, a fuego lento), se meten en el bol con el huevo batido. Después, se echa la mezcla del huevo, las patatas y la cebolla a la sartén. Unos minutos después, con un plato grande, le damos la vuelta. Volvemos a dejar la mezcla en la sartén unos minutos. Finalmente, se pasa la tortilla a un plato y ¡ya está lista para comer!

Comer fuera

19 (73)

1 ● ¿Qué es la dorada?
  ■ Un pescado.
2 ● ¿Qué lleva la ensalada?
  ■ Lechuga, tomate, aceitunas, frutos secos…
3 Me trae la cuenta, por favor.
4 De primero quiero la sopa.
5 ¿Me pone un té, por favor?
6 ● El pescado, ¿cómo lo preparan?
  ■ Lo hacemos al horno.

7 Diversión

Hacer planes

2 (74)

● ¿Por qué no organizamos una fiesta el próximo viernes?
■ No, no; el viernes no, que mucha gente tiene partidos o entrenamientos. Mejor el sábado.
● Vale, pues el sábado; ¿a las siete?
▲ Sí, yo creo que a las siete está bien.
■ Por mí, perfecto. Entonces la hacemos en el garaje de mi casa. Tenemos permiso, chicos.
▲ ¡Genial! Yo compro las bebidas y algo de picar.
● Yo puedo ir al supermercado contigo.
■ Y yo me encargo de la música. ¡Ah!, una idea… ¿y si buscamos un tema?
▲ ¿Cómo un tema?
■ Sí, por ejemplo *La guerra de las galaxias*, personajes famosos, la época *hippy*…
● Me gusta la idea. ¿Podemos hacer los años ochenta?
▲ Sí, sí, ¡qué divertido!
■ Bueno, pues…, ¡listo!

Dar opiniones

19 (75)

Colombia; influencia; información; criminal; reducir; contar; zona; conflictos; colectivo; adolescente

25 (76)

Hola a todos y gracias por escuchar nuestro *podcast*. Hoy queremos hablar de los distintos ritmos que existen en el Caribe…
En primer lugar tenemos la bachata, que es de origen dominicano. Trata siempre temas de amor, pero tristes, con problemas. Actualmente está muy de moda. Otro ritmo, de origen cubano, es el chachachá. Es un baile muy popular en todo el mundo. Se baila en parejas y existen muchas competiciones.
Pero, con seguridad, es el merengue el baile más típico de la República Dominicana.
La salsa tiene una gran influencia de Cuba, de Puerto Rico y de Nueva York. En realidad, es una mezcla de música caribeña y *jazz*, que nace en los años sesenta. Y para terminar, otro ritmo clásico, el mambo, que comienza en Cuba en los años treinta. Es un baile con pocas reglas y muchas emociones…

8 Clima

El tiempo

3 (77)

Y ahora, la previsión del tiempo para hoy en la provincia de Córdoba. Esta mañana en el norte de la provincia hay tormentas y está nublado, pero por la tarde va a hacer sol y va a aumentar la temperatura. En el centro de la provincia hoy hace sol y, además, va a hacer mucho calor. Aunque ahora hay niebla en el sur de la provincia, al mediodía va a hacer sol. Como vemos, en Córdoba hoy tenemos un tiempo variado. Y ahora, el tiempo en Buenos Aires…

El clima perfecto

13 (78)

● ¿Vamos en auto al final?
■ Y… no sé…

● Vos querés ir en moto, pero ¿y si llueve? ¡Está muy nublado…!
■ Ya sé, ¿y si llamamos un taxi?
● Sí, tenés razón, lo llamo ahora mismo.
■ Perfecto. ¿Y qué hago yo?
● Vos podés llamar a mi hermana y decirle que vamos a llegar tarde.

18 (79)

La República Argentina es un país independiente desde 1816. Tiene unos 42 millones de habitantes y está dividida en 23 provincias y una ciudad autónoma: Buenos Aires. Tiene una longitud de casi 4000 kilómetros entre el extremo norte y el extremo sur. La superficie continental es de 2 780 400 km^2, es el segundo país más grande en extensión de América del Sur, después de Brasil. La montaña más alta del territorio argentino es el pico del Aconcagua, a 6962 metros de altura.

Autoevaluación

4 (80)

Chema: Entonces… ¿qué hacemos?
Mariña: Pues yo creo que mañana podemos hacer algo especial. ¿Qué te parece?
Chema: Genial, yo también quiero hacer algo diferente, algo especial… Si hace buen tiempo, vamos a la playa, nos bañamos y tomamos el sol.
Mariña: ¿Y si llueve?
Chema: En la radio dicen que mañana hace buen tiempo, pero si llueve, vamos al Museo de Ciencias y ya está.
Mariña: ¿Y si nos levantamos y está nublado?
Chema: Pues entonces hacemos una excursión a la montaña… De todas formas, hay que ser optimista.
Mariña: ¿Y si hace frío?
Chema: Mariña, estamos en agosto, ¡cómo va a hacer frío! ¡Imposible!
Mariña: Ya, pero, ¿y si hace frío?
Chema: Estamos en el Mediterráneo y aquí no hace frío, pero, bueno, si hace frío, pues nos quedamos en casa y tenemos un día tranquilo, ¿contenta?

9 Viajes

Saber viajar

6 (81)

A ● Y tú, ¿qué ciudades españolas conoces?
  ■ Yo solo conozco Barcelona, ¿y ustedes?
  ● Nosotros conocemos Madrid, Barcelona, Bilbao…
B ● Mario, ¿sabes hablar ruso? Es que tenemos un amigo de Moscú de visita y no sabe hablar inglés ni español…
  ■ Bueno, sé decir algunas palabras porque conozco a un chico ruso del instituto…
C ● Señor Martínez, ¿sabe cuándo llegan sus hijos de vacaciones?
  ■ Pues no estoy seguro…, sé que llegan hoy, pero no estoy seguro de la hora…
D ● Vamos a jugar al tenis con Marina.
  ■ ¿Marina? No sé quién es.
  ● ¿No la conoces? Es mi prima.
  ■ Pues no, no la conozco…